PANORAMA

Deutsch als Fremdsprache

Carmen Dusemund-Brackhahn
Andrea Finster
Dagmar Giersberg
Friederike Jin
Verena Paar-Grünbichler
Steve Williams

A 2

Übungsbuch

Cornelsen

PANORAMA
Deutsch als Fremdsprache
Übungsbuch A2

Im Auftrag des Verlages erarbeitet von
Carmen Dusemund-Brackhahn, Andrea Finster, Dagmar Giersberg, Friederike Jin, Verena Paar-Grünbichler,
Steve Williams

Redaktion: Steffi Borneleit, Claudia Groß, Andrea Mackensen
Redaktionelle Mitarbeit: Lorena Onken, Ekaterina Proyss
Projektleitung: Gertrud Deutz

Umschlaggestaltung: Rosendahl Berlin, Agentur für Markendesign
Layout und technische Umsetzung: Klein & Halm Grafikdesign, Berlin
Illustrationen: Bianca Schaalburg (S. 16, 67, 68, 85, 92, 122, 177),
Tanja Székessy (S. 9, 17, 45, 56, 79, 93, 114, 118, 137, 142, 154, 155, 170, 171, 186)

Tonstudio: Clarity Studio Berlin
Regie: Susanne Kreutzer
Tontechnik: Pascal Thinius, Christian Marx
Sprecherinnen und Sprecher: Denis Abrahams, Robert Garve, Helena Goebel, Marianne Graffam,
Roman Hemetsberger, Elke Lüders-Schmitz, Ingrid Mülleder, Kim Pfeiffer, Benjamin Plath,
Vera Schmidt, Christian Schmitz, Felix Würgler

Symbole

 Hörtext auf CD   ☑ Prüfungsformat Goethe-Zertifikat A2

www.cornelsen.de

Die Webseiten Dritter, deren Internetadressen in diesem Lehrwerk angegeben sind, wurden vor Drucklegung
sorgfältig geprüft. Der Verlag übernimmt keine Gewähr für die Aktualität und den Inhalt dieser Seiten oder solcher,
die mit ihnen verlinkt sind.

1. Auflage, 1. Druck 2016

Alle Drucke dieser Auflage sind inhaltlich unverändert und können im Unterricht nebeneinander verwendet werden.

© 2016 Cornelsen Verlag GmbH, Berlin

Druck: Firmengruppe APPL, aprinta Druck, Wemding

ISBN 978-3-06-120473-0

PEFC zertifiziert
Dieses Produkt stammt aus nachhaltig
bewirtschafteten Wäldern und kontrollierten
Quellen.
www.pefc.de
PEFC/04-32-0928

Inhalt

1 Eine Reise: Deutschland – Österreich – Schweiz

1.1 Was ist das? Ergänzen Sie.

$\longrightarrow$

1. Sie möchten von Wien nach Berlin fliegen. Sie brauchen ein ...
2. Taschen, Koffer und Rucksäcke sind das ...
3. Sie sind am Flughafen und möchten nach Zürich fliegen. Sie warten auf den ...
4. Sie möchten ins Theater, in die Oper oder in ein Museum gehen. Sie kaufen eine ...

$\downarrow$

5. Sie möchten mit dem Flugzeug nach München fliegen. Sie fahren mit dem Taxi zum ...
6. Ihr Flug kommt gleich an. Die ... ist in zehn Minuten.
7. Sie machen in Deutschland Urlaub. Sie schicken Ihren Freunden eine ...
8. Eine Freundin aus der Schweiz möchte eine Reise nach Russland machen. Sie braucht ihren ...

Lösungswort:

| 1 | 2 M | 3 | 4 | 5 | 6 | 7 | 8 | 9 E | 10 | 11 | 12 | 13 |

1.2 Was passt? Verbinden Sie. Der Text im Kursbuch auf Seite 10 hilft.

1. einen Flug
2. den Rucksack
3. den Reisepass
4. die Stadt
5. ein Hotel
6. keinen Sitzplatz
7. den Weg
8. nach dem Weg

a packen
b empfehlen
c erklären
d fragen
e besichtigen
f vergessen
g buchen
h bekommen

1.3 Schreiben Sie mit den Wörtern in 1.2 Sätze.

1.4 Wiederholung: Präpositionen. Was passt? Ergänzen Sie.

am – im – in – in – mit – nach – nach – um – von ... bis – ~~von~~

1. Björn und Ulrike wollen am Wochenende *von* _____ Wien _____ Salzburg fahren.

   Sie fahren _____ dem Zug.

2. Das Konzert in der Lukaskirche findet _____ Freitag _____ 19:00 Uhr statt.

3. Die Semesterferien _____ Sommer dauern _____ Deutschland fast drei Monate:

   Sie sind _____ August _____ Oktober.

4. Pedro und Pavel wollen _____ dem Mittagessen _____ ein Museum gehen.

1.02 🔊 1.5 Florians Urlaub. Was ist auf der Reise passiert? Hören Sie und ordnen Sie die Aktivitäten.

a [ ] im Meer baden   e [ ] viel fotografieren

b [ ] in Linz ins Konzert gehen   f [1] mit dem Auto nach Athen fahren

c [ ] viele Sehenswürdigkeiten sehen   g [ ] am Abend ausgehen

d [ ] zu einer Freundin fahren   h [ ] in den Bergen wandern

1.6 Wiederholung: Perfekt. Was haben Florian und seine Freunde gemacht? Schreiben Sie Sätze in Ihr Heft. Unterstreichen Sie dann die Verben.

> Zuerst <u>sind</u> sie mit dem Auto nach Athen <u>gefahren</u>. Dort <u>haben</u> sie ...

2 Perfekt: Er hat seinen Pass vergessen.

2.1 Ordnen Sie die Partizip-II-Formen in die Tabelle und ergänzen Sie den Infinitiv.

entschuldigt erklärt gesucht diskutiert
gebucht gebadet verstanden empfohlen
bekommen gegangen gegessen
passiert vergessen gefahren besichtigt fotografiert
kennengelernt gepackt besucht

regelmäßige Verben		unregelmäßige Verben	
(__)ge_____(e)t	_____(e)t	(__)ge_____en	_____en
	fotografiert (fotografieren)		

2.2 Welche Verben in 2.1 bilden das Perfekt mit *sein*? Unterstreichen Sie.

2.3 Welches Verb passt? Ergänzen Sie die Verben im Perfekt.

verstehen – besichtigen – buchen – suchen – packen – bekommen – erklären – besuchen

1. Die Freunde _____ zuerst die Rucksäcke _____ .

2. Sie _____ in Salzburg am Nachmittag die Stadt _____ .

3. Eine Frau _____ ihnen in Luzern den Weg _____ . Die Freunde _____
   sie nicht _____ und _____ das Hotel lange _____ .

4. Gestern _____ Herr und Frau Gruber Freunde in Wien _____ .

5. Herr Neuwirt _____ am Wochenende im Internet ein Hotel _____ .

6. Lena hatte am Dienstag Geburtstag. Sie _____ von ihren Kollegen
   Blumen _____ .

2.4 Helenas Koffer-Geschichte. Was passt? Ordnen Sie zu.

in Rom ankommen, aber der Koffer nicht da sein – zum Flughafen fahren –
den Koffer packen – zur Information gehen und das Problem erklären –
einen Flug nach Rom im Internet buchen – nach zwei Tagen die Sachen endlich bekommen

1. _____

2. _____

3. _____

4. _____

5. _____

6. _____

2.5 Schreiben Sie Helenas Geschichte im Perfekt.

Helena hat im Internet einen Flug nach Rom gebucht. Dann ...

3 Meine Reise

3.1 Was ist richtig? Lesen Sie und kreuzen Sie an.

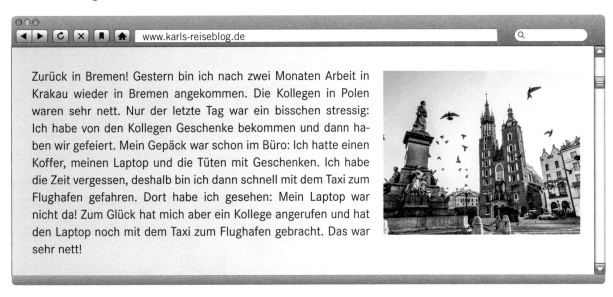

Zurück in Bremen! Gestern bin ich nach zwei Monaten Arbeit in Krakau wieder in Bremen angekommen. Die Kollegen in Polen waren sehr nett. Nur der letzte Tag war ein bisschen stressig: Ich habe von den Kollegen Geschenke bekommen und dann haben wir gefeiert. Mein Gepäck war schon im Büro: Ich hatte einen Koffer, meinen Laptop und die Tüten mit Geschenken. Ich habe die Zeit vergessen, deshalb bin ich dann schnell mit dem Taxi zum Flughafen gefahren. Dort habe ich gesehen: Mein Laptop war nicht da! Zum Glück hat mich aber ein Kollege angerufen und hat den Laptop noch mit dem Taxi zum Flughafen gebracht. Das war sehr nett!

	richtig	falsch
1. Karl hat in Krakau gearbeitet.	☐	☐
2. Die Kollegen haben Karl einen Laptop geschenkt.	☐	☐
3. Karl hat den Laptop in der Firma vergessen.	☐	☐
4. Er hat den Laptop mit dem Taxi schnell abgeholt.	☐	☐

3.2 Welche Fragen passen? Schreiben Sie.

1. 💬 *Haben Sie schon einmal ...* ?

   👍 Ja, ich habe schon einmal den Reichstag in Berlin besichtigt.

2. 💬 _____ ?

   👍 Nein, ich habe noch nie in der Schweiz Urlaub gemacht.

3. 💬 _____ ?

   👍 Ja, ich habe schon einmal einen Koffer am Flughafen verloren.

4. 💬 _____ ?

   👍 Nein, ich habe noch nie einen Geburtstag vergessen.

3.3 Hören Sie die Fragen und antworten Sie. *(1.03)*

1. Haben Sie schon einmal auf einem Schiff geschlafen?
2. Haben Sie schon einmal ein Hotel im Internet gebucht?
3. Sind Sie schon einmal in einem See geschwommen?
4. Sind Sie schon einmal mit einem Motorrad gefahren?
5. Haben Sie schon einmal Ihren Laptop verloren?
6. Haben Sie schon einmal Käsefondue probiert?

> *Ja, ich habe schon einmal auf einem Schiff geschlafen.*

> *Nein, ich habe noch nie auf einem Schiff geschlafen.*

3.4 Schließen Sie das Buch. Hören Sie noch einmal und antworten Sie. *(1.03)*

4 Mein Fahrrad ist weg!

4.1 Was ist was? Schreiben Sie die Wörter und ergänzen Sie den Plural.

die Ampel – der Bahnhof – die Bank – die Boutique – die Buchhandlung – die Bushaltestelle – die Eisdiele – ~~der Park~~ – das Tor

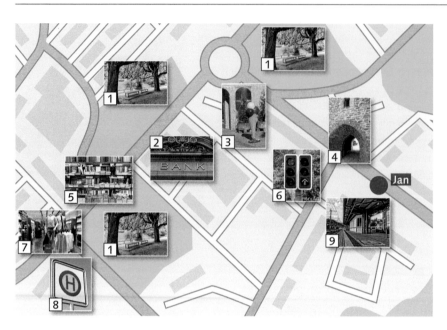

1. der Park, -s   4. _____   7. _____

2. _____   5. _____   8. _____

3. _____   6. _____   9. _____

1.04 **4.2** Was ist passiert? Hören Sie und kreuzen Sie an.

1. ☐ Jan hat sein Fahrrad bei Marcel vergessen.
2. ☐ Jan hat sein Fahrrad in der Stadt verloren.

1.05 **4.3** Wie ist Jan gefahren? Wo steht sein Fahrrad? Hören Sie und zeichnen Sie Jans Weg in die Karte in 4.1.

5 Lokale Präpositionen

5.1 Dativ oder Akkusativ? Ergänzen Sie die Artikel.

1. Sebastian arbeitet beim Rathaus. Das Rathaus ist gegenüber von _____ Post.

2. Er fährt immer mit dem Fahrrad durch _____ Park bis zum Bahnhof.

3. Einmal ist er mit dem Fahrrad gegen _____ Tor gefahren.

4. Dann ist er zu Fuß zum Bahnhof gegangen. Auf dem Weg ist er an _____ Buchhandlung vorbei gegangen.

5.2 Lina geht spazieren. Welche Präposition passt? Ordnen Sie zu und ergänzen Sie die Sätze.

an ... vorbei – ~~aus~~ – bis zu – durch – gegen – gegenüber von

1. Um 14 Uhr geht Lina *aus* *dem Haus* .

3. Sie sitzt _____ .

5. Lina läuft _____ .

2. Sie geht _____ .

4. Sie geht _____ .

6. Später geht sie _____ _____ und wieder zurück.

6 Bei der Polizei: eine Verlustanzeige machen

6.1 Ergänzen Sie die Informationen zu Ihrer Person.

　Guten Tag. Ich habe meinen Wohnungsschlüssel verloren.
　...
　Okay, kein Problem.
　...
　Ich war gestern Abend in der Disko am Bahnhof. Um 22 Uhr hatte ich den Schlüssel noch, aber um 1:30 Uhr war er weg.
　...
　Ich heiße _____ . Meine Adresse ist _____

_____ und meine Telefonnummer ist _____ .
　...
　Gern. Wo?
　...
　Vielen Dank, auf Wiedersehen.

1.06　6.2　Karaoke. Hören Sie und sprechen Sie die 　-Rolle.

7 Wien

7.1 Wien an einem Tag. Sie möchten eine Tagestour in Wien machen. Welche Tour passt?
Lesen Sie und kreuzen Sie an.

Wien erleben ~ an einem Tag!

Tour 1 ~ **Wien zu Fuß erleben** ~ Ein Spaziergang durch das Zentrum: Treffpunkt am Karlsplatz, weiter zur Hofburg, Burggarten und Burgtor kennenlernen, von dort zum Rathaus, am Ende den Stephansdom besichtigen.

Tour 2 ~ **Wiener Ringstraße** ~ Mit dem Bus an allen wichtigen Sehenswürdigkeiten vorbei: Rathaus und Universität besichtigen, im Wiener Prater Riesenrad fahren, Besuch im Burgtheater (*Dantons Tod*) oder in der Staatsoper (*Tristan und Isolde*) – Eintrittskarten kosten extra.

Tour 3 ~ **Kaiserstadt Wien** ~ Vormittags: Schloss Schönbrunn kennenlernen – Spiegelsaal, Wohn- und Arbeitszimmer von Kaiser Franz Joseph besichtigen, Spaziergang durch den Schlosspark. Nachmittags: Hofburg besichtigen – Sisi-Museum, Kaffee und Kuchen im Café Hofburg.

Tour 4 ~ **Wien für Feinschmecker** ~ Spaziergang über den Naschmarkt (österreichische und internationale Spezialitäten probieren), Besuch in einem traditionellen Kaffeehaus: Sacher-Torte und Mélange (Wiener Milchkaffee) genießen, Weinprobe und typische Wiener Küche beim Heurigen (Restaurant).

1. Sie gehen gern spazieren und wollen alle wichtigen Sehenswürdigkeiten besichtigen.
   a ☐ Tour 1   b ☐ Tour 2   c ☐ andere Tour

2. Sie wollen Spezialitäten aus Österreich kennenlernen.
   a ☐ Tour 3   b ☐ Tour 4   c ☐ andere Tour

3. Sie möchten auch am Abend ausgehen.
   a ☐ Tour 1   b ☐ Tour 3   c ☐ andere Tour

4. Sie wollen die Hofburg besichtigen. Sie finden die Kaiserzeit interessant.
   a ☐ Tour 2   b ☐ Tour 3   c ☐ andere Tour

7.2 *Deshalb*. Schreiben Sie Sätze.

1. In Wien gibt es viele Sehenswürdigkeiten. Jedes Jahr kommen viele Touristen.
2. Viele Touristen wollen Spezialitäten aus Österreich probieren.
   Sie besuchen den Naschmarkt.
3. Die Kaiserin Sisi kennt jeder. Das Sisi-Museum in der Hofburg ist sehr beliebt.
4. Die Touristen sitzen oder liegen gern auf den Sofas im Museumsquartier.
   Man findet dort oft keinen Platz.

> 1. In Wien gibt es viele Sehenswürdigkeiten,
>   deshalb kommen ...

1.07 ● **7.3** Diktat. Hören und ergänzen Sie. Nutzen Sie die Pausentaste (⏸).

Hundertwasserhaus

Riesenrad im Prater

Stephansdom

Wien hat _____, zum Beispiel den Stephansdom im

Zentrum. Der Stephansdom ist _____. _____ seit 1147

_____ Meter _____. Dann gibt es auch das Hundertwasserhaus. Der Architekt war

Friedensreich Hundertwasser. _____ und _____.

Aber in dem Haus _____. Es gibt dort _____.

Auch der Wiener Prater – _____ – ist sehr bekannt. Das Riesenrad kennt

jeder. Hier gibt es viele Karussells, _____.

8 Ihre Heimatstadt

1.08 ● **8.1** Was erzählt Clara über Wiener Neustadt? Hören Sie und machen Sie Notizen.

Wie ist die Stadt?	Was gibt es in der Stadt?	Was kann man dort machen?
– nicht groß, nicht klein		

8.2 Und Ihre Heimatstadt? Schreiben Sie einen Text über Ihre Heimatstadt in Ihr Heft.

Und in Ihrer Sprache?

Ihre Freundin / Ihr Freund versteht kein Deutsch und möchte eine Tour durch Wien machen. Beschreiben Sie ihr/ihm das Angebot aus 7.1 in Ihrer Muttersprache.

Alles klar?

1 Über eine Reise erzählen: Schreiben Sie die Verben im Perfekt.

Martha _____ mit ihrer Familie im Sommer in die Schweiz _____ (*fahren*).
Martha, ihr Mann Ronald und die Kinder _____ fünf Tage in Zürich _____
(*bleiben*). Sie _____ zuerst die Stadt _____ (*besichtigen*). Dann _____ sie
eine Tante von Ronald _____ (*besuchen*). Der Bodensee _____ ihnen auch sehr
gut _____ (*gefallen*). Sie möchten auch nächstes Jahr wieder in die Schweiz fahren.

Punkte
10

2 Eine Verlustanzeige bei der Polizei machen: Welche Antwort passt? Kreuzen Sie an.

1. Guten Tag, was kann ich für Sie tun?
   a ☐ Vielen Dank für Ihre Hilfe.
   b ☐ Guten Tag, ich möchte eine Verlustanzeige machen.

2. Wo haben Sie Ihr Handy verloren?
   a ☐ Ich weiß es leider nicht.
   b ☐ Ich glaube, am Freitagnachmittag.

3. Wann war Ihr Handy weg?
   a ☐ Das Handy ist ganz neu.
   b ☐ Heute Morgen. Gestern hatte ich es noch.

4. Haben Sie in den Geschäften gefragt?
   a ☐ Ja, aber dort ist es auch nicht.
   b ☐ Ja, ich habe das Geschäft gefunden.

Punkte
4

3 Eine Stadt beschreiben: Schreiben Sie die Sätze zu Ende.

1. Meine Stadt ist nicht groß und nicht klein, deshalb _____
   _____ . (*man – hier gut – leben können*)

2. Hier gibt es viele Sehenswürdigkeiten, deshalb _____
   _____ . (*viele Touristen – die Stadt – besuchen*)

3. Im Zentrum sind viele Cafés und Bars, deshalb _____
   _____ . (*die Stadt – für Studenten sehr interessant – sein*)

Punkte
6

Punkte gesamt
17–20: Super!
11–16: In Ordnung.
0–10: Bitte noch einmal wiederholen!

Seite 10–11

das Flugticket, -s _____

der Flughafen, -ä- _____

der Abflug, -ü-e _____

    abfliegen, er/sie ist abgeflogen _____

    ankommen, er/sie ist angekommen _____

die Eintrittskarte, -n _____

das Gepäck (Sg.) _____

die Postkarte, -n _____

die Semesterferien (Pl.) _____

die Entscheidung, -en _____

    da sein _____

    Die Entscheidung war schnell da. _____

der Flug, -ü-e _____

    buchen _____

der Rucksack, -ä-e _____

der Anfang, -ä-e _____

    stressig _____

der Reisepass (Pass), -ä-e _____

    verlieren, er/sie hat verloren _____

    besichtigen _____

die Burg, -en _____

das Wohnhaus, -äu-er _____

der Sitzplatz, -ä-e _____

    hoffentlich _____

    sofort _____

Seite 12–13

die Eisdiele, -n _____

die Boutique, -n _____

die Buchhandlung, -en _____

    durch (+ Ort) _____

das Tor, -e _____

    gegen (+ Ort) _____

die Bank, -en _____

    an ... (+ Ort) vorbei _____

    Wir sind an der Bank vorbei gegangen. _____

    gegenüber von (+ Ort) _____

die Handtasche, -n _____

    weg sein _____

    Meine Tasche ist weg! _____

die Verlustanzeige, -n _____

    Ich habe eine Verlustanzeige gemacht. _____

der Park, -s _____

die Geldbörse, -n _____

Seite 14–15

der Bundespräsident, -en _____

die Bundespräsidentin, -nen _____

    mehrer- _____

die Kultur, -en _____

    z. B. (zum Beispiel) _____

    sitzen, er/sie hat gesessen _____

die Bar, -s _____

    genießen, er/sie hat genossen _____

die Natur (Sg.) _____

    bieten, er/sie hat geboten _____

die Öffnungszeit, -en _____

    unbedingt _____

1 Ins Ausland gehen

1.1 Kommunizieren. Was passt?
Ergänzen Sie. Achten Sie bei
den Verben auf die richtige Form.

skypen – skypen – chatten – chatten –
telefonieren – Computer –
Smartphone – E-Mail – schicken

Leyla, 21

Ich lebe jetzt schon seit zwei Monaten im Ausland, aber ich kommuniziere viel mit meiner

Familie und meinen Freunden in der Heimat.

Ich habe ein _____ und habe es immer bei mir. Das finde ich praktisch. Ich

schicke Nachrichten oder Fotos an alle meine Freunde und bekomme natürlich auch von meinen

Freunden viele Nachrichten. Wir _____ manchmal fünfmal am Tag.

Mit meinem Freund _____ ich auch, aber nur schreiben ist nicht genug.

Wir möchten uns auch hören und sehen. Deshalb _____ wir oft, fast jeden Tag.

Mit meinen Eltern _____ ich auch manchmal, aber normalerweise _____

sie mir eine _____. Und dann gibt es noch meinen Opa. Er hat keinen

_____. Das ist zu modern für ihn. Aber ich rufe ihn einmal im Monat an und

dann _____ wir.

1.2 Radiointerviews. Welches Bild passt zu wem? Hören Sie und ordnen Sie zu. 1.09

1. ☐ Herr Schweikert
2. ☐ Frau Simonis
3. ☐ Herr Wang

1.3 Was ist richtig? Hören Sie noch einmal und kreuzen Sie an. 1.09

	richtig	falsch
1. Herr Schweikert ist Student.	☐	☐
2. Herr Schweikert kommt aus Schweden.	☐	☐
3. Herr Schweikert besucht einen Schwedischkurs.	☐	☐
4. Frau Simonis möchte nach Brasilien umziehen.	☐	☐
5. Ihr Mann hat Umwelttechnik studiert.	☐	☐
6. Sie schreibt ihrem Mann viele E-Mails.	☐	☐
7. Herr Wang hat eine Stelle in Deutschland.	☐	☐
8. Er hat früher als Schüler Deutsch gelernt.	☐	☐
9. Herr Wang hatte schon zweimal Besuch von seinen Eltern.	☐	☐

1.4 Ein Leben in Deutschland. Schreiben Sie einen Text über Frau Oliveira.

– schon seit zwei Jahren in Deutschland leben
– mit ihrem Mann nach Deutschland kommen
– ihr Mann: eine Stelle als Arzt in München bekommen
– eine Arbeit suchen
– als Programmiererin arbeiten wollen
– für die Arbeit Deutsch lernen
– viel mit ihren Eltern chatten und skypen

Marta Oliveira Pinto

Frau Oliveira lebt schon seit zwei Jahren in Deutschland. Sie ist ...

2 Warum? Weil ... Nebensätze mit *weil*

2.1 Warum leben diese Menschen in Deutschland? Schreiben Sie die Antworten in die Tabelle.

Jacek Mazur

Die Chancen für Techniker sind dort besser.

Alina Melnek

Sie studiert Musik in Köln.

Nika Mussawi

Seine Frau hat eine Stelle in Stuttgart bekommen.

Jennifer Albers

Sie möchte einen Sprachkurs machen.

Giorgio Fontana

Seine Freundin kommt aus Deutschland.

			Satzende (Verb)
... lebt in Deutschland,	weil	die Chancen für Techniker dort besser	sind.

2.2 Warum-Fragen. Was passt zusammen? Verbinden Sie.

1. Warum muss er einen Sprachkurs machen?
2. Warum können die Eltern oft kommen?
3. Warum will er nach Japan auswandern?
4. Warum sucht sie eine Arbeit?
5. Warum sind die Eltern nicht so glücklich?

a Ihre Tochter möchte ins Ausland gehen.
b Das war schon immer sein Traum.
c Sie hat ihre Stelle verloren.
d Er hat in der Schule kein Deutsch gelernt.
e Die Flüge sind günstig.

2.3 Schreiben Sie die Antworten zu den Fragen in 2.2 mit *weil*.

1. Er muss einen Sprachkurs machen, weil er ...

2.4 Was passt? Ordnen Sie zu und schreiben Sie Antworten mit *weil*.

1. Warum machst du das Fenster auf?
2. Warum geht Herr Bianchini heute nicht zur Arbeit?
3. Warum will Marianne jetzt nicht spazieren gehen?
4. Warum antwortet meine Freundin nicht?

regnen – Kopfschmerzen haben – ~~warm sein~~ – ihr Handy kaputt sein

1. Ich mache das Fenster auf, weil es warm ist.

5. Warum kannst du deinen Laptop nicht benutzen?
6. Warum sind Kim und Mitja so müde?
7. Warum findet Herr Thimm die Buchhandlung nicht?
8. Warum kann Frau Kovac nicht mit dem Auto fahren?

den Zettel mit der Adresse vergessen – ~~das Ladekabel zu Hause vergessen~~ – gestern lange auf der Party bleiben – ihren Autoschlüssel verlieren

5. Ich kann meinen Laptop nicht benutzen, weil ich das Ladekabel zu Hause vergessen habe.

3 Telefongespräche mit einer Sprachschule

3.1 Was passt zusammen? Verbinden Sie.

1. Ist Frau Schindler heute nicht da?
2. Könnten Sie mir die Durchwahl geben?
3. Ich möchte mit Frau Marx sprechen.
4. Sprachschule Bolte, mein Name ist Sander. Guten Tag.

a Bitte wählen Sie die 879 58 und dann 745.
b Einen Moment, ich verbinde.
c Guten Tag, mein Name ist Rau. Ich möchte …
d Doch, aber sie macht gerade eine Pause. Bitte rufen Sie in 20 Minuten noch einmal an.

3.2 Was sagt Frau Rüders in welcher Situation? Ordnen Sie zu.

Könnte ich bitte mit Frau Marx sprechen?

a Einen Moment, ich verbinde.
b Frau Marx ist heute leider nicht da.
c Tut mir leid, bei Frau Marx ist besetzt. Bitte probieren Sie es später noch einmal.

…

Martin Kohl

Eva Rüders

4 Höfliche Bitten: Könnten Sie ...?

4.1 *Könnten Sie ...?*, *Könntest du ...?* oder *Könntet ihr ...?* Schreiben Sie höfliche Bitten.

1. Entschuldigung, könnten Sie mir ...

1

mir einen Stift geben

2

die Flasche holen

3

mir die Handynummer sagen

4

ein Taxi rufen

1.10 **4.2** Hören Sie und sprechen Sie nach.

5 Ein Telefongespräch führen

5.1 Was passt? Ordnen Sie die Sätze zu und ergänzen Sie die Informationen für Ihre Person.

Tut mir leid, um neun Uhr kann ich nicht. Ich arbeite bis ... Uhr, kann ich danach kommen? –
Natürlich, ich buchstabiere: ... – Ich danke auch. Auf Wiederhören. –
Guten Tag, mein Name ist ... Ich möchte einen Deutschkurs machen. –
Ich arbeite am Tag, deshalb möchte ich einen Abendkurs machen. – Ja gern, ich heiße ...

Sprachschule Panorama, mein Name ist Mackensen, guten Tag.

Ja, gern. Möchten Sie einen Abendkurs oder einen Intensivkurs machen?

Gut. Könnten Sie am Montag zu einem Einstufungstest kommen? Wir haben von neun bis 18 Uhr geöffnet. Sie können gleich um neun Uhr kommen.

Ja, das geht auch. Sagen Sie mir bitte noch einmal Ihren Namen.

Ich habe Sie leider nicht verstanden. Könnten Sie bitte buchstabieren?

Danke. Das ist alles. Dann bis Montag. Auf Wiederhören.

1.11 **5.2** Karaoke. Hören Sie und sprechen Sie die ꝏ-Rolle.

6 Lernen im Tandem. Was ist richtig? Lesen Sie und kreuzen Sie an.

20 Jahre Sprachschule Hansa

Seit 20 Jahren macht die Sprachschule Hansa Sprachkurse für Deutsch und seit zehn Jahren hat sie ein besonderes Angebot: Sie organisiert Sprachtandems und bringt Deutsche mit Menschen aus der
5 *ganzen Welt zusammen. Frau Meister von der Sprachschule Hansa hat uns erklärt, wie die Tandems funktionieren: „Zum Beispiel sprechen eine Deutsche und ein Koreaner zusammen, mal auf Deutsch, mal auf Koreanisch. So können sie mit einem Mutter-*
10 *sprachler die Fremdsprache üben und oft auch neue Freunde finden."*

Aisha F., Umwelttechnikerin aus Kiel, macht schon seit drei Jahren bei dem Tandemprogramm mit und hatte schon viele Tandempartner.
15 „Am Anfang geht man oft ins Café und nach dem ersten Termin ist

Aisha F.

dann meistens schon klar: Den finde ich nett, das passt. Oder man sagt: Danke, das
20 war interessant, aber wir passen nicht so gut zusammen." Im Moment hat Aisha zwei Tandempartner: Mit dem einen spricht sie Spanisch und mit dem anderen lernt sie Kisuaheli. Aisha hat ein Jahr in Kenia gearbeitet. Jetzt arbeitet sie wieder in

Deutschland und spricht bei der Arbeit nur Deutsch. 25
Aber Sprachen sind ihr Hobby: „Ich liebe Sprachen, sie sind eine Brücke in eine neue Welt", erzählt sie und deshalb lernt sie immer wieder neue Sprachen.

Die Tandempartner von der Hansa-Schule können auch in verschie- 30 denen Städten leben. Jenari M. aus Indonesien studiert in Jakarta und lernt Deutsch an der Univer-sität. Seit drei Monaten skypt er

Jenari M.

mit Maria L., Lehrerin aus Erlangen. 35
Jede Woche gehen sie ins Internet und sprechen eine Stunde Deutsch und eine Stunde Indonesisch. „Ich finde das Tandemprogramm super. So habe ich Kontakt zur Sprache", sagt Jenari. In seiner Heimat sprechen nicht so viele Leute Deutsch.
An diesem Samstag feiert die Sprachschule Hansa 40 ihren 20. Geburtstag und lädt wie jedes Jahr zu einem bunten Programm ein. Auch Aisha F. will kommen: „Das ist immer toll. Es gibt den ganzen Tag Mini-Sprachkurse und am Abend findet eine Tandem-Party statt. Dort kann man zu Musik aus 45 vielen Ländern tanzen und natürlich neue Tandem-partner kennenlernen."

1. Die Sprachschule Hansa
   a ☐ bietet Sprachkurse für Deutsche an.
   b ☐ möchte bald auch Sprachtandems anbieten.
   c ☐ hat schon ein Tandemprogramm.

2. Aisha F.
   a ☐ sucht einen Tandempartner für Kisuaheli.
   b ☐ macht schon seit mehr als einem Jahr Sprachtandems.
   c ☐ findet Sprachtandems nicht so interessant.

3. Aisha F. lernt Fremdsprachen,
   a ☐ weil sie Fremdsprachen für die Arbeit braucht.
   b ☐ weil sie gern Sprachen lernt.
   c ☐ weil sie ins Ausland gehen möchte.

4. Jenari M. und Maria L.
   a ☐ leben beide in Deutschland.
   b ☐ möchten ein Sprachtandem anfangen.
   c ☐ skypen einmal pro Woche.

5. Am Samstag kann man in der Sprachschule
   a ☐ neue Leute kennenlernen.
   b ☐ einen Tanzkurs machen.
   c ☐ Aishas Geburtstag feiern.

7 Sprachlernbiografien

7.1 Ergänzen Sie das Formular für Ihre Person.

Tandemprogramm   Sprachschule Hansa

Anmeldeformular

Vorname: ....   Familienname: ....

Geburtsdatum: ....

Adresse: ....

Muttersprache: ....   Fremdsprachen: ....

Wo haben Sie Deutsch gelernt? ....

Wie lange haben Sie schon Deutsch gelernt? ....

Welche Themen finden Sie interessant? Kreuzen Sie drei Themen an.

○ Studium ○ Beruf ○ Essen und Trinken ○ Sport

○ Reisen ○ Shoppen ○ Politik ○ Geschichte

Wann haben Sie Zeit für das Tandemtreffen?

....

7.2 Diktat. Hören und ergänzen Sie. Nutzen Sie die Pausentaste (⏸). *1.12*

Ich bin Studentin und habe in Portugal _____

_____ . Ich möchte gern ein _____,

weil es dort viele Firmen für Umwelttechnik gibt. _____

_____, aber ich habe viele Wörter vergessen und die Grammatik _____

_____ so gut. Aber ich habe viel allein wiederholt. Ich _____

_____ auf Deutsch.

Jetzt kann ich schon _____, aber ich möchte auch _____

_____, weil ich Deutsch _____ und schreiben möchte.

7.3 Und Sie? Warum lernen Sie Deutsch? Schreiben Sie einen Text.

Ich lerne Deutsch, weil ...

8 Kurse für alle

8.1 Welcher Kurs passt zu welcher Person? Lesen Sie und ordnen Sie zu. Für eine Person gibt es keinen Kurs. Schreiben Sie dort ⊠.

KURSE FÜR ALLE –
Unser Kursangebot im Sommer

---

1 Fotografieren in den Sommerferien

Kinder von 10–12 Jahren können in diesem Kurs fotografieren lernen. Wir gehen in die Stadt und fotografieren verschiedene Motive.
Treffpunkt: VHS, Fotolabor
5 Termine, 29.7.–2.8.
Montag–Freitag, 11–15 Uhr
128,00 €
Dirk Kundtmann

2 Intensivkurs Italienisch

Italienisch lernen beim Essen: In diesem Wochenendkurs lernen Sie auf Italienisch einkaufen und im Restaurant bestellen. Danach essen wir zusammen.
Augustinergymnasium, Raum 102, Erdgeschoss
Samstag, 11.7. und Sonntag 12.7.: 10–18 Uhr
120,00 € (+20,00 € für Essen)
Martina Rossi

3 Schnellkurs Italienisch für Anfänger

Sie haben noch nicht Italienisch gelernt, können aber Spanisch oder Französisch? Dann sind Sie in diesem Kurs richtig.
Alfred-Brendel-Schule, Bibliothek, Erdgeschoss
10 Termine, 27.7.–29.8.
Montag, Mittwoch, 18:30–21:30 Uhr
120,00 €
Julia Berti

4 PowerPoint für Anfänger 1

Sie haben noch nie mit PowerPoint gearbeitet und Sie möchten es gerne probieren? Kommen Sie zum Anfängerkurs für Erwachsene.
Alfred-Brendel-Schule, Computerraum, 3. Stock
Samstag, 22.8., 14–17 Uhr
18,00 €
Dr. Simone Ruf

5 PowerPoint für Anfänger 2

Sie haben schon mit PowerPoint gearbeitet, aber Sie haben noch viele Fragen? Dann sind Sie in diesem Kurs richtig.
Alfred-Brendel-Schule, Computerraum, 3. Stock
Samstag, 29.8., 14–17 Uhr
18,00 €
Dr. Simone Ruf

6 Tanzabend

Sie haben schon Walzer, Tango, Samba und Foxtrott gelernt und möchten die Tänze nicht wieder vergessen? Jeden Sonntagabend tanzen wir zusammen mit den Tanzlehrern.
Vereinshaus Süd, Ballraum, Erdgeschoss
9 Abende, 5.7.–30.8.
Sonntag, 18–20 Uhr
62,00 €
Sonia Costa und Philipp Leistner

---

a ☐ Anna Suleyman hat eine neue Stelle und muss viele Präsentationen machen. Sie hat an der Universität schon ein bisschen mit PowerPoint gearbeitet, aber sie hat viel vergessen.

b ☐ Frau Meier möchte am Wochenende abends ein bis zwei Stunden etwas Schönes machen.

c ☐ Herr Stankov hat eine neue Kamera gekauft und möchte fotografieren lernen.

d ☐ Herr und Frau Binder möchten Italienisch lernen, weil sie im September nach Italien fahren. Sie haben am Wochenende oder abends nach acht Uhr Zeit.

8.2 Wiederholung: Datum und Zeitangaben. Lesen Sie noch einmal das Kursangebot in 8.1 und beantworten Sie die Fragen.

1. Von wann bis wann ist der „Schnellkurs Italienisch für Anfänger"?
2. Wann beginnt der „Intensivkurs Italienisch"?
3. Wie lange dauert der Kurs „Fotografieren in den Sommerferien"?
4. Wie oft pro Woche findet der „Schnellkurs Italienisch für Anfänger" statt?
5. Wie viele Wochen gibt es den „Tanzabend"?
6. Wie lange dauert der „Tanzabend" am Sonntag?

> *1. Der „Schnellkurs Italienisch für Anfänger" ist vom siebenundzwanzigsten Juli (27.7.) bis zum neunundzwanzigsten August (29.8.).*

1.13 ◉ **8.3** Ein Kurs an der Volkshochschule. Was ist richtig? Hören Sie und kreuzen Sie an.

1. Herr Rimkus
   a ☐ hat schon einen Fotokurs gemacht.
   b ☐ möchte einen Fotokurs machen.
   c ☐ möchte ein Programm bekommen.

2. Herr Rimkus hat
   a ☐ noch nie fotografiert.
   b ☐ viel mit einem Foto-Buch gelernt.
   c ☐ im Urlaub viel fotografiert.

3. Im Fotokurs
   a ☐ sind immer nur 6–8 Teilnehmer.
   b ☐ sind maximal 12 Teilnehmer.
   c ☐ bekommt man eine Kamera.

4. Herr Rimkus möchte den Kurs
   a ☐ am Samstag machen.
   b ☐ am Sonntag machen.
   c ☐ am Mittwoch machen.

5. Herr Rimkus möchte
   a ☐ nächste Woche anfangen.
   b ☐ lieber einen anderen Kurs machen.
   c ☐ doch keinen Kurs machen, weil es zu teuer ist.

8.4 Und Sie? Welche Kurse haben Sie schon besucht? Welche Kurse würden Sie gern besuchen? Schreiben Sie Sätze in Ihr Heft.

Und in Ihrer Sprache?

Ihre Freundin / Ihr Freund versteht kein Deutsch und möchte einen Sprachkurs (Deutsch für Anfänger) machen. Lesen Sie den Flyer und erklären Sie in Ihrer Muttersprache: Wann kann sie/er einen Kurs machen? Was muss sie/er vor dem Kurs tun? Wo gibt es mehr Informationen?

Sprachschule Global	*Englisch, Französisch, Spanisch und Deutsch als Fremdsprache:*	*Einstufungstests für alle Kurse:*
Sie möchten eine Fremdsprache lernen? Unsere Kurse sind sehr beliebt. Lernen Sie bei uns mit Muttersprachlern in kleinen Gruppen.	Die Kurse beginnen jeden ersten Montag im Monat. *Chinesisch, Arabisch u.a.* Kontakt: Frau Berning (-534)	Montag – Donnerstag, 10 – 16 Uhr. Unser Sprachkursteam berät Sie gern. (Tel. 2532-200) mehr Informationen unter www.sprachschuleglobal.de

1 Über Migrationswünsche sprechen. Schreiben Sie Sätze mit *weil*.

1. Abunya möchte nach Österreich gehen. (Ihr Freund ist Österreicher.)
2. Hüsein hat sein Heimatland verlassen. (In Deutschland sind seine Chancen besser.)
3. Irina besucht oft ihre Eltern in der Heimat. (Die Fahrt mit dem Bus ist nicht so teuer.)
4. Shuo chattet viel. (Er will den Kontakt zu seinen Freunden in der Heimat nicht verlieren.)

1. Abunya möchte ...

Punkte
4

1.14 ◉ **2** Telefongespräche führen. Welche Antwort passt? Hören Sie und kreuzen Sie an.

1. a ☐ Bei Frau Müller ist besetzt.
   b ☐ Danke.

2. a ☐ Guten Tag, ich würde gern mit Herrn Schauerte sprechen.
   b ☐ Könnten Sie mir die Durchwahl geben?

3. a ☐ Ja, bitte.
   b ☐ Einen Moment, bitte, ich verbinde.

4. a ☐ Tut mir leid, Frau Tanner ist heute nicht da.
   b ☐ Das ist nett, vielen Dank.

Punkte
4

3 Sich über Sprachkurse informieren. Schreiben Sie Fragen zu den Antworten.

1. 💬 _____ ?

   👍 Natürlich. Wir haben verschiedene Kurse. Wann haben Sie Zeit?

2. 💬 _____ ?

   👍 Nein, leider gibt es keine Kurse am Nachmittag.

3. 💬 _____ ?

   👍 Ja, Sie müssen einen Einstufungstest machen.

4. 💬 _____ ?

   👍 Der Intensivkurs kostet 280 Euro.

Punkte
4

4 Über Sprachlernbiografien sprechen. Schreiben Sie Antworten in Ihr Heft.

Deutsch für den Beruf brauchen – (der) Sprachkurs an der Volkshochschule – (die) A2-Prüfung – sieben Monate

1. Seit wann lernen Sie Deutsch?
2. Wo haben Sie Deutsch gelernt?
3. Warum lernen Sie Deutsch?
4. Wollen Sie eine Prüfung auf Deutsch machen?

Punkte
8

Punkte gesamt
17–20: Super!
11–16: In Ordnung.
0–10: Bitte noch einmal wiederholen!

Seite 16–17

akzeptieren

aufmachen

auswandern

chatten

kommunizieren

skypen

surfen

verlassen, er/sie verlässt, er/sie hat verlassen

weil

der Übersetzer, -

die Übersetzerin, -nen

der Wunsch, -ü-e

die Brücke, -n

die Chance, -n

die Hoffnung, -en

die Migration (Sg.)

die Stelle, -n

Seite 18–19

die Fremdsprache, -n

die Übersetzung, -en

besetzt (sein)

Bei Frau Li ist besetzt.

drücken

verbinden, er/sie hat verbunden

wählen

die Durchwahl, -en

die Rechnung, -en

die Taste, -n

der Intensivkurs, -e

der Einstufungstest, -s

das Tandem, -s

könnte-

Könnten Sie morgen den Test machen?

der Muttersprachler, -

die Muttersprachlerin, -nen

Seite 20–21

die Politik (Sg.)

die Volkshochschule (VHS), -n

diskutieren

werden, er/sie wird, er/sie ist geworden

Er möchte Schauspieler werden.

der Anfänger, -

die Anfängerin, -nen

der Tanz, -ä-e

Deutsch aktiv 1|2 / Panorama I

bestellen

die Hausaufgabe, -n

das Schloss, -ö-er

die Bühne, -n

nördlich von

östlich von

südlich von

westlich von

der Norden (Sg.)

der Osten (Sg.)

der Süden (Sg.)

der Westen (Sg.)

im Norden/Osten/Süden/Westen von

1 Das ist aber cool!

1.1 Wie heißen die Hobbys? Schreiben Sie.

1. _____

_____

3. _____

_____

5. _____

_____

2. _____

_____

4. _____

_____

6. _____

_____

1.2 Wiederholung: Hobbys. Markieren Sie die Hobbys in der Wortkette.

SCHWIMMENZWEIWANDERNMANCHMALLAUFENSUPERSEGELNMORGENTELEFONIERENABERSHOPPENKÄSELESENODERAUSGEHENWASPATAUCHEN

1.3 Wiederholung: Hobbys. Welche Verben fehlen? Ergänzen Sie.

1. Schlittschuh _____
2. Comics _____
3. Freunde _____
4. Filme _____
5. Volleyball _____
6. Ski _____
7. Tango _____
8. Sport _____
9. ins Theater _____

1.15 ⊙ **1.4** Karaoke. Hören Sie und sprechen Sie die -Rolle.

 ...

 Volleyball? Das ist nichts für mich.

 ...

 Das finde ich gefährlich.

 ...

 Kopf-Tischtennis? So ein Quatsch!

 ...

 Oh ja! Das will ich auch einmal ausprobieren!

2 Susi sagt, dass ... Nebensätze mit *dass*

2.1 Was denken die Personen über die Hobbys? Lesen Sie und schreiben Sie *dass*-Sätze.

Chris75	Sport ist sehr anstrengend. Aber Fußballspiele im Stadion sind super.
Maria	Klettern ist sehr gefährlich. Klettern macht aber total viel Spaß.
PeterPan	Angeln ist wirklich langweilig. Man muss sehr lange warten.
Claudi23	Tangotanzen möchte ich ausprobieren. Das ist sehr elegant.
Lars	Früher habe ich oft Gitarre gespielt. Heute habe ich leider keine Zeit mehr.
Eda	Chatten finde ich blöd. Skypen ist viel besser.

			Satzende (Verb)
1. Chris findet,	dass	Sport sehr anstrengend	ist.
2. Er sagt,	dass	Fußballspiele im Stadion super	sind.
3. Maria denkt,	dass	...	
4.			
5.			
6.			
7.			
8.			
9.			
10.			
11.			
12.			

2.2 Sind die Adjektive positiv, negativ oder beides? Schreiben Sie eine Tabelle.

komisch – interessant – cool – gefährlich – langweilig – blöd – verrückt – anstrengend – spannend

☺	☹	☺/☹
		komisch

2.3 Und Sie? Wie finden Sie diese Hobbys? Wählen Sie fünf Hobbys und schreiben Sie zu jedem Hobby einen Kommentar mit den Adjektiven aus 2.2.

Kochen – Angeln – Briefmarkensammeln – Ausgehen – Sport – Tauchen – Wandern – Shoppen – Fahrradfahren

Ich finde, dass Kochen ... ist.

3 Rudi und Susi machen eine Reportage über Hobbys

3.1 Rudi und Susi treffen Tina und Herrn Meyer. Lesen Sie die Interviews und schreiben Sie dann die Berichte für Susi und Rudi.

Hallo, Tina! Was ist dein Hobby?

Ich spiele schon seit vier Jahren Gitarre. Gitarrespielen macht viel Spaß. Man kann alleine oder in einer Gruppe spielen. Ich habe einmal pro Woche Unterricht. In der Freizeit spiele ich zusammen mit Freunden. Manchmal geben wir auch Konzerte. Letzte Woche haben wir bei einer Schulfeier gespielt. Vielleicht werden wir später berühmt!

Guten Tag, Herr Meyer! Und was machen Sie gern?

Ich koche sehr gern, am liebsten mit Freunden. Wir haben schon viele Sachen ausprobiert. Wir kochen immer bei einem Freund zu Hause. Das macht Spaß! Meistens kochen wir einmal pro Woche. Zuerst kochen wir und dann essen wir zusammen. Nach dem Essen bleiben wir noch zusammen, reden und trinken ein Glas Wein oder Bier. Das ist gemütlich!

Tina hat erzählt, dass sie seit vier Jahren Gitarre spielt. Sie hat gesagt, dass ...

Herr Meyer hat gesagt, dass er sehr gern ...

3.2 Fragen über Hobbys. Schreiben Sie Fragen zu den Antworten.

1. 🗩 _____ ?

   👍 Mein Hobby ist Tischtennisspielen.

2. 🗩 _____ ?

   👍 Ich spiele zwei- bis dreimal pro Woche.

3. 🗩 _____ ?

   👍 Ich spiele im Verein und manchmal bei uns im Garten.

4. 🗩 _____ ?

   👍 Ich spiele immer zusammen mit meinem Freund Can.

5. 🗩 _____ ?

   👍 Mir gefällt Tischtennisspielen gut, weil es sehr schnell ist.

6. 🗩 _____ ?

   👍 Es ist nicht so gut, dass ich den Sport nicht alleine machen kann.

4 Welche Hobbys haben Sie?

4.1 Bao und sein Hobby. Lesen Sie den Steckbrief und schreiben Sie einen Text über Bao.

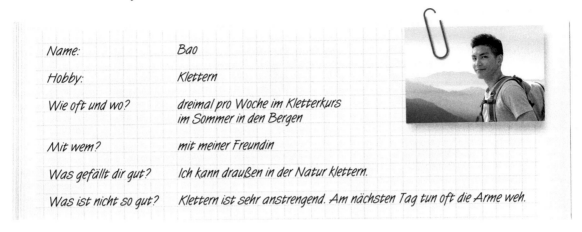

Name:	Bao
Hobby:	Klettern
Wie oft und wo?	dreimal pro Woche im Kletterkurs im Sommer in den Bergen
Mit wem?	mit meiner Freundin
Was gefällt dir gut?	Ich kann draußen in der Natur klettern.
Was ist nicht so gut?	Klettern ist sehr anstrengend. Am nächsten Tag tun oft die Arme weh.

Das ist Bao. Sein Hobby ...

4.2 Und Sie? Schreiben Sie einen kurzen Text über Ihr Hobby in Ihr Heft.

1.16 **4.3** Was macht Barbara wann? Hören Sie und ordnen Sie zu. Zwei Fotos passen nicht.

Montag	Dienstag	Mittwoch	Donnerstag	Freitag	Samstag

4.4 Schreiben Sie Sätze über Barbaras Woche.

Am Montag ...

1.17 **5** Wer ist am schnellsten? Eine Radio-Reportage. Was ist falsch? Hören Sie und streichen Sie durch.

1. Beim Becherstapeln muss man *sechs/zwölf* Becher stapeln.
2. Tina trainiert *in den Ferien/zweimal pro Woche* in der Schule.
3. Tinas Team war *oft/heute* am schnellsten.
4. Ralf ist fast *65/70* Jahre alt.
5. Ralf trifft beim Becherstapeln *nette Leute/seine Enkel*.

6 Wien ist am schönsten. Komparativ und Superlativ.

6.1 Komparativ oder Superlativ? Ergänzen Sie die Lücken.

1. 💬 Unser Urlaub war sehr schön. Zuerst waren wir in München, dann in Salzburg und Wien.

   Ich finde, dass München _____ *(interessant)* als Salzburg ist. Salzburg

   ist aber _____ *(schön)* als München. Wien war _____

   (schön). Und was denkst du?

   👍 Ja, ich finde auch, dass Salzburg _____ *(langweilig)* als Wien ist.

   Ich denke, dass München _____ *(interessant)* ist.

2. 💬 Mensch Jasmin, du bist aber groß geworden! Wie alt

   bist du denn jetzt? Und deine Brüder, wie alt sind die?

   👍 Ich bin schon 11 Jahre alt und 1,55 m groß. Mein

   Bruder Kian ist zwei Jahre _____ *(alt)* und

   15 cm _____ *(groß)*. Und mein Bruder

   Darian ist 17 Jahre alt und 1,80 m groß. Er ist

   _____ *(alt)* und _____ *(groß)*.

   Darian – Jasmin – Kian

3. 💬 Ich wandere jeden Sommer in den Alpen. Die Berge sind dort sehr hoch. Auf welchen

   Berg soll ich in diesem Sommer klettern? Der Großglockner in Österreich ist _____

   (hoch) als die Zugspitze. Aber auf dem

   Großglockner war ich schon einmal

   vor zwei Jahren. Was meinst du?

   👍 Dann klettere doch auf die Dufour-

   spitze. Die ist in der Schweiz

   _____ *(hoch)*.

Zugspitze (D)
2962 m

Großglockner (A)
3798 m

Dufourspitze (CH)
4634 m

1.18 ◉ **6.2** Diktat. Hören und ergänzen Sie. Nutzen Sie die Pausentaste (⏸).

💬 In meiner Freizeit _____ und spiele gern Computerspiele.

Aber _____. Kannst du auch

Fußball spielen?

👍 Na ja, _____, aber ich _____

Volleyball spielen und _____ kann ich klettern.

👍 Ich klettere auch. _____ und oft.

Aber _____ Kochen. Am liebsten koche ich Nudeln.

Die _____.

6.3 *Lieber* oder *besser*? *Am liebsten* oder *am besten*? Was passt nicht? Streichen Sie durch.

1. Tom kann gut tauchen, aber er kann noch *besser/~~lieber~~* segeln.
2. Volleyballspielen gefällt Peter gut, aber Fußballspielen gefällt ihm noch *besser/lieber*.
3. Seline liest sehr gern. Sie liest *besser/lieber* Zeitung als Bücher.
4. Fiona wandert gern, aber *am besten / am liebsten* fährt sie mit dem Fahrrad.
5. Rudi mag sehr gern Süßigkeiten. Er mag Schokolade noch *besser/lieber* als Kuchen.
6. Ahmed spielt sehr gut Fußball und Volleyball, aber *am besten / am liebsten* spielt er Tennis.
7. Tanzen gefällt mir sehr gut. Und *am liebsten / am besten* gefällt mir Tangotanzen.
8. Susi kann sehr gut Schlittschuh laufen. Sie kann *besser/lieber* Schlittschuh laufen als Ski fahren.

6.4 Vergleichen Sie. *Höher als*, *genauso hoch wie* oder *am höchsten*? Schreiben Sie Sätze.

1. Wer springt höher? 3. Wer wandert weiter? 5. Wer schläft länger?

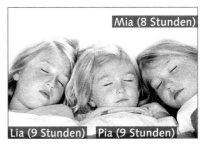

2. Was ist günstiger? 4. Was fährt schneller?

1. Tobias springt genauso hoch
   wie Niklas.
   Niklas und Tobias springen
   höher als Klara.
   Niklas und Tobias ...

7 Wer kann …?

7.1 Wiederholung: *können*. Ergänzen Sie.

1. 🗨 Mama, *können wir schwimmen gehen* ? *(schwimmen gehen können)*

   👍 Okay, *wir …* _____ . *(am Wochenende schwimmen gehen können)*

2. 🗨 Gehst du heute auch zum Kletterkurs?

   👍 _____ . *(heute leider nicht klettern können)*

   Mein Rücken tut weh.

3. 🗨 Kommt ihr morgen mit ins Kino?

   👍 _____ . *(leider nicht mitkommen können)*

   Wir müssen arbeiten.

7.2 Was können die Kinder (nicht)? Schreiben Sie Sätze.

noch nicht allein Fahrrad fahren – ~~gut tauchen~~ – schon ein bisschen Geige spielen – sehr lange die Luft anhalten

1 Ariane, 8 Jahre

2 Florian, 5 Jahre

3 Yi-Weng, 6 Jahre

1. Ariane kann gut tauchen. Sie …

7.3 Und was können Sie am besten? Schreiben Sie drei Sätze. Benutzen Sie den Superlativ.

gut: auf Deutsch lesen/schreiben/hören –
schön: singen/tanzen/malen –
viel: essen/trinken/schlafen

Ich kann am besten …

8 Poetry-Slam – Mit Wörtern spielen

8.1 Was passt? Ergänzen Sie.

Sieger – schlagen – Wettbewerb – Teilnehmer – hat stattgefunden – kämpft – Gedichte

Bei einem _____ gewinnt immer eine Person. Das ist der _____ .

Alle Personen von einem Wettbewerb sind die _____ . Bei einem Poetry-Slam

hört man viele _____ . Der erste Poetry-Slam _____ in den

USA _____ . Beim Poetry-Slam _____ man mit Wörtern. „Slam"

ist Englisch und heißt so etwas wie _____ .

1.19 🔘 **8.2** Ein Veranstaltungstipp. Hören Sie und schreiben Sie die Antworten.

1. Wo findet der Slam-Wettbewerb statt? _____

2. Wann findet der Slam-Wettbewerb statt? _____

3. Um wie viel Uhr fängt der Wettbewerb an? _____

4. Wie viel kosten die Eintrittskarten? _____

9 Nach dem Poetry Slam. Was ist richtig? Lesen Sie und kreuzen Sie an.

○○○

◄ ► ⟳ ✕ ⚑ ⌂   www.kultur-in-altmarkten.de/blog   🔍

Poetry Slam in Altmarkten

geschrieben von: Freizeitdichter   Kommentare: 16

Am Samstag hat in der Stadthalle ein Poetry-Slam-Wettbewerb stattgefunden. Alle Karten waren schon seit zwei Wochen weg und die Stadthalle war sehr voll. Die Teilnehmer haben ihre Gedichte präsentiert und das Publikum hat viel gelacht, weil viele
5 Gedichte sehr lustig waren. Aber nicht alle Texte waren gut. Einige Gedichte waren auch furchtbar, zum Beispiel das Gedicht über die Luftgitarre. Manchmal war die Show klasse, aber das Gedicht nicht so gut oder der Text war super, aber die Show schlecht. Lisa Meisner, Slammerin aus Stuttgart, war wieder
10 super. Sie ist in Deutschland sehr bekannt und hat schon viele Wettbewerbe gewonnen. Am Ende war Feras Atah aus Duisburg der Sieger. Das Publikum hat ihn gewählt, weil seine Gedichte und seine Show am besten waren.

	richtig	falsch
1. Am Freitag hat es noch Karten gegeben.	☐	☐
2. Die Laune vom Publikum war gut.	☐	☐
3. Alle Gedichte waren sehr gut.	☐	☐
4. Lisa Meisner hat den Wettbewerb gewonnen.	☐	☐

Und in Ihrer Sprache?

1.20 🔘 **1** Sie sind mit einer Freundin / einem Freund auf einer Party. Sie/Er versteht kein Deutsch. Ihr Freund Marc erzählt von seinem Hobby. Hören Sie und machen Sie Notizen.

Was? – Wann? – Wo? – Mit wem? – ☺ – ☹

2 Berichten Sie Ihrer Freundin / Ihrem Freund in Ihrer Muttersprache.

Alles klar?

1 Hobbys beschreiben. Was sagt oder findet Linus? Schreiben Sie vier Sätze.

> Ich wandere und klettere gern.

> Tischtennisspielen macht Spaß.

> Briefmarkensammeln ist sehr langweilig.

> Ich lese gern Märchen vor.

1. Linus sagt, dass ... _____
2. Linus findet, dass ... _____
3. _____
4. _____

2 Hobbys bewerten. Ergänzen Sie.

Ich spiele manchmal Kopf-Tischtennis.

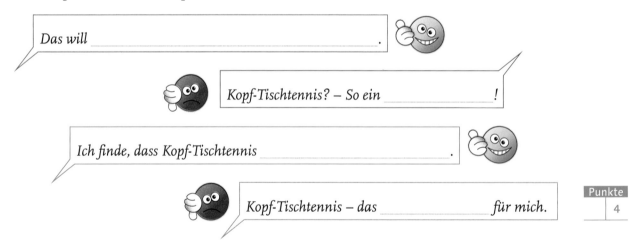

> Das will _____ .

> Kopf-Tischtennis? – So ein _____ !

> Ich finde, dass Kopf-Tischtennis _____ .

> Kopf-Tischtennis – das _____ für mich.

3 Etwas vergleichen. Schreiben Sie jeweils drei Sätze zu 1 bis 4 in Ihr Heft.

1. *groß sein:* Sabine: 1,65 m – Peter: 1,80 m – Adile: 1,65 m – Oliver 1,85 m
2. *gern wandern:* Lina ☺☺☺ – Max ☺ – Hong ☺☺ – Oliver ☺☺
3. *weit springen:* Tina 3,65 m – Pavel 5,80 m – Merle 5,80 m – Roman 6,90 m
4. *viel lesen:* Mahmut 📘 📘 – Sara 📘 📘 📘 – Waltraud 📘 – Rudi 📘 📘

Seite 26 – 27

schneiden, er/sie schneidet, er/sie hat geschnitten

springen, er/sie ist gesprungen

vorlesen, er/sie liest vor, er/sie hat vorgelesen

das Haustier, -e

das Tischtennis (Sg.)

das Märchen, -

der Enkel, -

die Enkelin, -nen

die Gitarre, -n

ausprobieren

intelligent

der Onkel, -

So ein Quatsch!

der Wettbewerb, -e

dass

klettern

anstrengend

blöd

spannend

nervös

der Spieler, -

die Spielerin, -nen

Seite 28–29

dabei sein

Ein Wettbewerb? Wir sind dabei!

denn

Sport ist gesund, denn Sport macht fit.

stapeln

genauso

Er ist genauso groß wie sie.

merken

nächst-

vor allem

üben

das Fernsehen (Sg.)

das Mal, -e

das nächste Mal

der Erwachsene, -n

die Erwachsene, -n

der Spaß (Sg.)

die Sekunde, -n

gewinnen, er/sie hat gewonnen

malen

Seite 30 – 31

auswendig

Sie lernt ein Gedicht auswendig.

eigen-

kämpfen

schlagen, er/sie schlägt, er/sie hat geschlagen

das Gedicht, -e

das Publikum (Sg.)

das Wort, -ö-er

der Inhalt, -e

der Sieger, -

die Siegerin, -nen

die Halle, -n

die Liste, -n

die Show, -s

furchtbar

1 Was kommt heute im Fernsehen?

1.1 Beantworten Sie die Fragen. Benutzen Sie die informelle Uhrzeit.

Das Erste ❶	ZDF ᴢᴅꜰ	RTL	SAT.1 ✺	ProSieben ◢
18:50 Uhr	**17:10 Uhr**	**14:05 Uhr**	**14:10 Uhr**	**18:40 Uhr**
Lindenstraße (Folge 1548) *Familienserie*	ZDF SPORTreportage *Sportsendung*	Das Supertalent *Castingshow*	Herr der Ringe – Die Gefährten *Fantasyfilm*	Die Simpsons (Lisas Pony) *Animation*
20:15 Uhr	**21:45 Uhr**	**20:15 Uhr**	**21:15 Uhr**	**22:30 Uhr**
Tatort (Spiel mit Karten) *Krimi*	heute-journal *Nachrichten*	Wer wird Millionär? *Quizshow*	Navy CIS: L.A. (Alina) *Krimiserie*	James Bond 007 – Golden Eye *Actionfilm*

Wann und wo kommt ...
1. die „Lindenstraße"?
2. „Wer wird Millionär?"?
3. „Herr der Ringe"?
4. das „heute-journal"?
5. „007"?

Was kommt heute ...
6. im Ersten um Viertel nach acht?
7. auf ProSieben um zwanzig vor sieben?
8. im Zweiten um zehn nach fünf?

> 1. Die „Lindenstraße" kommt um zehn vor sieben im Ersten.

1.21 ◉ **1.2** Hören Sie die Fragen 1–5 und antworten Sie.

> *Die „Lindenstraße" kommt...*

2 Was für ein ...?

2.1 Fernsehsendungen. Was ist das? Schreiben Sie die Wörter mit Artikel.

1.    2.    3.    4.

die Serie

5.    6.    7.    8.

2.2 Was für eine Sendung sehen wir? Ergänzen Sie *was für ein …, was für …* oder den indefiniten Artikel.

🗨 Schau mal, hier um 20:15 Uhr kommt „Faszination Berge".

👍 *Was für eine* Sendung ist das? *Ein* Film oder *eine*

Dokumentation?

🗨 Das ist _____ Dokumentation über die Alpen. Das ist vielleicht interessant.

👍 Och, nee. Ich würde lieber _____ Film sehen.

🗨 Und _____ Film würdest du gern sehen?

👍 Am liebsten würde ich _____ Actionfilm sehen – James Bond zum Beispiel.

🗨 Naja, ich mag keine Actionfilme.

👍 Und _____ Sendungen magst du?

🗨 Ich sehe gern Serien oder _____ Quiz.

👍 _____ Quiz würdest du gern sehen?

🗨 Heute läuft „Wer wird Millionär?", das Quiz mag ich sehr.

👍 Gut, dann sehen wir das. Quiz-Sendungen mag ich auch.

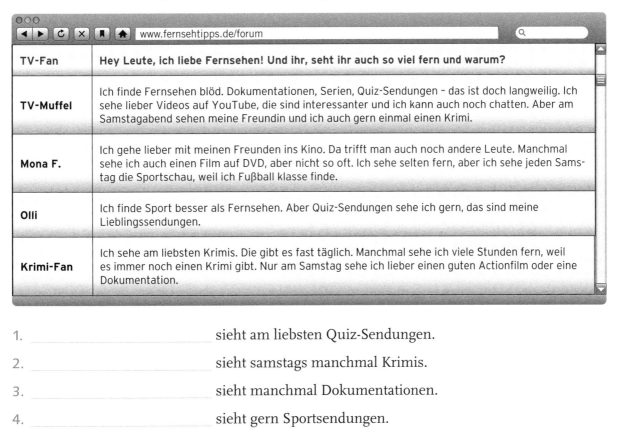

3 Was sehen die Leute gern? Lesen Sie und ergänzen Sie die Namen.

	www.fernsehtipps.de/forum
TV-Fan	Hey Leute, ich liebe Fernsehen! Und ihr, seht ihr auch so viel fern und warum?
TV-Muffel	Ich finde Fernsehen blöd. Dokumentationen, Serien, Quiz-Sendungen – das ist doch langweilig. Ich sehe lieber Videos auf YouTube, die sind interessanter und ich kann auch noch chatten. Aber am Samstagabend sehen meine Freundin und ich auch gern einmal einen Krimi.
Mona F.	Ich gehe lieber mit meinen Freunden ins Kino. Da trifft man auch noch andere Leute. Manchmal sehe ich auch einen Film auf DVD, aber nicht so oft. Ich sehe selten fern, aber ich sehe jeden Samstag die Sportschau, weil ich Fußball klasse finde.
Olli	Ich finde Sport besser als Fernsehen. Aber Quiz-Sendungen sehe ich gern, das sind meine Lieblingssendungen.
Krimi-Fan	Ich sehe am liebsten Krimis. Die gibt es fast täglich. Manchmal sehe ich viele Stunden fern, weil es immer noch einen Krimi gibt. Nur am Samstag sehe ich lieber einen guten Actionfilm oder eine Dokumentation.

1. _____ sieht am liebsten Quiz-Sendungen.

2. _____ sieht samstags manchmal Krimis.

3. _____ sieht manchmal Dokumentationen.

4. _____ sieht gern Sportsendungen.

4 Was sehen wir heute?

4.1 Wiederholung: Adjektive. Wie heißt das Gegenteil? Schreiben Sie.

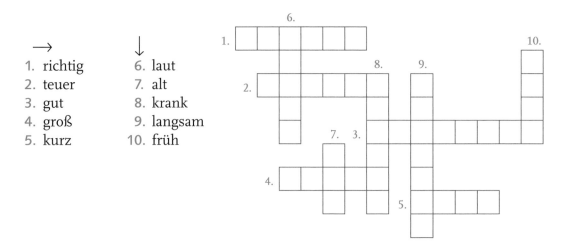

→

1. richtig
2. teuer
3. gut
4. groß
5. kurz

↓

6. laut
7. alt
8. krank
9. langsam
10. früh

1.22 **4.2** Finden Sie …? Hören Sie und antworten Sie wie im Beispiel mit *Nein, …*

1. Finden Sie Actionfilme spannend? *(nicht spannend)*
2. Finden Sie Basketball im Fernsehen interessant? *(uninteressant)*
3. Finden Sie Justin Bieber sympathisch? *(unsympathisch)*
4. Finden Sie Lady Gaga hübsch? *(nicht hübsch)*
5. Finden Sie Chips gesund? *(ungesund)*
6. Finden Sie Krimis für Kinder gefährlich? *(ungefährlich)*
7. Finden Sie Dokumentationen langweilig? *(nicht langweilig)*

> *Nein, ich finde Action-filme nicht spannend.*

1.22 **4.3** Schließen Sie das Buch. Hören Sie noch einmal und antworten Sie.

4.4 Sehen Sie gern fern? Ergänzen Sie mit Ihren Informationen.

🦻 …

👄 Ja, ich sehe sehr gern fern. / Nein, ich sehe nicht so gern fern.

🦻 …

👄 Ich sehe gern _____.

🦻 …

👄 Ja, meine Lieblingssendung heißt _____.

🦻 …

👄 _____ gefallen mir auch sehr gut.

🦻 …

👄 Ich finde _____ uninteressant.

🦻 …

👄 Bei uns gibt es auch _____ im Fernsehen.

1.23 **4.5** Karaoke. Hören Sie und sprechen Sie die 👄-Rolle.

5 Der ESC

5.1 Der Eurovision Song Contest. Welches Verb passt? Ergänzen Sie.

hat gewählt – haben erlebt – hat stattgefunden – hat gewonnen – sind aufgetreten – hat moderiert

1. Der ESC _____ 2015 zum 60. Mal _____ .
2. Sänger aus ganz Europa _____ in der Show mit ihren Liedern _____ .
3. Das Publikum _____ den Sieger _____ .
4. 2010 _____ Lena aus Deutschland den ESC _____ .
5. Stefan Raab _____ mit Anke Engelke und Judith Rakers den ESC 2011 _____ .
6. Die Besucher _____ in Wien eine tolle Show _____ .

5.2 Wie heißen die Verben? Schreiben Sie die Infinitive zu den Perfektformen in 5.1.

1. hat stattgefunden – *stattfinden*
2. sind aufgetreten – _____
3. hat gewählt – _____
4. hat gewonnen – _____
5. hat moderiert – _____
6. haben erlebt – _____

1.24 ◉ 5.3 Lesen Sie den Steckbrief. Hören und ergänzen Sie.

```
Name:      Conchita Wurst
Kleidung:  lange _____ , hohe _____
Aussehen:  braune _____ , lange braune _____ , ein dunkler Bart
Hobbys:    _____ , _____ , Interviews geben
ESC gewonnen: im Jahr _____
```

Conchita Wurst bei einem Konzert in Kielce, Polen am 27.6.2015

1.25 ◉ 5.4 Diktat. Hören Sie und ergänzen Sie. Nutzen Sie die Pausentaste (⏸).

Anke Engelke ist eine deutsche Moderatorin, _____ ,
_____ und Komikerin. Sie kommt aus Kanada,
aber sie lebt in Köln. Anke Engelke ist _____ ,
_____ . Von
_____ war sie mit ihrer Sendung „Ladykracher" auf SAT.1 _____
_____ . Seit 2007 _____ die Stimme von Marge Simpson
aus der Serie „Die Simpsons" auf Deutsch. Mit Stefan Raab und Judith Rakers
_____ den ESC _____ . Anke Engelke war zweimal
_____ und hat _____ .

6 Adjektive nach indefinitem und negativem Artikel

6.1 Viele Fragen. Welche Antwort passt? Ordnen Sie zu.

1. [e] Wie findest du das Fußballspiel?
2. ☐ Siehst du manchmal Nachrichten?
3. ☐ Gehst du gern ins Kino?
4. ☐ *Saber y ganar* – ist das ein Quiz?
5. ☐ Was für eine Sendung ist das?
6. ☐ Was für ein Künstler ist er?
7. ☐ Was für eine Sendung willst du sehen?
8. ☐ Was für Sendungen gefallen deiner Familie?

a Er ist ein deutscher Moderator und Musiker.
b Das ist eine sehr interessante Dokumentation.
c Ja, das ist ein tolles Quiz auf Spanisch.
d Ich würde gern eine lustige Serie sehen.
e Super. Ich sehe gern ein spannendes Spiel.
f Ja, ich sehe deutsche Nachrichten im Fernsehen.
g Meinem kleinen Bruder gefallen Animationsfilme und meiner großen Schwester gefallen Serien.
h Ja, mit meinen deutschen Freunden gehe ich oft ins Kino.

6.2 Unterstreichen Sie alle Adjektive in 6.1 und ergänzen Sie die Tabelle.

	Nominativ	Akkusativ	Dativ
m	ein _____ Moderator	einen guten Sänger	meinem _____ Bruder
n	ein _____ Quiz	ein _____ Spiel	einem spannenden Spiel
f	eine _____ Dokumentation	eine _____ Serie	meiner _____ Schwester
Pl.	– neue Freunde	– _____ Nachrichten	– deutschen Freunden
	meine neuen Freunde	keine deutschen Nachrichten	meinen _____ Freunden

6.3 Was passt? Ergänzen Sie die Adjektive in der richtigen Form.

Nominativ

1. Lena Meyer Landrut ist eine _____ *(gut)* Sängerin.

2. Stefan Raab war ein _____ *(erfolgreich)* Moderator.

3. 2014 hat ein _____ *(deutschsprachig)* Land den ESC gewonnen.

4. Jedes Jahr treten _____ *(international)* Kandidaten beim ESC auf.

Akkusativ

5. Lena hat ein _____ *(toll)* Lied gesungen.

6. Das Publikum hat eine _____ *(wunderbar)* Show erlebt.

7. Die Moderatoren haben einen _____ *(wichtig)* Preis bekommen.

8. Jedes Jahr gibt es _____ *(neu)* Lieder.

Dativ

9. Mit seinen _____ *(verrückt)* Ideen war Stefan Raab sehr erfolgreich.

10. Der ESC sucht jedes Jahr Sänger und Sängerinnen mit einem _____ *(schön)* Lied.

11. Bei ihrer _____ *(erst-)* Show war sie sehr nervös.

12. Schweden hat 2015 mit einem _____ *(jung)* Sänger den ESC gewonnen.

6.4 Lesen Sie die Anzeigen und ergänzen Sie die Adjektivendungen.

a Für unsere Sendung *Das Supertalent* suchen wir junge_ ¹ Leute. Können Sie Luftgitarre spielen oder Becherstapeln oder haben Sie ein ander____ ² verrückt____ ³ Hobby? Schicken Sie uns Ihr cool____ ⁴ Video mit Ihrer verrückt____ ⁵ Idee. Vielleicht sind Sie unser neu____ ⁶ Teilnehmer bei *Das Supertalent*.

b Unsere cool____ ¹ Musikgruppe sucht eine neu____ ² Sängerin. Du hast eine gut____ ³ Stimme und kannst auch Gitarre spielen? Perfekt! Ruf uns an: 0157 …

c Für unsere erfolgreich____ ¹ Fernsehserie suchen wir eine jung____ ² Schauspielerin. Hast du schon in einer deutsch____ ³ Sendung gespielt? Dann komm zu unserem Termin und stell dich vor. Du musst ein kurz____ ⁴ Gedicht vorsprechen.

d *Germany's next Topmodel* sucht dich: Ein hübsch____ ¹, sympathisch____ ² Mädchen. Interessiert? Dann schick uns ein cool____ ³ Foto mit einem spannend____ ⁴ Text über dich.

e Wir suchen sympathisch____ ¹ und nett____ ² Jungen und Mädchen (10–18 Jahre) für unsere neu____ ³ Sendung: *Dein Lied im Fernsehen*. Bist du ein gut____ ⁴ Sänger oder eine toll____ ⁵ Sängerin? Dann schick uns ein kurz____ ⁶ Video mit deinem wunderbar____ ⁷ Lied.

f Unsere neu____ ¹ Theatergruppe sucht jung____ ² Schaupieler. Hast du eine laut____ ³ Stimme? Bist du schon einmal auf einer klein____ ⁴ oder groß____ ⁵ Bühne aufgetreten? Dann komm doch zu unserem erst____ ⁶ Treffen. (info@theatergruppe.de)

6.5 Lesen Sie die Sätze 1 bis 5 und noch einmal die Anzeigen in 6.4. Welche Anzeige passt zu wem? Ordnen Sie zu. Für eine Person gibt es keine Anzeige. Schreiben Sie dort ☒.

1. [b] Corinna singt gern und möchte mit anderen Leuten zusammen Musik machen.
2. [ ] Ivan (15 Jahre alt) singt und schreibt Lieder. Er möchte berühmt werden.
3. [ ] Anna ist Schauspielerin. Sie möchte in einem Film spielen.
4. [ ] Charlie kennt die Texte von mehr als 200 Liedern auswendig. Aber er kann nicht gut singen.
5. [ ] Luisa hat schon in einem Film mitgespielt. Nun sucht sie etwas Neues.
6. [ ] Marc spielt gern Theater und ist auch schon aufgetreten.

7 Eine bekannte Person aus Deutschland

7.1 Lesen Sie den Zeitungsartikel und machen Sie Notizen.

Neue Woche

Prominente aus dem Fernsehen kurz vorgestellt

Judith Rakers

Die Nachrichtenmoderatorin Judith Rakers kennen wir alle. Mit ihrer sympathischen Stimme und ihren langen blonden Haaren moderiert sie seit 2005 die *Tagesschau*. Aber was wissen wir
5 noch über Judith Rakers? Sie hat schon als Studentin bei Zeitungen und beim Radio gearbeitet. Heute ist sie sehr erfolgreich und hat viele Sendungen. Sie moderiert zusammen mit Giovanni di Lorenzo die Talkshow *3 nach 9*.
10 2011 hat sie mit Stefan Raab und Anke Engelke den *ESC* in Düsseldorf moderiert. Für ihre lustige und wunderbare Show haben sie zusammen den

Deutschen Fernsehpreis gewonnen. Und was weiß man noch über Judith Rakers? Sie ist verheiratet
15 und mag Karaoke. Ihr Mann kocht sehr gern und sie isst gern, das passt gut zusammen. Auch in dieser Woche können Sie Judith Rakers wieder fast jeden Tag in der *Tagesschau* sehen und hören.

• Wer?   • Beruf/Karriere?   • Sendungen?   • Familie?   • Hobbys?

7.2 Schreiben Sie einen Text über Judith Rakers. Benutzen Sie Ihre Notizen aus 7.1.

Judith Rakers ist eine erfolgreiche Nachrichtenmoderatorin. Sie …

8 Fernsehen heute: Wie, wann und wie oft?

8.1 Wiederholung: Komparativ und Superlativ. Vergleichen Sie die Länder und schreiben Sie Sätze mit den Adjektiven. Benutzen Sie den Komparativ und Superlativ.

Fernsehdauer in D-A-CH pro Tag 2014.

Schweiz:	128 Minuten
Deutschland:	221 Minuten
Österreich:	162 Minuten

In der Schweiz sieht man weniger fern als … (wenig)

In Deutschland … (viel)

In Österreich … (lange)

1.26 ◎ **8.2** Fernsehen heute. Was sehen Jonas (J), Leonie (L) und Ina (I)? Hören Sie und ordnen Sie zu.

1.26 ◎ **8.3** Was ist richtig? Hören Sie noch einmal und kreuzen Sie an.

	richtig	falsch
1. ☐ Jonas sieht oft fern.	☐	☐
2. ☐ Leonie sieht lieber YouTube-Videos.	☐	☐
3. ☐ *Die Lochis* sind Fernsehstars.	☐	☐
4. ☐ Ina findet Nachrichten im Fernsehen besser.	☐	☐

1.26 ◎ **8.4** Hören Sie noch einmal und schreiben Sie Antworten mit *weil*.

1. Warum sieht Jonas lieber im Internet fern?
2. Warum sieht Leonie lieber Videos auf YouTube?
3. Warum sieht Ina lieber Nachrichten von LeFloid?

nicht so langweilig – praktisch – für junge Leute

1. Jonas sieht lieber im Internet fern, weil ...

8.5 Und Sie? Wo sehen Sie lieber fern: im Internet oder im Fernsehen? Warum? Schreiben Sie einen Text in Ihr Heft.

Und in Ihrer Sprache?

Ihre Freundin/ihr Freund möchte mehr über die Stars im deutschen Fernsehen wissen. Lesen Sie noch einmal Ihre Notizen über Judith Rakers auf S. 44 in 7.1 und berichten Sie in Ihrer Muttersprache.

• Wer? • Beruf/Karriere?
• Sendungen? • Familie? • Hobbys?

4 Alles klar?

1 Ein Fernsehprogramm verstehen. Schreiben Sie die Antworten.

Das Erste ❶
Mo, 18:00 Uhr
Quizduell

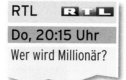
RTL
Do, 20:15 Uhr
Wer wird Millionär?

Das Erste ❶
20:00 Uhr
Tagesschau

ZDF
Mi, 20:25 Uhr
Champions-League

1. Was kommt am Donnerstag um Viertel nach acht auf RTL?
2. Was kommt im Ersten am Montag um 18:00 Uhr?
3. Wann und wo kommt die „Tagesschau"?
4. Was für eine Sendung ist die „Champions-League"?

1. Am Donnerstag ...

Punkte
4

2 Über das Fernsehen sprechen.

2.1 Was passt? Verbinden Sie.

1. Siehst du oft Serien?
2. Hast du eine Lieblingssendung?
3. Wie findest du das „Quizduell"?
4. Was für Sendungen gibt es in deinem Land?

a Ich finde die Sendung langweilig.
b Nein, nie. Ich mag lieber Filme.
c Bei uns gibt es auch „Wer wird Millionär?", aber das heißt „Who wants to be a millionaire?".
d Meine Lieblingssendung ist der ESC.

2.2 Schreiben Sie Antworten.

1. 💬 Was ist Ihre Lieblingssendung? 👍 _____
2. 💬 Wie finden Sie Actionfilme? 👍 _____
3. 💬 Wie oft sehen Sie Nachrichten? 👍 _____
4. 💬 Was für Sendungen mögen Sie nicht? 👍 _____

Punkte
8

3 Eine Person beschreiben. Lesen Sie die Stichworte und schreiben Sie einen Text.

LeFloid
- Name: Florian Mundt
- deutscher YouTuber, Videoblogger und Student
- viele Preise
- Juli 2015: Interview mit Angela Merkel
- montags und donnerstags: Programm auf YouTube

Punkte
8

LeFloid heißt richtig ...

Punkte gesamt
17–20: Super!
11–16: In Ordnung.
 0–10: Bitte noch einmal wiederholen!

Seite 32–33

der Animationsfilm, -e

die Dokumentation, -en (Doku, -s)

die Nachrichten (Pl.)

was für ein

Was für einen Film möchtest du sehen?

das Quiz, -

die Sendung, -en

der Liebesfilm, -e

die Serie, -n

hübsch

Seite 34–35

auftreten, er/sie tritt auf, er/sie ist aufgetreten

begleiten

deutschsprachig

moderieren

plötzlich

vorher

das Lied, -er

der Erfolg, -e

der Kandidat, -en

die Kandidatin, -nen

der Komiker, -

die Komikerin, -nen

der Moderator, -en

die Moderatorin, -nen

der Preis, -e

Sie hat einen Preis bekommen.

der Sänger, -

die Sängerin, -nen

die Karriere, -n

die Stimme, -n

einzeln

live

das Paar, -e

der Teil, e

der erste/zweite/... Teil

Seite 36–37

entscheiden, er/sie hat entschieden

ersetzen

gelten, es gilt, es hat gegolten

halb-

eine halbe Stunde

normal

der Internetnutzer, -

die Internetnutzerin, -nen

der Sender, -

die Mediathek, -en

die Online-Videothek, -en

angemeldet sein

Ich bin bei einer Online-Videothek angemeldet.

Deutsch aktiv 3|4 / Panorama II

bauen

tief

das Mietshaus, -äu-er

der Schrebergarten, -ä-

dekorieren

gießen, er/sie hat gegossen

pflanzen

5 Alltag oder Wahnsinn?

1 Apps im Alltag

1.1 Was kann man mit Apps machen? Ordnen Sie zu und schreiben Sie Sätze.

eine Reise planen – eine Apotheke in der Nähe finden – Fahrpläne lesen – sich über das Wetter informieren – ~~Termine koordinieren~~ – den Alltag organisieren und Zeit sparen

1. **d** *Mit einer App kann man Termine koordinieren.*

2. _____

3. _____

4. _____

5. _____

6. _____

1.2 Die Fahrplan-App. Was passt zusammen? Verbinden Sie.

1. Wann fahren die Busse besonders oft?
2. Ab wann fahren hier die Nachtbusse?
3. Bis wann fährt der Bus Nummer 23?
4. Wie lange gilt der Ferienplan für die Busse?

a Zwei Wochen.
b Täglich bis 22:30 Uhr.
c Zwischen 9:00 und 18:00 Uhr.
d Ab 23:00 Uhr.

1.3 *Ab*, *bis* oder *zwischen?* Ergänzen Sie.

1. 💬 Ich gehe mittwochs _____ 19:30 und 21:30 Uhr mit einer Freundin joggen.

   👍 Was? So spät?

   💬 Ja, manchmal muss ich _____ 20 Uhr arbeiten.

   Dann können wir erst _____ 21 Uhr laufen.

2. 💬 _____ wann musst du die Termine wissen?

   👍 Ich brauche die Termine _____ Montagabend. Am Dienstag muss ich entscheiden.

1.4 Schreiben Sie die Fragen.

1. 💬 _____

   👍 Ich habe am Sonntag bis 9 Uhr geschlafen.

2. 💬 _____

   👍 Ich bin ab Dienstag im Urlaub.

3. 💬 _____

   👍 Ich bin morgen zwischen 16 und 19 Uhr zu Hause.

1.5 *Ab, bis* oder *zwischen*? Schreiben Sie die Antworten.

1. Wann machen Sie Mittagspause? (13:00 Uhr ⊢⊢ 13:30 Uhr)
2. Ab wann fährt der Bus? (6:00 Uhr ⊢➤)
3. Bis wann arbeiten Sie heute? (➤⊣ 17:00 Uhr)
4. Ab wann haben Sie Urlaub? (Montag ⊢➤)
5. Wann trainieren Sie im Fitnessstudio? (20:00 Uhr ⊢⊣ 23:00 Uhr)
6. Bis wann brauchen Sie die Informationen? (➤⊣ morgen)

> *Ich mache zwischen eins und halb zwei Mittagspause.*

1.27 🎧 **1.6** Hören Sie die Fragen und antworten Sie mit Ihren Sätzen aus 1.5.

2 Stress am Morgen

2.1 Mutter und Sohn. Was passiert? Schreiben Sie Sätze zu den Bildern.

1. *Sabine Müller wäscht sich,*
   dann wäscht sie ihren Sohn.

2. _____

3. _____

4. _____

2.2 Morgens im Bad. Ergänzen Sie die Reflexivpronomen.

🗨 Wann kämmt ihr _____ endlich? Es ist schon acht Uhr.

🗨 Ich habe _____ doch schon gekämmt.

🗨 Wann? Gestern? Sieh _____ doch mal im Spiegel an!

🗨 Oh Mann!!! Warum müssen wir _____ immer kämmen?

🗨 Man kämmt _____ jeden Morgen. Das ist normal!

🗨 Aber Florian und Anne kämmen _____ auch nicht.

🗨 Schluss jetzt! Beeilt _____!

1.28 **2.3** Was macht Simone zuerst, was danach? Hören Sie und ordnen Sie.

a ☐ sich anziehen   e ☐1☐ aufstehen

b ☐ aus dem Haus gehen   f ☐ Zeitung lesen und frühstücken

c ☐ die U-Bahn nehmen   g ☐ sich kämmen und schminken

d ☐ Tee trinken   h ☐ sich waschen

2.4 Was macht Simone wann? Schreiben Sie Sätze.

1. *Simone steht um sechs Uhr auf.* 5.
2. 6.
3. 7.
4. 8.

2.5 Was hat Simone heute gemacht? Schreiben Sie die Sätze aus 2.4 im Perfekt.

1. Simone ist heute um sechs Uhr aufgestanden.

3 So fängt der Tag cool an.

1.29 **3.1** Hast du schon …? Hören Sie und antworten Sie mit *Nein* wie im Beispiel.

1. Hast du dich schon angezogen?   4. Hast du dich schon gewaschen?
2. Hast du dich schon rasiert?   5. Hast du dich schon geschminkt?
3. Hast du dich schon gekämmt?   6. Und bist du schon aufgestanden?

Nein, ich habe mich noch nicht angezogen.

1.29 **3.2** Schließen Sie das Buch. Hören Sie noch einmal und antworten Sie.

1.30 **3.3** Ein ruhiger Morgen. Hören Sie. Welches Thema passt? Kreuzen Sie an.

1. ☐ Ein Tag ohne Arbeit   2. ☐ Ein Morgen ohne die Familie   3. ☐ Allein im Urlaub

1.30 **3.4** Was sagt die Freundin? Lesen Sie die Fragen. Hören Sie noch einmal und ordnen Sie die Fragen.

a ☐ Frühstückst du normalerweise nie?   c ☐ Danke auch gut. Wie war dein Tag?

b ☐ Warst du ganz allein?   d ☐ Hallo, hier spricht Isabell. Wie geht es dir?

1.30 **3.5** Karaoke. Hören Sie noch einmal und sprechen Sie die Fragen aus 3.4.

3.6 Und wie sieht ein ruhiger Morgen für Sie aus? Schreiben Sie Sätze in Ihr Heft.

4 Ein ganz normaler Tag

4.1 Welches Verb passt? Ergänzen Sie.

aufhängen – bringen – haben – machen – kochen – kommen – vorlesen – waschen

1. es eilig _____ und dann zu spät _____
2. Kakao _____ und Brote für die Schule _____
3. die Kinder ins Bett _____ und ihnen ein Märchen _____
4. Wäsche _____ und sie dann _____

4.2 Welcher Betreff passt? Lesen Sie und kreuzen Sie an.

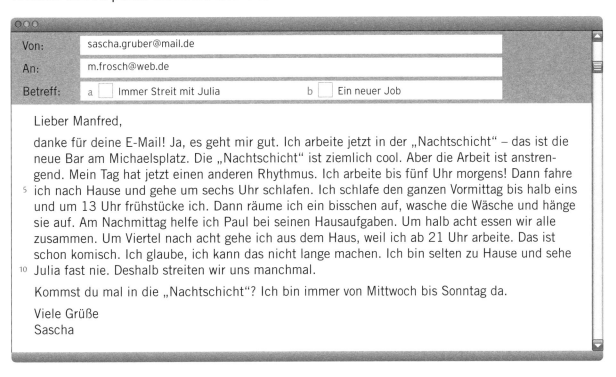

Von: sascha.gruber@mail.de

An: m.frosch@web.de

Betreff: a ☐ Immer Streit mit Julia   b ☐ Ein neuer Job

Lieber Manfred,

danke für deine E-Mail! Ja, es geht mir gut. Ich arbeite jetzt in der „Nachtschicht" – das ist die neue Bar am Michaelsplatz. Die „Nachtschicht" ist ziemlich cool. Aber die Arbeit ist anstrengend. Mein Tag hat jetzt einen anderen Rhythmus. Ich arbeite bis fünf Uhr morgens! Dann fahre ich nach Hause und gehe um sechs Uhr schlafen. Ich schlafe den ganzen Vormittag bis halb eins und um 13 Uhr frühstücke ich. Dann räume ich ein bisschen auf, wasche die Wäsche und hänge sie auf. Am Nachmittag helfe ich Paul bei seinen Hausaufgaben. Um halb acht essen wir alle zusammen. Um Viertel nach acht gehe ich aus dem Haus, weil ich ab 21 Uhr arbeite. Das ist schon komisch. Ich glaube, ich kann das nicht lange machen. Ich bin selten zu Hause und sehe Julia fast nie. Deshalb streiten wir uns manchmal.

Kommst du mal in die „Nachtschicht"? Ich bin immer von Mittwoch bis Sonntag da.

Viele Grüße
Sascha

4.3 Lesen Sie noch einmal und beantworten Sie die Fragen.

1. Wie findet Sascha seine Arbeit?
2. Von wann bis wann arbeitet Sascha?
3. Was macht Sascha vor der Arbeit?
4. Von wann bis wann schläft Sascha?
5. Warum streiten sich Sascha und Julia manchmal?

5 Ist dein Alltag auch stressig?

1.31 **5.1** Welches Verb passt? Hören Sie und kreuzen Sie an.

1.	a ☐ sich entschuldigen	3.	a ☐ sich schlecht fühlen	5.	a ☐ sich treffen
	b ☐ sich freuen		b ☐ sich treffen		b ☐ sich freuen
	c ☐ sich streiten		c ☐ sich entschuldigen		c ☐ sich ärgern
2.	a ☐ sich beeilen	4.	a ☐ sich streiten	6.	a ☐ sich beeilen
	b ☐ sich ärgern		b ☐ sich gut fühlen		b ☐ sich entschuldigen
	c ☐ sich treffen		c ☐ sich beeilen		c ☐ sich treffen

5.2 Was passt zusammen? Verbinden Sie.

1. Müsst ihr   a   uns morgen?
2. Wie fühlt sich   b   dich bei mir?
3. Wo treffen wir   c   euch immer streiten?
4. Wann entschuldigst du   d   sich bitte ein bisschen beeilen?
5. Könnten Sie   e   dein Vater heute?

5.3 Welches Verb passt? Ergänzen Sie die Fragen.

1.   Warum _____ du _____ ?

2.   Warum _____ ihr _____ immer?

3.   Warum _____ du _____ ?

4.   Warum müssen wir _____ _____ ?

5.   Warum _____ du _____ schlecht?

sich beeilen – sich fühlen –
sich ärgern – sich freuen –
sich streiten

5.4 Schreiben Sie Antworten zu den Fragen in 5.3.

1. Ich *freue mich, weil wir uns morgen treffen.*
   (wir – morgen – sich treffen)

2. Wir _____
   (wir beide – gern diskutieren)

3. Ich _____
   (wir – immer – sich streiten)

4. Wir _____
   (die U-Bahn – in zehn Minuten – kommen)

5. Ich _____
   (ich – viel Stress haben)

1.32 **5.5** Karaoke. Hören Sie und sprechen Sie die 👄-Rolle.

👂   ...

👄   Wir haben uns heute Morgen gestritten. Ich war wirklich sauer!

👂   ...

👄   Ja, wir haben den Wecker nicht gehört und sind zu spät aufgestanden. Echt blöd!

👂   ...

👄   Ja, das ärgert mich auch sehr. So viel Stress – da fühle ich mich schlecht.

6 Familienalltag

6.1 Lesen Sie den Text schnell. Welche Überschrift passt nicht? Streichen Sie durch.

1. Den Tag ohne Stress beginnen
2. Wellness zu Hause
3. Tipps für weniger Stress am Morgen

Familienleben heute   4/16

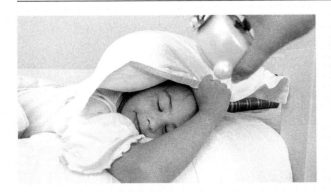 

Morgens ist es bei vielen Familien mit Kindern oft gar nicht lustig. Die Kinder stehen nicht gern auf. Sie wollen sich nicht anziehen oder nicht frühstücken. Oder das Bad ist nicht frei – und am Ende müssen sich alle beeilen. Das ist Stress für alle und vielleicht streitet man sich auch.

Aber das muss nicht sein. Mit unseren Tipps beginnt der Tag ruhiger – und alle haben bessere Laune!

1. Wählen Sie zusammen mit Ihrem Kind schon am Abend die Kleidung für den nächsten Tag aus. So müssen Sie morgens nicht diskutieren. Und abends ist es nicht so hektisch, weil alle mehr Zeit haben.

2. Bereiten Sie schon abends den Frühstückstisch vor. Mit einem guten Frühstück beginnt der Tag freundlicher. Die ganze Familie sitzt zusammen am Tisch – da schmecken das Brot und der Kakao noch besser.

Sie können auch die Brote für die Schule oder den Kindergarten schon abends vorbereiten.

3. Haben Sie einen guten Wecker? Die meisten Menschen stehen lieber mit Musik auf. Aber sehr laute Musik macht nervös! Wählen Sie lieber ein ruhiges Lied.

4. Machen Sie einen Plan für das Badezimmer: Wer muss morgens zuerst aus dem Haus gehen? Die Person darf auch zuerst ins Bad.

5. Machen Sie morgens etwas Schönes zusammen. Vielleicht singen Sie mit Ihren Kindern ein Lied nach dem Frühstück? Oder Sie machen ein kleines Spiel? Dann freuen sich alle auf den nächsten Morgen – und die Kinder stehen vielleicht auch ein bisschen lieber (und früher) auf.

6.2 Was ist richtig? Lesen Sie noch einmal und kreuzen Sie an.

1. Morgens ist es stressig, weil ...
   a ☐ sich alle beeilen müssen.
   b ☐ die Kinder sich immer streiten.

2. Die Kleidung für die Kinder soll man ...
   a ☐ am Abend auswählen.
   b ☐ am Morgen diskutieren.

3. Die Kinder sollen ...
   a ☐ in der Schule frühstücken.
   b ☐ zusammen mit den Eltern frühstücken.

4. Die meisten Menschen können am besten mit einem ...
   a ☐ lauten Lied aufstehen.
   b ☐ ruhigen Lied aufstehen.

5. Die Eltern sollen morgens ...
   a ☐ früher aufstehen.
   b ☐ ein bisschen mit den Kindern singen oder spielen.

7 Raus aus dem Alltag mit Wellness

7.1 Was passt nicht? Streichen Sie durch.

1. das Hotel – das Hallenbad – die Jugendherberge – das Hostel
2. der Spiegel – die Massage – die Sauna – das Dampfbad
3. das Panorama – der Blick – die Wäsche – die Aussicht

1.33 ⊚ **7.2** Diktat. Hören und ergänzen Sie. Nutzen Sie die Pausentaste (⏸).

Mein Alltag ist _____. Deshalb ist Wellness

_____. In der Nähe _____

mit einem großen Wellnessbereich, ein Hallenbad und einem Fitnessraum. Dort _____

_____ , _____ und ich kann _____ .

Ich liebe die Sauna und _____ , vor allem _____ .

Ich gehe _____ ins Wellnesshotel.

7.3 Dreimal Spa. Was für Texte sind das? Lesen Sie und ordnen Sie zu. Eine Antwort passt nicht.

www.freizeittipps-in-dresden.de

a

Niki_SpaFan

Ein wunderbarer Tag! Ich war am letzten Sonntag im Schloss-Spa – und es war toll. Ich habe mich super erholt und entspannt. Das war wie ein kurzer Urlaub. Die Sauna und die Ruheräume sind sehr schön. Und die Massage war perfekt. Ich komme auf jeden Fall wieder.

b

SPA-WELT IM SCHLOSS

In Bad Neuheim, in der Nähe von Dresden, gibt es ein neues Spa. Seit September 2015 lädt das Schloss-Spa zum Erholen ein – mit zwei Saunen, Dampfbad, Whirlpool und wunderschönen Ruheräumen.

Die Managerin, Evelyn Schneider, erzählt, dass ihr Team mehr als sechs Monate die neuen Räume gebaut und dekoriert hat.

Neues Spa im Schloss

Das Spa ist bei den Kunden schon jetzt sehr beliebt. Zum Beispiel muss man eine Massage unbedingt vorher buchen. Ohne Termin haben Sie keine Chance.

c

Stressiger Alltag?
Erholen Sie sich im neuen Schloss-Spa in Bad Neuheim!

Finnische Sauna · Bio-Sauna · Hallenbad · Whirlpool

Nutzen Sie unser Winter-Sonderangebot*:
90 Minuten Massage für nur 69 Euro

Einzelzimmer ab 79 Euro
Doppelzimmer ab 119 Euro

Informationen unter www.schloss-spa.de

* Gültig vom 01.11. bis zum 20.02.

1. ☐ Eine Zeitung stellt das neue Spa vor.
2. ☐ Eine Frau schreibt ihrer Freundin eine E-Mail aus dem Spa.
3. ☐ Das Spa stellt sein Angebot vor. Es sucht neue Kunden.
4. ☐ Eine Kundin schreibt im Internet, dass ihr das Spa gefällt.

7.4 Lesen Sie noch einmal die Texte in 7.3. Was passt zusammen? Verbinden Sie.

1. Das Schloss-Spa gibt es
2. Das Team hat
3. Für eine Massage muss man
4. Bis Februar gibt es
5. Ein Tag im Schloss-Spa ist

a sechs Monate am Spa gebaut.
b wie ein Kurzurlaub.
c seit September 2015 in Bad Neuheim.
d ein Sonderangebot für Massagen.
e einen Termin machen.

7.5 Aus welchem Text in 7.3 kommen die Informationen in 7.4? Schreiben Sie.

Text a: _____   Text b: *1.c* _____   Text c: _____

7.6 Kundenbewertungen. Was passt nicht? Streichen Sie durch.

www.checkdeinhotel.at

1 Marina F. ★ ★ ★ ★ ★   *Tolle/Keine* Erholung! Super Wellnessbereich!

Wir waren am letzten Wochenende hier. Es war *furchtbar/wunderschön*. Die Zimmer sind groß und *hell/dunkel*. Der Wellnessbereich ist ein *Traum/Stress*. Wir kommen *bestimmt/nicht* wieder. Danke für eine *schlimme/wunderbare* Zeit.

2 Robert J. ★   *Nie/Immer* wieder!

Erholung? Nein, hier leider nicht! Die Mitarbeiter an der Rezeption waren sehr *unfreundlich/sympathisch*. Die Zimmer waren klein und das Bad war *sehr/nicht* sauber. Im Ruheraum haben wir *nie/immer* einen freien Platz gefunden. Und alles war sehr *teuer/günstig*: Wir haben uns sehr *gefreut/geärgert*.

7.7 Schreiben Sie eine positive oder negative Bewertung zu dem Spa-Angebot in 7.3.

1.34 **7.8** Ein Interview. Hören Sie und kreuzen Sie an.

Sie sprechen über   1. ☐ Wellnessreisen in verschiedene Länder.
                     2. ☐ ein neues Wellnesshotel „Neue Welten".

1.34 **7.9** *Ja* oder *nein*? Hören Sie noch einmal und kreuzen Sie an.

	ja	nein
1. Die Radio-Sendung heißt „Modernes Leben".	☐	☐
2. Simon Walter verkauft Wellnessreisen.	☐	☐
3. Er hat dieses Jahr weniger Kunden als letztes Jahr.	☐	☐
4. Er hat nur Reisen nach Deutschland im Angebot.	☐	☐
5. Viele Kunden wollen im Urlaub gesund essen und Sport machen.	☐	☐
6. Simon Walter macht am liebsten Yoga-Reisen.	☐	☐

Und in Ihrer Sprache?

Ihre Freundin / Ihr Freund möchte im Winter einen Wellnessurlaub machen. Lesen Sie noch einmal das Angebot für das Schloss-Spa in 7.3 (Text c) und erklären Sie das Angebot in Ihrer Muttersprache.

1 Über Medien im Alltag sprechen. Wie helfen Apps im Alltag? Schreiben Sie.

1. _Mit einer App kann man ..._

2.

3.

4.

5.

2 Den Alltag beschreiben. Was machen Sie wann? Schreiben Sie Sätze mit *ab*, *bis* und *zwischen*.

1. aufstehen (6:30 Uhr ⊢ ⊢ 7:00 Uhr)

2. sich waschen (6:45 Uhr ⊢ ⊢ 7:05 Uhr)

3. sich anziehen (⊢▶ 7:15 Uhr)

4. frühstücken (7:15 Uhr ⊢▶)

5. sich beeilen (6:30 Uhr ⊢▶)

3 Sagen, dass man etwas nicht gut findet. Wie reagieren Sie in diesen Situationen? Schreiben Sie Sätze.

1. Sie haben zu Hause viel Stress und müssen sich immer beeilen.

2. Ihre Kollegin / Ihr Kollege kommt immer zu spät zu den Terminen und Sie müssen warten.

4 Etwas positiv bewerten. Schreiben Sie die Sätze positiv.

1. Wir hatten eine furchtbare Zeit hier.
2. Wir haben uns nicht erholt.
3. Das Hotel ist nicht schön und es ist zu teuer.
4. Der Fitnessbereich ist furchtbar.
5. Die Ruheräume haben uns nicht gefallen und der Service war schlecht.
6. Wir kommen bestimmt nicht wieder.

1. Wir hatten ...

Punkte gesamt
17–20: Super!
11–16: In Ordnung.
0–10: Bitte noch einmal wiederholen!

Seite 42–43

ab _____

auswählen _____

gemeinsam _____

in der Nähe _____

(sich) informieren _____

öffentlich _____

planen _____

sparen _____

unterwegs (sein) _____

der Alltag (Sg.) _____

der Einkauf, -äu-e _____

der Fahrplan, -ä-e _____

der Supermarkt, -ä-e _____

die Apotheke, -n _____

die App, -s _____

die Organisation, -en _____

koordinieren _____

nie _____

verschlafen, er/sie verschläft, er/sie hat verschlafen ____

(sich) ansehen, er/sie sieht an, er/sie hat angesehen ____

(sich) anziehen, er/sie hat angezogen _____

(sich) ausziehen, er/sie hat ausgezogen _____

(sich) kämmen _____

(sich) rasieren _____

(sich) schminken _____

(sich) waschen, er/sie wäscht, er/sie hat gewaschen ____

der Spiegel, - _____

Seite 44–45

die Wäsche (Sg.) _____

aufhängen _____

sich streiten, er/sie hat gestritten _____

froh _____

pünktlich _____

sauer _____

Ich bin sauer! _____

der Stress (Sg.) _____

gerade _____

hektisch _____

(sich) entschuldigen _____

(sich) treffen, er/sie trifft, er/sie hat getroffen ____

der Haushalt, -e _____

der Kindergarten, -ä- _____

die Schuld (Sg.) _____

Das ist (nicht) meine Schuld. _____

(sich) ärgern _____

sich beeilen _____

sich freuen _____

(sich) fühlen _____

Seite 46–47

das Hallenbad, -ä-er _____

das Hostel, -s _____

der Blick, -e _____

der Mitarbeiter, - _____

die Mitarbeiterin, -nen _____

der Ruheraum, -äu-e _____

die Sauna, Saunen _____

die Jugendherberge, -n _____

die Erholung (Sg.) _____

entspannt _____

wiederkommen, er/sie ist wiedergekommen _____

sich erholen _____

6 Die schwarzen oder die bunten Stühle?

1 Die Wohnungen von John, Marie und Anne

1.1 Was ist richtig? Lesen Sie und kreuzen Sie an. Korrigieren Sie dann die falschen Antworten.

Ich bin neu hier in Darmstadt und wohne in einem Studentenwohnheim. Ich habe ein schönes, helles Zimmer mit einem kleinen Bad. Auf meinem Flur gibt es noch sieben andere Zimmer. Wir sind acht Studenten und haben zusammen eine große Küche. Dort treffen wir uns
5 oft und kochen auch manchmal zusammen.

In meinem Zimmer sind nicht sehr viele Möbel: Es gibt ein praktisches Bett, einen großen Schrank und eine moderne Lampe. An der Wand hängt ein langes Regal und vor dem Fenster steht ein kleiner Schreibtisch mit zwei unbequemen Stühlen. Ich möchte bald ein paar Dinge
10 kaufen: einen gemütlichen Teppich, einen bequemen Schreibtischstuhl, eine helle Schreibtischlampe und ein kleines Sofa.

John Waters

	richtig	falsch
1. John wohnt mit anderen Studenten in einer WG.	☐	☐
2. Sie machen manchmal etwas zusammen.	☐	☐
3. John hat viele Möbel.	☐	☐
4. Er hat keinen Stuhl.	☐	☐
5. Er braucht einen Teppich und ein Sofa.	☐	☐

1.2 Wiederholung: Adjektive nach indefinitem Artikel. Unterstreichen Sie die Adjektive in 1.1 und ergänzen Sie die Tabelle.

	Nominativ (N)	Akkusativ (A)	Dativ (D)
m	ein _____ Schreibtisch	einen _____ Schrank	einem großen Tisch
n	ein _____ Regal	ein _____ Sofa	einem _____ Bad
f	eine helle Lampe	eine _____ Lampe	einer hellen Lampe
Pl.	unbequeme Stühle	unbequeme Stühle	_____ Stühlen

1.3 Wiederholung: Adjektive nach indefinitem Artikel. Ergänzen Sie die Adjektivendungen.

Marie ist Studentin und wohnt seit drei Monaten in Hamburg. Aber sie hat noch kein Zimmer gefunden. Deshalb wohnt sie bei ihrer gut____ (D) Freundin Anne. Anne hat eine gemütlich____ (A) Wohnung mit einem klein____ (D) Zimmer, einem klein____ (D) Bad und einer groß____ (D) Küche mit einem schön____ (D) Balkon. Das Schlafzimmer ist klein, deshalb hat Anne nur ein groß____ (A) Bett, einen alt____ (A) Schrank und ein klein____ (A) Regal. Leider ist das Zimmer zu klein für einen groß____ (A) Schreibtisch. Deshalb steht ihr neu____ (N) Laptop in der Küche auf dem alt____ (D) Küchentisch. Annes bequem____ (N) Sofa ist kaputt, deshalb sitzen Marie und Anne oft auf den alt____ (D) Stühlen auf dem Balkon. Marie wohnt gern bei Anne, aber sie will bald ein eigen____ (A) Zimmer oder eine eigen____ (A) Wohnung finden.

1.4 Wie sind der Artikel und der Plural? Ergänzen Sie.

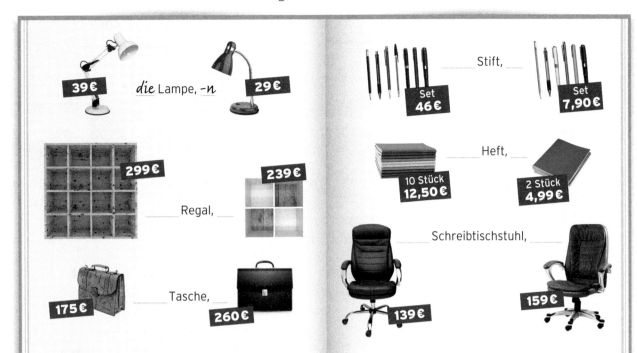

1.5 Wie viel kostet …? Adjektivendungen nach dem definiten Artikel im Nominativ. Ergänzen Sie die Endungen und schreiben Sie die Antwort.

Wie viel kostet/kosten …

1. der schwarze Schreibtischstuhl?
2. das altmodisch____ Telefon?
3. die weiß____ Schreibtischlampe?
4. die blau____ Hefte?
5. der rot____ Papierkorb?

6. das klein____ Bücherregal?
7. die gelb____ Tasche?
8. die bunt____ Stifte?

1. Der schwarze Schreibtischstuhl kostet 139 Euro.

1.35 **1.6** Hören Sie die Fragen und antworten Sie mit Ihren Sätzen aus 1.5.

1.7 Wie finden Sie die Dinge in 1.5? Schreiben Sie acht Sätze. Benutzen Sie die Adjektive nach dem definiten Artikel im Akkusativ.

schön – hässlich – modern – günstig – teuer – elegant – altmodisch – praktisch

1. Ich finde den schwarzen Schreibtischstuhl elegant.

1.36 **1.8** Hören Sie die Fragen und antworten Sie mit Ihren Sätzen aus 1.7.

1.9 Adjektivendungen nach dem definiten Artikel im Nominativ und Dativ.
Finden Sie acht Unterschiede und schreiben Sie Sätze zu den Bildern wie im Beispiel.

Auf Bild 1 hängt der kleine Spiegel zwischen dem großen und
dem kleinen Fenster, aber auf Bild 2 steht er zwischen ...

2 Was für Möbel haben Sie? Welche Möbel möchten Sie wegwerfen?

2.1 Wiederholung: Adjektive nach indefinitem Artikel. Was für Möbel haben Sie in Ihrem
Zimmer / Ihrer Wohnung? Schreiben Sie einen Satz mit acht Dingen. Achten Sie auf die Artikel.

der Fernseher das **Bett** die Gardine das
der **Stuhl** der Teppich **Regal** der Schreibtisch
die **Lampe** die **Spüle** der **Tisch**
der Kühlschrank **Herd** der
der Spiegel das **Bild** die Pflanze das **Sofa**
der **Schrank**

Ich habe einen kleinen Tisch, ...

2.2 Welche Möbel möchten Sie (nicht) wegwerfen? Schreiben Sie Sätze zu vier Dingen aus 2.1.

Der kleine Tisch ist schön. Ich möchte den kleinen Tisch nicht wegwerfen.

3 Im Möbelgeschäft

3.1 Was passt zusammen? Verbinden Sie.

1. Guten Tag, kann ich Ihnen helfen?
2. Können Sie das Sofa liefern?
3. Wie gefällt dir das weiße Sofa?
4. Was kostet der Schrank?
5. Der Tisch und die Stühle kosten zusammen nur 125 Euro.

a Der ist gerade im Angebot. Nur 199 Euro.
b Na ja, ich finde es okay.
c Oh, das ist günstig.
d Ja, aber das dauert drei bis vier Tage.
e Ja, gern. Ich suche einen Schreibtisch.

1.37 ◉ **3.2** Karaoke. Hören Sie und sprechen Sie die 〜-Rolle.

👂 ...
👄 Ja, bitte. Ich suche ein gemütliches Sofa.
👂 ...
👄 Ja, ganz gut. Aber haben Sie auch Sofas in Schwarz?
👂 ...
👄 Aha, ja. Das gefällt mir. Das Grau ist sehr elegant. Was kostet das Sofa?
👂 ...
👄 Hm, das ist ein bisschen teuer, aber es ist auch sehr schön.
    Können Sie das Sofa auch liefern?
👂 ...
👄 Oh, 100 Euro! Dann hole ich das Sofa lieber selbst ab.

4 Adjektive, Adjektive …

4.1 Signalendungen. Was fehlt? Ergänzen Sie die Buchstaben.

r – s – e – n – e – n – e – s – m – s – e – r – r – n – m – s – e – r – m – e – m –
s – e – e – r – e – e – m – n – s – n – e – n – r – m – e

Nominativ

der blaue Anzug	da__ grüne Kleid	di__ rote Bluse	di__ gelben Schuhe
ein blauer Anzug	ein grüne__ Kleid	ein__ rote Bluse	gelb__ Schuhe
kein blauer Anzug	kein grüne__ Kleid	kein__ rote Bluse	kein__ gelben Schuhe

Akkusativ

de__ blauen Anzug	da__ grüne Kleid	di__ rote Bluse	di__ gelben Schuhe
eine__ blauen Anzug	ein grüne__ Kleid	ein__ rote Bluse	gelb__ Schuhe
keine__ blauen Anzug	kein grüne__ Kleid	kein__ rote Bluse	kein__ gelben Schuhe

Dativ

de__ blauen Anzug	de__ grünen Kleid	de__ roten Bluse	de__ gelben Schuhen
eine__ blauen Anzug	eine__ grünen Kleid	eine__ roten Bluse	gelbe__ Schuhen
keine__ blauen Anzug	keine__ grünen Kleid	keine__ roten Bluse	keine__ gelben Schuhen

1.38 ◉ **4.2** Hören Sie und antworten Sie mit Nominativ wie im Beispiel.

> Wo ist der blaue Anzug?

> Der blaue Anzug? Das weiß ich nicht. Hier ist kein blauer Anzug.

1.39 ◉ **4.3** Hören Sie und antworten Sie mit Akkusativ wie im Beispiel.

> Siehst du den blauen Anzug?

> Den blauen Anzug? Nein, ich sehe keinen blauen Anzug.

5 Lampen im Internet

5.1 Welche Wörter passen? Ergänzen Sie.

---
billig – Glas – groß – hoch – ~~Holz~~ – Keramik – klein – leicht – Metall – rot – grün –
schwer – Stoff – teuer – blau – günstig

---

1. die Größe: _____ , _____

2. die Höhe: _____

3. das Gewicht: _____ , _____

4. der Preis: _____ , _____ , _____

5. die Farbe: _____ , _____ , _____

6. das Material: *Holz* _____ , _____ , _____ , _____ , _____

5.2 Aus welchen Materialien sind die Dinge? Schreiben Sie Sätze zu den Fotos.

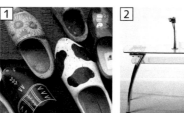  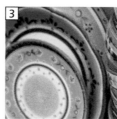  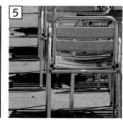

1. Die Schuhe sind aus Holz.

1.40 ◉ **5.3** Diktat. Hören und schreiben Sie. Nutzen Sie die Pausentaste (⏸).

1.41 ◉ **5.4** Eine Nachricht auf dem Anrufbeantworter. Hören Sie und notieren Sie die Informationen.

	Preis:	Gewicht:	Farbe:	Design:
Laptop 1:				*interessant*
Laptop 2:		*1,1 kg*		

5.5 Wiederholung: Vergleiche. Vergleichen Sie die Laptops aus 5.4. Schreiben Sie drei Sätze.

Laptop 1 ist teurer als ...

5.6 Was passt? Ordnen Sie die Sätze zu und ergänzen Sie die Informationen für Ihre Person.

Aha, was kostet der jetzt? – Das ist die 235809 DX. – Oh, das ist günstig. Wann kommt der Laptop? – Nein, am Ende 09, nicht 90. Also 235809 DX. – Danke schön. Auf Wiederhören. – Guten Tag, mein Name ist ..., ich möchte einen Laptop bestellen. – Mein Familienname ist ..., mein Vorname ist .... Ich wohne in ...

👂 Expert-Müller, mein Name ist Jansen, was kann ich für Sie tun?

👄 _____

👂 Gerne, sagen Sie mir bitte die Bestellnummer.

👄 _____

👂 235890 DX?

👄 _____

👂 Ach so, gut, also der 235809 DX, das ist der kleine, rote Laptop. Der ist jetzt im Angebot.

👄 _____

👂 649 Euro.

👄 _____

👂 In ungefähr sechs Tagen. Sagen Sie mir bitte Ihren Namen und Ihre Adresse.

👄 _____

👂 Danke, ich habe die Bestellung notiert.

👄 _____

👂 Auf Wiederhören.

5.7 Karaoke. Hören Sie und sprechen Sie die 👄-Rolle.

5.8 Ergänzen Sie den Bestellschein mit den Informationen aus 5.6.

Expert-Müller Elektroartikel	**BESTELLSCHEIN**	Datum: **04.02.2016** Kundennummer: **XT-296512** Bestellnummer: **2016/176**

Artikel-Nr.	Artikel	Farbe	Menge	Preis/Stk.
				€

6 Eine Reklamation

6.1 Gründe für eine Reklamation. Was passt zusammen? Verbinden Sie.

1. Die Farbe ist	a falsch bestellt.
2. Ein Artikel	b kaputt.
3. Der Artikel ist	c fehlt.
4. Ich habe	d falsch.

6.2 Was passt zu welchem Bild? Schreiben Sie die Sätze aus 6.1 zu den Bildern.

Artikel	Farbe	Menge
Tasche	gelb	2

1. _____

Artikel	Menge
Spiegel	1

3. _____

Artikel	Farbe	Menge
Lampe	grün	1

2. _____

Artikel	Menge
Stuhl (Metall)	1

4. _____

6.3 Was reklamieren Herr Diemer und Frau Schuhmann? Lesen Sie und schreiben Sie in Ihr Heft.

Reklamationsgeschichten

Haben Sie schon einmal etwas reklamiert? Hatten Sie Probleme? Schreiben Sie uns.

Ich reklamiere nicht gern. Das macht immer Probleme. Aber im letzten Herbst war ich bei Freunden in Ulm und wir haben die Stadt besichtigt. Leider hat es sehr viel geregnet. Deshalb habe ich Regenschuhe 5 gekauft. Aber schon nach einer Stunde waren meine Füße nass. Die Schuhe waren kaputt. Ich bin sofort zum Geschäft zurückgegangen und habe die Schuhe reklamiert. Aber jetzt war eine andere Verkäuferin dort und sie hat mir nicht geglaubt, dass ich die 10 Schuhe vor einer Stunde gekauft habe. Die Schuhe waren auch nicht mehr sauber. Leider hatte ich die Rechnung nicht mehr. Deshalb habe ich keine neuen Schuhe bekommen. Ich habe mich sehr geärgert!
Paul Diemer, Minden

15 Ich habe letzte Woche Kleidung im Internet bestellt. Drei blaue T-Shirts, einen roten Pullover und eine schwarze Hose. Ja, und dann habe ich das Paket geöffnet und alles war falsch! Die T-Shirts waren rot und gelb, der Pullover war schwarz und 20 die Hose blau. Und dann war noch ein grüner Rock im Paket. Ich habe sofort angerufen und die Sachen reklamiert. Es war ein Fehler von der Firma. Eine Frau Schumann – ohne h – hat meine Sachen bekommen und ich habe ihre Sachen bekommen. Ich 25 habe dann alles wieder zurückgeschickt und nach zwei Tagen hatte ich die richtigen Sachen. Als Entschuldigung hat mir die Firma drei Paar Socken geschickt. Das war nett.
Svea Schuhmann, Köln

6.4 Was ist richtig? Lesen Sie noch einmal und kreuzen Sie an.

	richtig	falsch
1. Paul Diemer war beruflich in Ulm.	☐	☐
2. Das Wetter war schlecht.	☐	☐
3. Er hatte keine Probleme mit der Reklamation.	☐	☐
4. Svea Schuhmann hat T-Shirts, einen Pullover und einen Rock bestellt.	☐	☐
5. Im Paket waren T-Shirts, aber sie hatten die falsche Farbe.	☐	☐
6. Die Firma hat ihre Bestellung an die falsche Adresse geschickt.	☐	☐

7 Upcycling – ein neuer Möbel-Trend

7.1 Lesen Sie und kreuzen Sie an.

Liebe Freunde,
jetzt bin ich schon eine Woche bei meinen Freunden in Berlin. Sie kennen die Stadt sehr gut, sie wohnen ja schon lange hier. Berlin ist wirklich toll. Ich bin nur ein paar Tage hier, aber ich habe schon viel
gesehen. Ich war im Museum, in der Universität, in der Oper und abends in einem Club.
5 Leider haben meine Freunde nicht so viel Zeit, weil sie keinen Urlaub haben. Sie müssen morgens
schon früh aufstehen und kommen erst abends wieder zurück. Deshalb mache ich viel allein. Ich
besichtige die Stadt oder gehe spazieren.
Am Samstag sind wir zusammen losgegangen und sie haben mir etwas ganz Besonderes gezeigt. Wir
waren shoppen. Ja, ich gehe nicht so gern shoppen, aber gestern war das spannend.
10 Wir waren in einem interessanten Geschäft. Dort bauen junge Designer Möbel aus Trolleys. Ihr kennt
doch diese Trolleys: Im Flugzeug gibt es dort Getränke. Aber das waren jetzt keine Trolleys mehr,
das waren Bücherregale oder ein Schrank für das Badezimmer. Super interessant! Man nennt das
Upcycling.
Upcycling finde ich toll, ich habe so etwas noch nie gesehen. Es ist doch schade, dass man so viele
15 Sachen wegwirft, weil man sie nicht mehr braucht. Es gibt viel zu viel Müll, das ist nicht gut für die Umwelt.
Man muss nur gute Ideen haben: Dort waren zum Beispiel auch Lampen aus Weinflaschen und Bier-
flaschen mit einem tollen Design oder alte Stühle aus einem Kino. Die waren echt super. Ich würde gern
eine Lampe kaufen, aber das Problem ist, dass ich im Flugzeug nicht so viel Gewicht mitnehmen kann.
So viel aus Berlin. Wie geht es euch? Schreibt mir mal!
20 Liebe Grüße
Mike

1. Mike
   a ☐ will in Berlin studieren.
   b ☐ besucht Freunde in Berlin.
   c ☐ wohnt schon lange in Berlin.

2. Seine Freunde
   a ☐ schlafen morgens lange.
   b ☐ müssen arbeiten.
   c ☐ wollen in Urlaub fahren.

3. Am Samstag
   a ☐ haben die Freunde gearbeitet.
   b ☐ hat Mike alleine eingekauft.
   c ☐ sind alle shoppen gegangen.

4. In dem Geschäft
   a ☐ gibt es interessante Möbel.
   b ☐ kann man Getränke kaufen.
   c ☐ kann man Möbel selbst machen.

5. Die Upcycling-Möbel
   a ☐ gefallen Mike nicht.
   b ☐ machen viel Müll.
   c ☐ sind gut für die Umwelt.

6. Mike
   a ☐ hat eine Lampe gekauft.
   b ☐ kann leider keine Lampe kaufen.
   c ☐ findet die Lampen nicht so schön.

7.2 Schreiben Sie eine Antwort an Mike. Schreiben Sie: Wo sind Sie? Kennen Sie Upcycling? Finden
Sie es wichtig, dass Möbel gut für die Umwelt sind? Würden Sie gern mit Mike shoppen gehen?

1.43 ⊙ **Und in Ihrer Sprache?**

Ihre Freundin / Ihr Freund hat eine Nachricht auf dem Anrufbeantworter. Hören Sie die
Nachricht. Was soll sie/er tun? Machen Sie Notizen und geben Sie ihr/ihm die wichtigsten
Informationen in Ihrer Muttersprache.

Was? – Termin? – Telefon?

Alles klar?

1 Über Möbel sprechen. Wie finden Sie die Möbel? Schreiben Sie Sätze.

1. _____

2. _____

3. _____

Punkte
6

2 Einkaufsdialoge führen. Was passt? Kreuzen Sie an.

1. Wie gefällt Ihnen das blaue Sofa?
   - a ☐ Das ist nicht schlecht.
   - b ☐ Ich suche ein blaues Sofa.

2. Haben Sie auch Stühle aus Metall?
   - a ☐ Die Stühle aus Holz sind im Angebot.
   - b ☐ Nein, leider nicht. Es tut mir leid.

3. Kann ich Ihnen helfen?
   - a ☐ Ja, das kostet nur 299 Euro.
   - b ☐ Ja, gern, ich suche eine Lampe.

4. Wie lange dauert die Lieferung?
   - a ☐ Die Lieferung kostet 50 Euro.
   - b ☐ Ungefähr eine Woche.

Punkte
4

1.44 ◉ **3** Etwas telefonisch bestellen. Hören und ergänzen Sie.

Mode-Shop		BESTELLSCHEIN			Datum: **15.03.2016**
Artikel-Nr.	Artikel	Farbe	Menge	Preis/Stk.	
LM25909					€

Punkte
4

4 Etwas telefonisch reklamieren. Was sagen Sie am Telefon? Schreiben Sie Sätze. Die Wörter helfen.

bei Ihnen – kaufen – kaputt sein / falsche Farbe haben – reklamieren – der Spiegel / die Tasche

Artikel	Menge
Spiegel	1

Guten Tag, mein Name ist ...
Ich habe ein Problem.
Ich habe ...

Artikel	Farbe
Tasche	grün

Punkte
6

Punkte gesamt
17–20: Super!
11–16: In Ordnung.
0–10: Bitte noch einmal wiederholen!

Seite 48–49

altmodisch _____

wegwerfen, er/sie wirft weg, er/sie hat weggeworfen ___

_____

der Teppich, -e _____

gucken _____

die Möbel (Pl.) _____

behalten, er/sie behält, er/sie hat behalten _____

im Angebot (sein) _____

Seite 50–51

aus (+Material) _____

Der Tisch ist aus Glas. _____

weich _____

das Gewicht (Sg.) _____

das Material, -ien _____

das Glas (Sg.) _____

das Metall, -e _____

der Stoff, -e _____

die Größe, -n _____

die Höhe, -n _____

die Keramik (Sg.) _____

gesamt _____

der Artikel, - _____

der Auftrag, -ä-e _____

der Lieferschein, -e _____

der Liefertermin, -e _____

die Bestellung, -en _____

die Menge, -n _____

reklamieren _____

zurückschicken _____

das Formular, -e _____

ausfüllen _____

der Reklamationsschein, -e _____

abschicken _____

das Paket, -e _____

der Absender, - _____

ergänzen _____

liefern _____

der Grund, -ü-e _____

die Beschreibung, -en _____

Seite 52–53

der Trolley, -s _____

kaputtgehen, er/sie ist kaputtgegangen _____

kreativ _____

stabil _____

umweltbewusst _____

das Holz (Sg.) _____

das Plastik (Sg.) _____

der Flugbegleiter, - _____

die Flugbegleiterin, -nen _____

Deutsch aktiv 5|6 / Panorama III

sich **wohl**fühlen _____

der Apparat, -e _____

Guten Tag, Müller am Apparat. _____

historisch _____

das Einkaufszentrum, -zentren _____

das Parlament, -e _____

der Franken, - _____

der Politiker, - _____

die Politikerin, -nen _____

die Münze, -n _____

das Gebäude, - _____

der Brunnen, - _____

1 Wo liegt ... ?

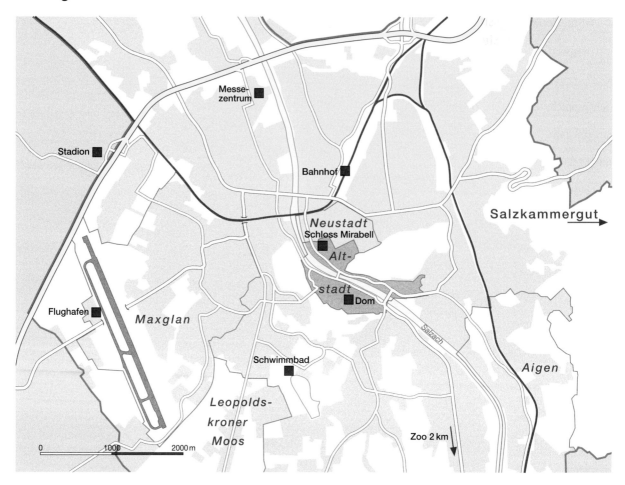

1.1 Was ist richtig? Kreuzen Sie an. Korrigieren Sie dann die falschen Sätze.

	richtig	falsch
1. Maxglan liegt nördlich von der Altstadt.	☐	☐
2. Das Schloss Mirabell liegt im Zentrum östlich vom Fluss.	☐	☐
3. Der Zoo liegt westlich vom Zentrum.	☐	☐
4. Die Ferienregion Salzkammergut liegt südlich von Salzburg.	☐	☐

1.2 *Im Norden* oder *nördlich*? Was passt nicht? Streichen Sie die falsche Antwort durch.

1. Der Bahnhof liegt *nördlich / im Norden* von der Altstadt.
2. Das Leopoldskroner Moos liegt *südlich / im Süden* von Salzburg.
3. Das Stadion liegt *westlich / im Westen* von Salzburg.
4. Aigen liegt *östlich / im Osten* vom Leopoldskroner Moos.

1.3 Wo liegt ...? Schreiben Sie Antworten.

1. das Messezentrum? (*Salzburg*) *Das Messezentrum liegt im Norden von Salzburg.*

2. die Altstadt? (*Salzburg*) _____

3. der Dom? (*Altstadt*) _____

4. der Flughafen? (*Maxglan*) _____

2 Eine Wohnung suchen

2.1 Wohnungssuche. Was passt? Ergänzen Sie den Dialog.

> Altbauwohnung – bequem – günstiger – in der Nähe von – auf dem Land – Mieten – ~~ruhig~~ – verkehrsgünstig – zentral

🗨 Ich suche eine Wohnung. Sie soll *ruhig* liegen: Die Stadt ist zu laut für mich.

👍 Wirklich? Ich möchte lieber _____ wohnen, in einer schönen _____ im Zentrum.

🗨 Hmm, aber so eine Wohnung ist teuer: Die _____ sind sehr hoch. Außerhalb sind die Wohnungen _____, dann hat man mehr Geld für andere Dinge.

👍 Ja, aber _____ braucht man ein Auto. Das ist auch teuer.

🗨 Man kann auch außerhalb eine Wohnung finden, die _____ liegt. Meine Tante wohnt in Elsbethen, das ist _____ Salzburg. Dort gibt es die S-Bahn und den Bus: Man ist in 20 Minuten im Zentrum. Das ist sehr _____.

2.2 Welche Wohnung passt zu wem? Finden Sie die Wohnungen auf der Karte in 1.1 und ordnen Sie zu.

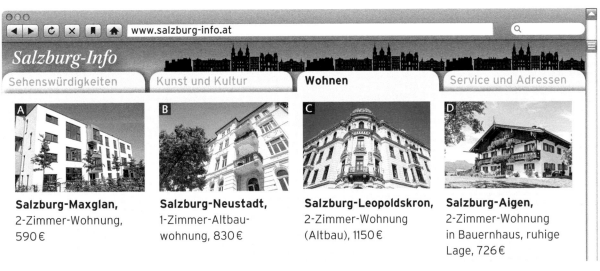

Ich suche eine Wohnung im Zentrum: Da ist immer viel los. Ich mag am liebsten alte Wohnungen.

Ich suche eine moderne Wohnung. Sie muss verkehrsgünstig liegen, aber nicht im Zentrum. Das ist zu stressig.

Ich suche eine günstige, ruhige Wohnung. Am liebsten etwas außerhalb. Ich gehe gern am Fluss spazieren.

2.3 Und Sie? Wo und wie wohnen Sie? Wohnen Sie gern dort? Warum (nicht)? Schreiben Sie einen kurzen Text.

Meine Wohnung liegt im ...

3 Wohnungsanzeigen

3.1 Was ist das? Ergänzen Sie.

1.45 **3.2** Ein Telefongespräch mit der Vermieterin. Hören Sie und ergänzen Sie die Informationen.

	Wohnung 1	Wohnung 2
Größe:	_____ m², _____ Zimmer	_____ m², _____ Zimmer
Miete:	_____ €	_____ € (warm)
Nebenkosten:	_____ €	_____ €
Termin:	heute, _____ Uhr	morgen, _____ Uhr
Adresse:	Beethovenstraße _____	Heilbrunner Allee _____

1.46 **4** Wohnungssuche. Karaoke. Hören Sie und sprechen Sie die ⌣-Rolle.

    👂 ...

    ⌣ Grüß Gott. Mein Name ist ... Ich interessiere mich für die Wohnung in Salzburg-Süd. Ist sie noch frei?

    👂 ...

    ⌣ Aha. Und wie hoch sind die Nebenkosten?

    👂 ...

    ⌣ 90 Euro, das geht noch. Kann ich die Wohnung besichtigen?

    👂 ...

    ⌣ Ja, 20 Uhr ist in Ordnung. Wie ist die Adresse?

    👂 ...

    ⌣ Gut, danke. Bis morgen dann. Auf Wiederhören.

    👂 ...

5 Rudi und Tanja ziehen um.

5.1 Wiederholung: Lokale Präpositionen. Was passt? Ergänzen Sie.

an – auf – ~~hinter~~ – in – neben – über – unter – vor – zwischen

Der Schlüssel ist ... dem Blumentopf.

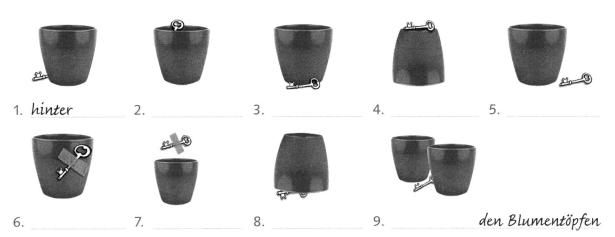

1. *hinter* 2. _____ 3. _____ 4. _____ 5. _____

6. _____ 7. _____ 8. _____ 9. _____ *den Blumentöpfen*

5.2 Wiederholung: *Wo?* + Dativ. Wo stehen/liegen/hängen die Dinge? Schreiben Sie Sätze.

1. die Fahrräder *(die Kiste und der Sessel)*
2. das Spielzeug *(die Kiste)*
3. die Kiste *(das Fenster)*
4. der Tisch *(die Kiste)*
5. die Kaffeemaschine *(der Tisch)*
6. die Stühle *(der Tisch)*
7. das Bild *(das Sofa, die Wand)*
8. der Computer *(der Sessel)*
9. die Bücher *(das Sofa)*
10. der Fernseher *(das Sofa)*

> 1. *Die Fahrräder stehen zwischen der Kiste und ...*

5.3 Und Ihr Zimmer / Ihre Wohnung? Wie sieht Ihr Zimmer / Ihre Wohnung aus? Schreiben Sie einen kurzen Text.

> *Ich wohne in einer kleinen Wohnung. Die Wohnung ...*

6 Wechselpräpositionen mit Akkusativ: Wohin?

6.1 Was passt? Ergänzen Sie.

in den (3x) – in die – ins (3x) – an die – auf den – auf das (2x) – über das – zwischen die

💬 Die Bücher kommen *ins* Arbeitszimmer. Und die kleine Lampe?

👍 Ja, die kleine Lampe kommt auch _____ Arbeitszimmer, _____ Schreibtisch.

💬 Und das Spielzeug?

👍 Das kommt _____ Kinderzimmer _____ Bett.

💬 _____ Bett?

👍 Ja, ich kann es dann später aufräumen.

💬 Alles klar. Und die Kaffeemaschine kommt _____ Küche, ja?

👍 Ja, _____ Schrank.

💬 Und die Fahrräder? Soll ich sie _____ Garten bringen?

👍 Nein, nein. Die Fahrräder kommen natürlich _____ Keller.

💬 Das Bild kommt _____ Schlafzimmer, richtig?

👍 Ja, _____ Bett.

💬 Hm, ich habe gedacht, es kommt _____ zwei Fenster _____ Wand.

👍 Okay, wie du willst.

1.47 ⊙ 6.2 Wohin kommen die Dinge? Hören Sie und antworten Sie wie im Beispiel.

1. So, die Fahrräder sind im Garten. *(der Keller)*
2. So, der Computer steht auf dem Küchentisch. *(der Schreibtisch)*
3. So, die Lampe steht neben der Kaffeemaschine. *(die Pflanze)*
4. So, das Sofa steht zwischen den Regalen. *(die Fenster, Plural)*
5. So, die Kiste mit den Büchern steht jetzt im Schlafzimmer. *(das Arbeitszimmer)*

> *Im Garten? Aber die Fahrräder kommen in den Keller!*

6.3 Wo stehen oder liegen die Dinge? Wohin kommen sie? Schreiben Sie Sätze.

1.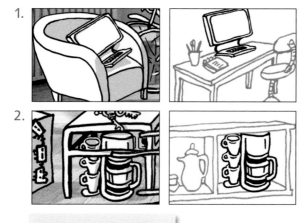

2.

3.

4.

1. Der Computer …

7 Und die Katze? Wohin ist die Katze gelaufen?

7.1 Welcher Betreff passt? Lesen Sie die E-Mail und kreuzen Sie an.

Von:	tanjaschubert@web.de
An:	birgitwieser@gmx.net
Betreff:	a ☐ Endlich umgezogen b ☐ Immer Ärger mit Mitzi

Liebe Birgit,

heute sind wir umgezogen. Die alte Wohnung war zu klein für uns, weil Laura jetzt größer ist und ein eigenes Zimmer braucht. Wir haben viele Anzeigen gelesen und endlich eine nette Altbauwohnung gefunden: im dritten Obergeschoss mit Blick auf den Park.

5 Gestern haben wir alles in Kisten gepackt - die Kleider, die Bücher und das viele Spielzeug. Heute Morgen haben wir zuerst gefrühstückt und dann haben wir lange gewartet. Das Möbelauto ist zu spät gekommen. Um halb neun war das Auto immer noch nicht da, also haben wir gewartet ... und gewartet.

Um elf Uhr ist das Möbelauto endlich gekommen. Herr Meier und Herr Dogan haben alles 10 schnell in den Wagen gebracht. Mitzi ist in ihrer Katzenbox auch im Möbelauto mitgefahren, weil unser kleines Auto mit dem Gepäck und den Kindern schon zu voll war.

Am neuen Haus waren unsere Sachen schon auf der Straße vor dem Haus. Dann hat Rudi den neuen Schlüssel gesucht. Nach zehn Minuten hat er ihn endlich gefunden. Er war in der Kiste mit den Büchern. Rudi hat das vergessen. Ich war echt sauer.

15 Herr Dogan und Herr Meier haben dann die Möbel nach oben in die Wohnung gebracht. Plötzlich habe ich gesehen, dass Mitzi nicht mehr in der Katzenbox war. Oh je! Ist unsere liebe Katze weggelaufen? Zum Glück nicht. Das intelligente Tier hat selbst den Weg in die Wohnung gefunden. Sie hat zuerst ihre eigene „Besichtigung" in allen Zimmern gemacht und dann ist sie auf unser Bett gesprungen und dort eingeschlafen. Ende gut, alles gut!

20 Und wie geht es dir? Schreib doch mal!

Liebe Grüße
deine Tanja

7.2 Was ist richtig? Lesen Sie noch einmal und kreuzen Sie an.

1. Tanja und ihre Familie sind umgezogen, weil ...
a ☐ die alte Wohnung zu wenige Zimmer hatte.
b ☐ Lauras altes Zimmer zu klein war.
c ☐ sie neben dem Park wohnen wollen.

2. Sie haben am Morgen lange gewartet, weil ...
a ☐ die neue Wohnung noch nicht fertig war.
b ☐ Rudi noch gefrühstückt hat.
c ☐ das Möbelauto zu spät gekommen ist.

3. Mit dem Möbelauto sind ...
a ☐ Rudi, Tanja und Herr Meier gefahren.
b ☐ Herr Meier, Herr Dogan und Mitzi gefahren.
c ☐ die Kinder und das Gepäck gefahren.

4. Tanja hat sich geärgert, weil ...
a ☐ die Möbel und Kisten auf der Straße waren.
b ☐ Rudi die Kiste mit den Büchern ausgepackt hat.
c ☐ Rudi den Schlüssel nicht sofort gefunden hat.

5. Die Katze ...
a ☐ hat in der Katzenbox geschlafen.
b ☐ ist im Möbelauto geblieben.
c ☐ ist durch die Wohnung gelaufen.

Wohin kommt das Sofa? _____

8 Eine Wohnung einrichten

1.48 ◉ **8.1** Möbel kaufen. Hören Sie und zeichnen Sie die Möbel in den Plan ein.

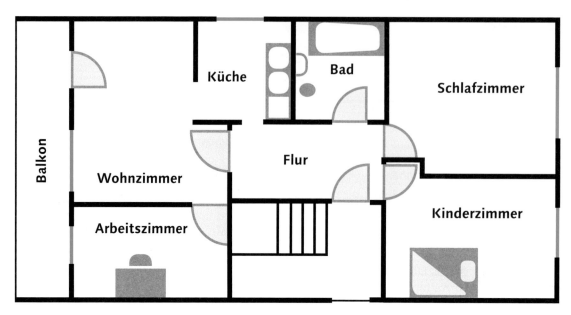

das blaue Sofa – der schwarze Sessel – der große Schrank – der kleine Schrank – die große Lampe

8.2 Wohin kommen die Möbel? Schreiben Sie Sätze zu den Möbeln in 8.1.

1. *Das blaue Sofa kommt ins Wohnzimmer unter das Fenster.* _____

2. _____

3. _____

4. _____

5. _____

9 Das schwarze Brett in unserem Haus

9.1 Was passt? Ergänzen Sie.

Haustier – verschenke – vorbeikommen – Einweihungsparty – besorgen – Bauarbeiten

1. Einladung: Wir sind umgezogen und machen eine _____ .

2. Grillfest: Bringen Sie bitte Fleisch mit, wir _____ Brot und Getränke.

3. Das Restaurant ist morgen geschlossen, weil _____ stattfinden:
   Es bekommt eine neue Küche.

4. Hunde und Katzen sind im Haus verboten, aber ein kleines, ruhiges _____
   wie ein Meerschweinchen ist in Ordnung.

5. Sofa kostenlos! Ich _____ ein modernes, fast neues Sofa.

6. Sie dürfen Ihr Fahrrad nicht in den Flur stellen: Man kann nicht _____ .

9.2 Zwei Anzeigen am schwarzen Brett. Was passt zusammen? Orden Sie die Teile und schreiben Sie die Anzeigen in Ihr Heft.

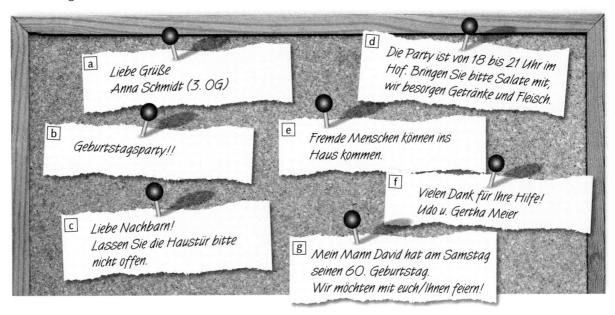

1.49 ⊚ **9.3** Diktat. Hören und ergänzen Sie. Benutzen Sie die Pausentaste (⏸).

3-Zimmer-Wohnung in Berlin-Kreuzberg – _____ !

_____ nach Brasilien. Möchten Sie _____

_____ in Berlin wohnen? Die Wohnung ist _____ und hat drei Zimmer.

Ich will keine Miete bekommen, aber Sie müssen _____ :

_____ , _____ und _____ . Ich habe auch _____ ,

einen Hund, „Rollo". _____ . Sie müssen mit ihm dreimal am Tag

spazieren gehen. Was noch? Bitte _____

und räumen Sie manchmal auf. Das ist alles. Sind Sie interessiert?

Dann _____ : _____ .

Und in Ihrer Sprache?

Ihre Chefin / Ihr Chef sucht eine Wohnung in München. Sie/Er versteht wenig Deutsch. Erklären Sie ihr/ihm die Anzeigen in Ihrer Muttersprache.

1.
4-Zimmer-Wohnung (DG) in München-Bogenhausen: 135m², zentral, U-Bahn in der Nähe, Blick über den Englischen Garten, 1.250 € + NK, www.immobayern.de

2.
3-Zimmer-Wohnung in München-Grünwald: EG mit Garten, 117m², sehr ruhig, 20 Minuten mit dem Auto ins Zentrum, 1.395 € warm, Tel. 089/2828446

1 Über die Lage von Orten sprechen. Wo liegt das? Verbinden Sie.

1. Das Museum liegt	a außerhalb von Neustadt.
2. Das Schloss liegt	b im Norden von Neustadt.
3. Der Flughafen liegt	c im Süden von Neustadt.
4. Der Bahnhof liegt	d östlich von Neustadt.
5. Das Schwimmbad liegt	e in der Nähe vom Museum.
6. Die Information liegt	f im Zentrum.

Punkte
6

2 Über die Wohnsituation sprechen. Schreiben Sie vier Sätze mit den Wörtern.

nördlich vom Zentrum – Miete: günstig –
ruhig – in der Nähe vom Bahnhof

1. Die Wohnung ...

Punkte
4

3 Einen Besichtigungstermin vereinbaren. Schreiben Sie Fragen zu den Antworten.

1. 💬 _____ 👍 Ja, die Wohnung im Ostend ist noch frei.

2. 💬 _____ 👍 Die Miete ist sehr günstig: 580 Euro.

3. 💬 _____ 👍 30 Euro für Wasser und Strom und
　　　　　　　　　　　　　　　35 Euro für die Heizung.

4. 💬 _____ 👍 Heute Abend um 19:30 Uhr.

5. 💬 _____ 👍 In der Leopoldstraße 92,
　　　　　　　　　　　　　　　im Erdgeschoss.

Punkte
5

4 Erklären, wohin etwas kommt. Lesen Sie die Notizen und beantworten Sie die Fragen.

1. Wohin kommt der Fernseher?
2. Wohin kommt der Sessel?
3. Wohin kommen die Bücher?
4. Wohin kommt das Spielzeug?
5. Wohin kommt der Spiegel?
6. Wohin kommen die Fahrräder?

1. Der Fernseher kommt ins
   Wohnzimmer auf den Tisch.

Fernseher → Wohnzimmer: auf Tisch
Sessel → Wohnzimmer: zw. Tür + Fenster
Bücher → Arbeitszimmer: unter Schreibtisch
Spielzeug → Kinderzimmer: auf Regal
Spiegel → Bad: an Wand
Fahrräder → Keller: neben Schrank

Punkte
5

Punkte gesamt
17–20: Super!
11–16: In Ordnung.
0–10: Bitte noch einmal wiederholen!

Seite 58–59

der Dom, -e

das Stadion, -s

der Zoo, -s

außerhalb

Meine Wohnung liegt außerhalb.

los sein

Auf dem Land ist nicht viel los.

verkehrsgünstig

der Fluglärm (Sg.)

stören

Der Fluglärm stört mich.

die Altbauwohnung, -en

die Miete, -n

Wie hoch ist die Miete?

das Dachgeschoss (DG), -e

das Obergeschoss (OG), -e

der Mieter, -

die Mieterin, -nen

der Strom (Sg.)

der Vermieter, -

die Vermieterin, -nen

die Einbauküche (EBK), -n

die Nebenkosten (NK) (Pl.)

die Betriebskosten (Pl.)

in Ordnung (sein)

monatlich

Ich bezahle monatlich 60 Euro Nebenkosten.

(sich) interessieren

Ich interessiere mich für die Wohnung.

Seite 60–61

die Katzenbox, -en

die Kiste, -n

das Spielzeug (Sg.)

der Sessel, -

der Keller, -

Seite 62–63

Achtung!

besorgen

bitten, er/sie hat gebeten

stellen

verschenken

vorbeikommen, er/sie kommt vorbei,

er/sie ist vorbeigekommen

weglaufen, er/sie läuft weg, er/sie ist weggelaufen

das Meerschweinchen, -

die Bauarbeiten (Pl.)

das Verständnis (Sg.)

Ich bitte um Ihr Verständnis.

das Würstchen, -

der Finderlohn, -ö-e

der Hof, -ö-e

der Kinderwagen, -

der Mitbewohner, -

die Mitbewohnerin, -nen

fremd

schließen, er/sie hat geschlossen

wegfliegen, er/sie ist weggeflogen

1 Wie war das früher?

1.1 Die Schulzeit. Was passt? Ergänzen Sie.

böse – ~~erinnere~~ – Hof – Klasse –
hat ... geliehen – streng –
haben ... unterhalten – Unterricht

1. Ich *erinnere* mich gut an
   meine Schulzeit. Das war so:

2. Der _____ hat immer
   um acht Uhr begonnen.

3. In meiner _____ waren 35 Kinder.

4. Die Schule _____ den Kindern die Bücher _____ .

5. Meine Lehrer waren sehr _____ .

6. Wir _____ uns nur ganz leise _____ .

7. _____ Kinder mussten sich in die Ecke stellen.

8. Die Pausen waren am besten, da haben wir im _____ gespielt.

1.50 ◉ **1.2** Zwei Erinnerungen. Welche Geschichte passt zu wem? Hören Sie und ordnen Sie zu.

Ich war sehr gern in der Schule. Nur eine Lehrerin habe ich nicht gemocht.

Thomas, 54 ☐

Ich bin zuerst nicht so gern zur Schule gegangen. Aber Lesen-lernen war toll!

Ben, 34 ☐

1.50 ◉ **1.3** Thomas oder Ben oder beide? Hören Sie noch einmal und kreuzen Sie an.

	Thomas	Ben
1. Mit unseren Mützen konnten uns die Autofahrer besser sehen.	☐	☐
2. Mein Schulweg war ziemlich lang.	☐	☐
3. Ich bin zu Fuß zur Schule gegangen. Das war immer sehr lustig.	☐	☐
4. Am Anfang wollte ich nicht zur Schule gehen.	☐	☐
5. Unsere Klasse war sehr groß.	☐	☐
6. Die anderen Schüler mussten mir oft etwas leihen.	☐	☐
7. Meine erste Lehrerin war sehr gut.	☐	☐
8. Schreiben und Lesen hat Spaß gemacht.	☐	☐
9. Der Musikunterricht hat mir nicht gefallen.	☐	☐

2 Modalverben im Präteritum: Ich musste damals zu Fuß gehen.

2.1 Wiederholung: Modalverben im Präsens.
Müssen, können oder *dürfen?* Ergänzen Sie.

☐ Ich **muss** _____ noch die neuen Wörter lernen.

_____ ihr mir helfen?

☐ Du hast sie noch nicht gelernt? Warum denn nicht?

☐ Ich war gestern im Kino.

☐ Was? Du _____ in der Woche ins Kino

gehen? Ich _____ das nicht. Meine Eltern

sind sehr streng.

☐ Ja, zu streng! Du bist doch schon 15.

Du _____ mit deinen Eltern sprechen.

☐ Ja, aber das ist nicht so einfach.

☐ Wir helfen dir. Wir kommen morgen zu dir. Dann sagen wir, dass wir mit dir ins Kino

gehen wollen und sie _____ nicht einfach „Nein" sagen.

☐ Okay, wir _____ es probieren.

2.2 Modalverben im Präteritum. Ergänzen Sie die Tabelle.

	wollen	müssen	können	dürfen	sollen
ich	wollte		konnte		sollte
du				durftest	
er/es/sie		musste			
wir					sollten
ihr	wolltet				
sie/Sie			konnten		

2.3 *Wir mussten* oder *Wir durften?* Ergänzen Sie den Satzanfang.

1. _____ schon nach zwei Wochen allein zur Schule gehen. Das war toll.

2. _____ immer ganz leise sein.

3. _____ im Musikunterricht immer laut „Guten Morgen" singen. Blöd, oder?

4. _____ im Musikunterricht tanzen. Das war toll. Ich liebe Tanzen!

5. _____ morgens immer zuerst aufstehen.

6. _____ immer alles fragen. Unsere Lehrerin war wirklich nett.

2.4 Ein Gespräch: *müssen, wollen, dürfen* oder *können?* Ergänzen Sie die Modalverben im Präteritum.

🗨 *Wolltest* du nach dem Kindergarten gern zur Schule gehen?

🗨 Oh ja, ich _____ sehr gern zur Schule gehen. Ich _____ schon meinen Namen schreiben, aber ich _____ auch sehr gern lesen lernen.

🗨 Hat deine Mutter dich zur Schule gebracht oder bist du allein gegangen?

🗨 Ich habe einen Bruder. Er ist zwei Jahre älter und ich _____ leider immer mit ihm zusammen gehen. Aber ich _____ viel lieber mit meinen Freundinnen gehen.

🗨 Wie war das am Anfang? Kannst du dich an die erste Zeit erinnern?

🗨 Ja, ich weiß noch, dass wir zuerst immer aufstehen _____ und alle zusammen „Guten Morgen" gesagt haben. Aber unsere Lehrerin war nicht sehr streng. In ihrem Unterricht haben wir oft gespielt und wir _____ uns auch unterhalten. Bei den anderen Lehrern _____ wir immer leise sein.

🗨 Was war im ersten Schuljahr am schönsten?

🗨 Am schönsten war, dass ich schon bald selbst Bücher lesen _____ und dass ich gute Freundinnen gefunden habe. Das war eine schöne Zeit.

🗨 _____ ihr euch auch zu Hause besuchen?

🗨 Na ja, manchmal _____ wir uns besuchen, aber meistens haben wir draußen gespielt. Nur bei Regen _____ ich zu Hause bleiben. Das war sehr langweilig.

3 Und Sie? Was durften, konnten, mussten Sie früher (nicht)?

1.51 ◉ **3.1** Hören Sie die Fragen und antworten Sie wie im Beispiel.

1. Durften Sie bei Regen Eis essen?
2. Durften Sie einen eigenen Fernseher haben?
3. Durften Sie abends Freunde treffen?
4. Durften Sie ein Handy haben?
5. Mussten Sie im Winter eine Mütze tragen?
6. Mussten Sie in der ersten Klasse Hausaufgaben machen?

> *Ja, ich durfte bei Regen Eis essen.*

> *Nein, ich durfte bei Regen kein Eis essen.*

1.51 ◉ **3.2** Schließen Sie das Buch. Hören Sie noch einmal und antworten Sie.

1.52 ◉ **3.3** Hören Sie und reagieren Sie wie im Beispiel. Variieren Sie Ihre Antworten.

Was? – Wie bitte? – Wirklich? – Unglaublich! – Das kann doch nicht sein! – Das ist nicht wahr!

> *Ich durfte auch im Winter Eis essen.*

> *Wirklich? Du durftest auch im Winter Eis essen?*

3.4 Was konnten oder durften Sie als Kind (nicht) tun? Schreiben Sie Sätze.

Ich durfte als Kind ...

4 Menschen mit interessanten Lebensläufen

4.1 Schule in Deutschland. Was macht man wann? Ordnen Sie zu.

~~das Abitur machen~~ – zur Grundschule gehen – auf das Gymnasium gehen –
in den Kindergarten gehen – zur Realschule gehen – an der Universität studieren

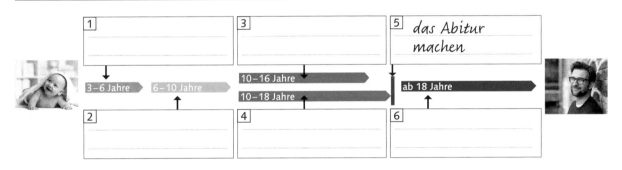

1	3	5 *das Abitur machen*

3–6 Jahre 6–10 Jahre 10–16 Jahre 10–18 Jahre ab 18 Jahre

2	4	6

4.2 Wörter zum Lebenslauf. Was ist das? Ergänzen Sie.

→
1. Die Kinder in einer Klasse sind die ...
2. Ihr Geburtstag ist am 12. Juli.
   Sie ist am 12. Juli 1965 ...
3. Einen Beruf lernen: Eine ... machen.
4. An der Universität macht man ein ...
5. Eine „Eins" im Test ist eine sehr gute ...

↓
6. Von der 1. bis zur 4. ... geht man zur Grundschule.
7. Am Ende vom Schuljahr bekommt man ein ...
8. Etwas im Leben funktioniert richtig gut.
   Man hat ...
9. Mit guten Noten kann man von der Realschule aufs Gymnasium ...

Lösung: | 1 | 2 | 3 | 4 | 5 | 6 | 7 | 8 | 9 | 10 | 11 | 12 |

1.53 ⊙ **4.3** Zwei Lebensläufe. Welches Foto passt zu wem? Hören Sie und ordnen Sie zu.

a ☐ Marina Meierfeld

b ☐ Katja Brunner

1.53 ⊙ **4.4** Hören Sie noch einmal und ergänzen Sie.

LEBENSLAUF

Marina Meierfeld

geboren am

14.02. _____

Schule und Berufsausbildung:

1996–2004: Gymnasium

_____ : Abitur (Note: 2,4)

2004–2007: _____

     zur Dekorateurin

Berufserfahrungen:

2007–2011: Dekorateurin in einem

     Möbelgeschäft

seit 2011: _____

Lebenslauf

von Katja Brunner

geboren am 1. Juni _____

Schule und Studium

_____ : Abitur (Note: 1,5)

1992–1999: _____ und

     _____ studiert

Berufserfahrungen

1999–2015: _____

     an einer Realschule

2015–heute: _____

5 Wortbildung: Nomen auf *-heit, -keit, -ung*. Wie heißt das Nomen? Ordnen Sie zu.

Krankheit – Hoffnung – Bestellung – ~~Süßigkeit~~ – Heizung – ~~Entschuldigung~~ – Wohnung –
Gesundheit – Kindheit – Einladung

Nomen auf -ung:

1. sich entschuldigen – *die Entschuldigung*

2. wohnen – _____

3. bestellen – _____

4. einladen – _____

5. hoffen – _____

6. heizen – _____

Nomen auf -heit und -keit:

7. süß – *die Süßigkeit*

8. gesund – _____

9. krank – _____

10. Kind – _____

6 Und Sie? Welche Ausbildung haben Sie?

6.1 Birgittas Lebenslauf. Schreiben Sie Sätze über Brigittas Leben.

an der Universität Kunst studieren – die Realschule besuchen – nicht so gute Noten haben –
eine Ausbildung zur Sachbearbeiterin machen – zur Grundschule gehen –
eine Stelle in einem Museum bekommen und heute Ausstellungen organisieren

 1993–1997
 1997–2002
 2002
 2002–2004

 2004–2009
 2011

*Von 1993 bis 1997 ist Birgitta zur Grund-
schule gegangen, danach hat sie von ...*

1.54 **6.2** Diktat. Hören und ergänzen Sie. Nutzen Sie die Pausentaste (⏸).

Von 1993 bis 1997 bin ich _____. Danach habe ich

_____ die Realschule besucht. Ich hatte _____

_____. Deshalb konnte ich _____. Meine Eltern wollten,

dass ich _____.

Das war sehr langweilig. 2004 habe ich dann _____ und bin

_____. Bis 2009

_____. Seit 2011 _____ und organisiere

Ausstellungen.

6.3 Und Ihr Lebenslauf? Ergänzen Sie.

👂 ...

👄 Ich bin von _____ bis _____ zur Schule gegangen.
👂 ...

👄 Meine Noten waren _____. Meine Lehrer waren _____.
👂 ...

👄 Ich habe eine Ausbildung zum/zur _____ gemacht. /

Ich habe _____ studiert.

1.55 **6.4** Karaoke. Hören Sie und sprechen Sie die 👄-Rolle.

7 Boulevard der Stars: Marlene Dietrich. Lesen Sie und kreuzen Sie an.

Marlene Dietrich auf der Berlinale

Marlene Dietrich im Film *Blonde Venus* (1932)

In diesem Jahr kann man auf der Berlinale – dem großen Filmfestival in Berlin – vom 11. bis zum 22. Februar alle Marlene-Dietrich-Filme sehen.

5 In Berlin hat der Erfolg von Marlene Dietrich begonnen. Sie ist 1901 hier geboren und hat in den 1920er Jahren in vielen Filmen gespielt. Typisch für Marlene Dietrich waren ihre lan-
10 gen Beine, ihre besondere Stimme und ihre Anzüge. Marlene Dietrich hat Hosen für Frauen in den 1930er Jahren zur Mode gemacht. 1930 hatte die deutsche Schauspielerin und Sängerin die Hauptrolle im Film *Der blaue*
15 *Engel*. Der Film hatte auch in den USA großen Erfolg und so hat Marlene Dietrich in Hollywood mit bekannten Schauspielern wie Gary Cooper oder Spencer Tracey in vielen
20 Filmen gespielt.

1939 hat Marlene Dietrich die US-amerikanische Nationalität bekommen. Sie wurde US-Amerikanerin. Ab den 1950er Jahren hat
25 Marlene Dietrich auch sehr viel als Sängerin gearbeitet. 1978 hat sie ihren letzten Film gemacht. Danach hat sie bis 1992 in Paris gelebt. Lernen Sie die Filme von Marlene Dietrich
30 kennen. Sie finden das Filmprogramm unter *www.marlene-dietrich-berlinale.de*. Besuchen Sie vor oder nach einem Film doch auch die Marlene-Dietrich-Ausstellung im Film- und
35 Fernsehmuseum. Es ist auch am Potsdamer Platz, also gleich neben dem Berlinale-Kino.

1. Auf der Berlinale …
a ☐ hat Marlene Dietrichs Erfolg begonnen.
b ☐ ist Marlene Dietrich schon aufgetreten.
c ☐ zeigt man Marlene-Dietrich-Filme.

2. In den 1920er Jahren …
a ☐ hat Marlene Dietrich nicht gern Hosen getragen.
b ☐ hat Marlene Dietrich als Schauspielerin gearbeitet.
c ☐ ist Marlene Dietrich geboren.

3. Ab den 1930er Jahren hat Marlene Dietrich …
a ☐ mit Gary Cooper gelebt.
b ☐ in Hollywood Filme gemacht.
c ☐ nur noch als Sängerin gearbeitet.

4. Marlene Dietrich war …
a ☐ Deutsche.
b ☐ US-Amerikanerin.
c ☐ zuerst Deutsche, dann US-Amerikanerin.

5. Das Film- und Fernsehmuseum ist in …
a ☐ Berlin.
b ☐ Potsdam.
c ☐ Paris.

8 Die Star-Galerie

8.1 Til Schweiger. Was passt? Ergänzen Sie.

Erfolg – umgezogen – Abitur – verheiratet – Arbeit – geboren – Fernsehserien – Studium – Schauspieler – Ausbildung – Brüder

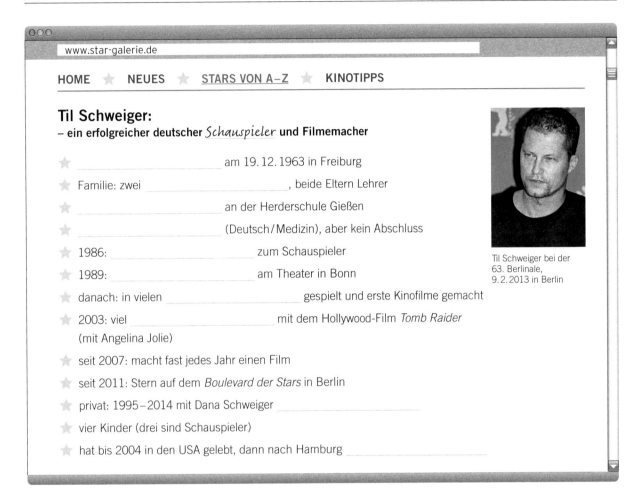

www.star-galerie.de

HOME ☆ NEUES ☆ STARS VON A–Z ☆ KINOTIPPS

Til Schweiger:
– ein erfolgreicher deutscher *Schauspieler* **und Filmemacher**

☆ _____ am 19.12.1963 in Freiburg

☆ Familie: zwei _____ , beide Eltern Lehrer

☆ _____ an der Herderschule Gießen

☆ _____ (Deutsch/Medizin), aber kein Abschluss

☆ 1986: _____ zum Schauspieler

☆ 1989: _____ am Theater in Bonn

☆ danach: in vielen _____ gespielt und erste Kinofilme gemacht

☆ 2003: viel _____ mit dem Hollywood-Film *Tomb Raider*
(mit Angelina Jolie)

☆ seit 2007: macht fast jedes Jahr einen Film

☆ seit 2011: Stern auf dem *Boulevard der Stars* in Berlin

☆ privat: 1995–2014 mit Dana Schweiger _____

☆ vier Kinder (drei sind Schauspieler)

☆ hat bis 2004 in den USA gelebt, dann nach Hamburg _____

Til Schweiger bei der
63. Berlinale,
9.2.2013 in Berlin

8.2 Lesen Sie den Steckbrief und schreiben Sie einen Text über Til Schweiger.

Til Schweiger ist ein erfolgreicher deutscher Schauspieler und Filmemacher. Er ist am ...

Und in Ihrer Sprache?

1 Lesen Sie noch einmal den Steckbrief über Til Schweiger. Welche Informationen finden Sie besonders interessant? Was hat Sie überrascht? Markieren Sie in 8.1.

2 Berichten Sie einer Freundin/einem Freund in Ihrer Muttersprache.

Alles klar?

1 Über seine Schulzeit und Kindheit erzählen. Schreiben Sie Fragen zu den Antworten.

1. 🗩 _____

   👍 Nein, mein Schulweg war nicht sehr lang. Nur zehn Minuten zu Fuß.

2. 🗩 _____

   👍 Oh ja, wir mussten viele Hausaufgaben machen.

3. 🗩 _____

   👍 Nein, meine erste Lehrerin war nicht streng. Sie war sehr nett.

4. 🗩 _____

   👍 Nein, als Kind durfte ich bei Regen nicht draußen spielen.

5. 🗩 _____

   👍 Ja, ich musste viel im Haushalt helfen. Jeden Tag.

6. 🗩 _____

   👍 Nein, wir hatten keine Computer in der Schule.

Punkte
6

2 Über Biografien und Ausbildung sprechen.

2.1 Bringen Sie die Sätze in die richtige Reihenfolge.

a ☐ Von 1987 bis 1991 bin ich zur Goetheschule gegangen.
b ☐ Meine Noten waren gut und deshalb bin ich danach auf das Gymnasium gegangen.
c ☐ Ich bin 1981 geboren.
d ☐ 1999 habe ich das Gymnasium erfolgreich abgeschlossen.
e ☐ Jetzt arbeite ich seit 13 Jahren in einer großen Bank in Frankfurt.
f ☐ Im Herbst 1999 habe ich eine Ausbildung bei einer Bank begonnen.
g ☐ Im Gymnasium habe ich die erste Reise mit meiner Klasse gemacht.
h ☐ 2002 war ich mit der Ausbildung fertig und habe eine Stelle bekommen.

Punkte
4

2.2 Was passt zu welchem Satz in 2.1? Ordnen Sie zu.

1. ☐ das Abitur machen
2. ☐ zur Grundschule gehen
3. ☐ ein gutes Zeugnis haben

4. ☐ eine Ausbildung abschließen
5. ☐ auf Klassenfahrt fahren
6. ☐ eine Ausbildung machen

Punkte
6

3 Erstaunen ausdrücken. Ergänzen Sie die Sprechblasen.

1. Ich durfte jeden Tag zwei Eis essen!
2. Ich musste nie Hausaufgaben machen.

Punkte
4

Punkte gesamt
17–20: Super!
11–16: In Ordnung.
0–10: Bitte noch einmal wiederholen!

Seite 64–65

die Schulzeit (Sg.) _____

die Kindheit (Sg.) _____

    böse _____

    damals _____

    ehemalig _____

    leihen, er/sie hat geliehen _____

    streng _____

das Papier, -e _____

der Leser, - _____

die Leserin, -nen _____

die Ecke, -n _____

die Klasse, -n _____

    sich erinnern _____

    Sie erinnert sich noch gut an ihre Kindheit. _____

    (sich) unterhalten, er/sie unterhält,

    er/sie hat unterhalten _____

    wahr _____

    wissen, er/sie weiß, er/sie hat gewußt _____

Seite 66–67

    geboren (sein) _____

    Sie ist am 14.06.1995 in Wien geboren. _____

    teilnehmen, er/sie nimmt teil, er/sie hat teilgenommen _____

    wechseln _____

das Gymnasium, Gymnasien _____

das Schwimmbad, -ä-er _____

das Studium (Sg.) _____

das Zeugnis, -se _____

der Autor, -en _____

die Autorin, -nen _____

der Einwanderer, - _____

die Einwanderin, -nen _____

der Komponist, -en _____

die Komponistin, -nen _____

der Muslim, -e _____

die Muslimin, -nen _____

der Zufall, -ä-e _____

die Ausbildung, -en _____

    Er macht eine Ausbildung zum Designer. _____

die Band, -s _____

die Hauptrolle, -n _____

die Hauptschule, -n _____

die Klassenfahrt, -en _____

die Realschule, -n _____

    abschließen, er/sie hat abgeschlossen _____

der Abschluss, -ü-e _____

die Grundschule, -n _____

die Note, -n _____

Seite 68–69

    möglich _____

    österreichisch _____

das Filmfestival, -s _____

der Filmemacher, - _____

die Filmemacherin, -nen _____

der Stein, -e _____

die Hauptstadt, -ä-e _____

    sterben, er/sie stirbt, er/sie ist gestorben _____

Deutsch aktiv 7|8 / Panorama IV

    extra _____

1 Im Büro

1.1 Was passt? Ergänzen Sie.

gründen – arbeiten – arbeiten – ~~haben~~ – machen – beantworten – ansprechen – nehmen – fertig machen – fahren

1. aktuelle Informationen *haben*
2. eine Kollegin _____
3. Probleme _____
4. eine wichtige Arbeit _____
5. E-Mails _____
6. mit dem Aufzug _____
7. am Computer _____
8. die Treppe _____
9. im Team _____
10. eine eigene Firma _____

1.2 Wählen Sie fünf Wortverbindungen in 1.1 aus und schreiben Sie Sätze.

1. *Er hat immer aktuelle Informationen.*

1.3 Ein Interview mit Jenifer Walton. 2.02
Hören Sie und ordnen Sie die Punkte.

a ☐ viele kleine Probleme haben

b ☐ neue Kollegen kennenlernen

c ☐ ein Problem mit einer Kollegin haben

d ☐ einer Kollegin helfen

Jenifer Walton

1.4 Was ist richtig? Hören Sie noch einmal und kreuzen Sie an. 2.02

	richtig	falsch
1. Frau Walton ist noch nicht lange in der Firma.	☐	☐
2. Sie kennt ihre Kollegen schon gut.	☐	☐
3. Sie mag eine Kollegin nicht.	☐	☐
4. Sie fährt manchmal mit dem Aufzug.	☐	☐
5. Diese Stelle ist ihre erste Stelle.	☐	☐
6. Bei einem Computerproblem hat sie einer Kollegin geholfen.	☐	☐

1.5 Wiederholung: Nebensätze mit *weil*. Hören Sie noch einmal und machen Sie Notizen zu den 2.02
Fragen. Schreiben Sie dann die Antworten.

1. Warum vergisst Frau Walton immer wieder die Namen von den Kollegen?
2. Warum spricht sie die Kollegin nicht an?
3. Warum will sie die Kollegen nicht so oft fragen?
4. Warum konnte sie der Kollegin in ihrem Büro helfen?

1. *Frau Walton vergisst immer wieder die Namen von den Kollegen, weil es …*

2 Nebensätze mit *wenn*: Wenn ..., dann ...

2.1 Was machen Sie, wenn der Computer abstürzt? Schreiben Sie Sätze.

Ich trinke einen Kaffee.

Ich benutze mein Tablet.

Ich ärgere mich.

Ich bitte meine Kollegen um Hilfe.

Ich mache eine Pause.

Ich rufe den IT-Support an.

Ich gehe nach Hause.

Wenn der Computer abstürzt, (dann) trinke ich einen Kaffee.
Wenn der Computer abstürzt, ...

2.2 Schreiben Sie *wenn*-Sätze.

1. er: krank sein – die Kollegin: seine Arbeit machen
2. ich: mehr Gehalt möchten – ich: mit meiner Chefin sprechen
3. sie: ein Problem haben – sie: die Kollegen um Hilfe bitten
4. man: einen Namen vergessen – die Situation: peinlich sein
5. der Bus: Verspätung haben – ich: in der Firma anrufen

Position 1 (Nebensatz)		Position 2 (Verb)	
1. *Wenn er krank*	*ist,*	*macht*	*die Kollegin seine Arbeit.*
2.			
3.			
4.			
5.			

2.3 Was passt? Ordnen Sie zu und schreiben Sie *wenn*-Sätze.

Der Aufzug ist kaputt. – Ein Kollege feiert im Büro Geburtstag. – ~~Ich komme morgens ins Büro.~~ – Eine Kollegin ist lange krank.

Ich nehme die Treppe. – Ich trinke einen Kaffee. – Wir schicken ihr Blumen. – Er kauft Kuchen für alle.

1. Wenn ich morgens ins Büro komme, ...

3 Interview mit dem Psychologen Dr. Seiters

3.1 Eine E-Mail an Dr. Seiters. Welcher Betreff passt? Lesen Sie und kreuzen Sie an.

Von:	k.brinkmann@hi.de
An:	fit-im-alltag@post.de
Betreff:	...

Liebes Team von „Fit im Alltag",

ich habe gerade Ihre Sendung über Probleme am Arbeitsplatz gehört und finde die Tipps von Dr. Seiters sehr interessant. Es funktioniert manchmal, wenn man über ein Problem spricht. Aber ich habe ein anderes Problem. Meine Kollegin streitet sich viel mit ihrem Mann und zieht
5 gerade in eine neue Wohnung um. Sie schläft schlecht und ist deshalb immer müde und hat schlechte Laune. Wenn ich mit ihr über Probleme im Büro sprechen möchte, dann erzählt sie mir immer über ihre Probleme zu Hause. Am Anfang habe ich noch Tipps gegeben, aber jetzt kenne ich alles schon und will nichts mehr hören. Ich kann ihr leider nicht helfen. Deshalb spreche ich sie nur selten an.

10 Wie kann ich mich richtig verhalten? Hat Herr Dr. Seiters einen Tipp für mich?

Vielen Dank und schöne Grüße
Katherina Brinkmann

1. ☐ Tipp für Dr. Seiters
2. ☐ Problem mit meinem Mann
3. ☐ Frage an Dr. Seiters

3.2 Lesen Sie noch einmal und ergänzen Sie die Sätze.

---

sie ansprechen – schlecht geschlafen haben – von ihren Problemen erzählen – über ein Problem sprechen

---

1. Frau Brinkmann findet es gut, wenn man *über ...* _____

2. Die Kollegin ist immer schlecht gelaunt, wenn sie _____

3. Die Kollegin erzählt immer von ihren Problemen, wenn Frau Brinkmann _____

4. Frau Brinkmann will nichts mehr hören, wenn die Kollegin _____

3.3 Was bedeuten die Wörter? Verbinden Sie.

1. sich beschweren	a einen Raum verlassen
2. den Aufzug benutzen	b ein Computer funktioniert nicht mehr
3. rausgehen	c in einem Haus nach oben oder nach unten gehen
4. peinlich	d eine Situation ist einer Person unangenehm
5. abstürzen	e von einem Stock in einen anderen fahren
6. die Treppe nehmen	f einer Person sagen, dass man etwas nicht gut findet

4 Was machen Sie, wenn …?

4.1 Ergänzen Sie die Sätze.

1 Zeitung lesen

2 viele Fotos machen

3 zur Polizei gehen

4 fernsehen

5 sich ärgern

1. Wenn meine Arbeit langweilig ist, _____

2. Wenn ich eine Stadt besichtige, _____

3. Wenn ich meine Geldbörse verloren habe, dann _____

4. Wenn es den ganzen Tag regnet, _____

5. Wenn mein Handy kaputt ist, _____

2.03 ◉ **4.2** Diktat. Hören und ergänzen Sie. Nutzen Sie die Pausentaste (⏸).

Liebe Tina,

ich hatte heute einen verrückten Tag im Büro. Heute Vormittag _____

_____. Ich habe _____, aber keiner

_____. Du kennst ja unseren IT-Support. Ich bin also zu den Kollegen

gelaufen, zu Fuß _____, denn _____.

Die Kollegen vom IT-Support haben gemütlich zusammen _____.

Sie sind immer sehr nett und ein Kollege ist sofort mitgekommen und _____

_____. Er hat kein Problem gefunden, alles hat ganz _____.

Hoffentlich funktioniert der Computer auch, _____!

Wie geht's dir? Was macht dein neuer Job?

Liebe Grüße
Sabrina

5 Computersprache

5.1 Was bedeuten die Symbole? Ordnen Sie zu.

1. senden 2. weiterleiten 3. ausdrucken 4. speichern
5. schließen 6. öffnen 7. löschen

Von: tino@nanu.de
An: info@panorama.de
Betreff: wichtige Frage

5.2 Welches Verb in 5.1 passt? Ergänzen Sie.

2. Ich muss den Anhang _____, dann kann ich ihn am Computer lesen.

1. Okay, Herr Almeida braucht die Informationen. Ich _____ ihm die E-Mail _____.

3. Und hier, diesen Text brauchen wir auf Papier, also muss ich den Text _____.

4. So, ich brauche die Datei nicht mehr, ich _____ sie.

5. Die Datei ist wichtig, also muss ich sie _____.

6. Geschafft! Jetzt muss ich nur noch alle Dateien _____, dann kann ich nach Hause gehen.

6 Ein typischer Morgen im Büro

6.1 Was passt? Ergänzen Sie.

1. den Computer e_____
2. eine E-Mail w_____
3. einer Kollegin h_____
4. zu einer Besprechung g_____
5. mit dem Chef t_____

6.2 Was hat Frau Erkner gemacht?
Schreiben Sie mit den Wörtern in 6.1 Sätze.

1. Heute Vormittag hat Frau Erkner zuerst ...

7 Geschäftliche E-Mails schreiben

2.04 ◉ **7.1** Eine Terminanfrage. Hören und ergänzen Sie.

Was: _____

Datum: _____ Uhrzeit: _____

Firma: Technomobil Name: Lukas Wyler

Telefonnummer: _____ Durchwahl: _____

7.2 Einen Termin verschieben. Was passt? Ordnen Sie zu.

stattfinden – entschuldigen Sie – dass Sie angerufen haben – absagen – einen Termin – Termin anbieten – passt – Bescheid geben – Mit freundlichen Grüßen – Sehr geehrter

○○○	
An:	wyler@technomobil.de
Betreff:	Termin im November

_____ Herr Wyler,

vielen Dank, _____ . Bitte _____ ,

dass ich den Termin _____ muss. Ich würde gern kommen, aber ich habe am 23.11.

_____ in Stuttgart.

Ich kann Ihnen für die Präsentation folgenden _____ : Dienstag, der 29.11.,

um 12:30 Uhr oder um 17 Uhr. Ich hoffe, dass Ihnen dieser Termin _____ .

Bitte _____ Sie mir bis morgen _____ . Sie haben am Telefon gesagt, dass die

Präsentation im November _____ muss. Am 30.11. kann auch meine Kollegin

zu Ihnen kommen.

Anna Santos
Möbel-Kauss

7.3 Was ist richtig? Lesen Sie noch einmal in 7.2. und kreuzen Sie an.

	richtig	falsch
1. Die Präsentation findet am 23.11. nicht statt.	☐	☐
2. Der Termin ist von 12:30 Uhr bis 17 Uhr.	☐	☐
3. Die Präsentation muss am 29.11. stattfinden.	☐	☐
4. Eine Kollegin kann die Präsentation machen.	☐	☐

2.05 ◉ **7.4** Einen Termin bestätigen. Karaoke. Hören Sie und sprechen Sie die ◞-Rolle.

👂 ...

👄 Guten Tag. Mein Name ist ... Ich möchte gern mit Frau Santos sprechen.

👂 ...

👂 ...

👄 Guten Tag, Frau Santos, hier ist ... von der Firma Technomobil. Ich arbeite zusammen mit Herrn Wyler. Er hat mir Ihre E-Mail weitergeleitet. Der Termin für die Präsentation am 29. November passt uns sehr gut.

👂 ...

👄 Uns passt beides. Was passt Ihnen besser?

👂 ...

👄 Gern. Kommen Sie dann bitte schon um Viertel vor fünf. Ich hole Sie an der Rezeption ab.

👂 ...

👄 Auf Wiederhören.

7.5 Welche Antwort passt? Kreuzen Sie an.

1. Wann passt es Ihnen am besten?
   a ☐ Vielen Dank für den Termin.
   b ☐ Am 15. März passt es mir sehr gut.

2. Ich bin krank. Kann ich den Termin verschieben?
   a ☐ Das tut mir leid. Sie können gern einen neuen Termin vorschlagen.
   b ☐ Ich hoffe, dass Ihnen der Termin passt.

3. Passt Ihnen der Termin am Montag um 9 Uhr?
   a ☐ Ja, das ist gut. Bis dann.
   b ☐ Bitte geben Sie mir bis zum Montag Bescheid.

4. Können wir einen Termin in der nächsten Woche machen?
   a ☐ Tut mir leid, ich bin seit gestern krank und muss unseren Termin verschieben.
   b ☐ Nächste Woche bin ich im Urlaub. Passt es Ihnen auch in zwei Wochen?

7.6 Wo sagt man einen Termin zu? Wo sagt man einen Termin ab? Markieren Sie die Zusagen in Blau und die Absagen in Rot.

Ich würde gern kommen, aber ich bin seit letzter Woche krank. – Der Termin passt mir sehr gut. – Bitte entschuldigen Sie, dass ich den Termin morgen absagen muss. – Können wir unseren Termin auf nächste Woche verschieben? – Ich komme am 11. August um 9 Uhr zu Ihnen und ich freue mich auf ein interessantes Gespräch.

7.7 Schreiben Sie mit den Sätzen in 7.6 eine Zusage und eine Absage. Vergessen Sie den Gruß nicht.

Sehr geehrte Frau Lange,   *Sehr geehrter Herr Meier,*

der ...   *ich habe ein Problem. Bitte ...*

7.8 Ihr Chef, Herr Schmidt, hat Ihnen eine Terminanfrage für eine Besprechung geschickt. Schreiben Sie eine E-Mail in Ihr Heft.

- Entschuldigen Sie sich, dass Sie den Termin absagen müssen.
- Erklären Sie, warum.
- Verschieben Sie den Termin auf nächste Woche.

Schreiben Sie 30 bis 40 Wörter. Schreiben Sie zu allen drei Punkten.

8 Das ist wichtig im Beruf.

2.06 **8.1** Frau Peters oder Herr Vellis?
Wer sagt was?
Hören Sie und kreuzen Sie an.

	Frau Peters	Herr Vellis
1. Die Sicherheit ist wichtiger als eine interessante Arbeit.	☐	☐
2. Ein Chef soll Geduld haben.	☐	☐

2.06 **8.2** Was ist für die Personen wichtig? Hören Sie noch einmal und kreuzen Sie an.

	die Sicherheit	eine abwechslungsreiche Arbeit	nette Kollegen	ein gutes Gehalt
1. Frau Peters	☐	☐	☐	☐
2. Herr Vellis	☐	☐	☐	☐

8.3 Und Sie? Was ist für Sie bei der Arbeit wichtig? Schreiben Sie in Ihr Heft.

Ich arbeite als ... / Ich möchte als ... arbeiten. – Für mich ist/sind ... wichtiger als ... –
Am wichtigsten finde ich ... – Wenn ich ... habe, dann fühle ich mich bei der Arbeit wohl.

Und in Ihrer Sprache?

1 Ihre Kollegin hat eine Nachricht bekommen. Sie versteht nicht so gut Deutsch. Helfen Sie ihr. Was soll sie tun? Lesen Sie die Nachricht und unterstreichen die wichtigen Informationen.

2 Berichten Sie der Kollegin in Ihrer Muttersprache.

Liebe Frau Hill,
der Computer von Herrn Kapp ist abgestürzt und der IT-Support kann erst morgen kommen. Er muss für sein Projekt dringend Dateien ausdrucken und weiterleiten. Können Sie Herrn Kapp Ihren Laptop geben? Bitte geben Sie ihm schnell Bescheid (Durchwahl: 4274).

Vielen Dank und viele Grüße
Martha Winkler

1 Über den Büroalltag sprechen. Was macht Klaus Witke? Schreiben Sie Sätze zu den Bildern.

1. Zuerst ... 2. Dann ... 3. Danach... 4. Später ...

Punkte
4

2 Über Probleme am Arbeitsplatz sprechen. In welcher Situation machen Sie das? Schreiben Sie Sätze mit *wenn*.

eine Information brauchen – der Computer abstürzen – ein Kollege: immer Probleme machen – eine Kollegin: laut telefonieren

_____, rufe ich den IT-Support.

_____, frage ich meine Kollegen.

_____, gehe ich erst mal einen Kaffee trinken.

_____, beschwere ich mich.

Punkte
4

3 Geschäftliche E-Mails schreiben. Schreiben Sie eine E-Mail in Ihr Heft.

Sie möchten Frau Siebel von der Firma Lingoline treffen. Schlagen Sie einen Termin vor. Sie können nächste Woche am Montag oder Donnerstag von 10 bis 13 Uhr.

Punkte
8

2.07 ◉ **4** Einen Termin vereinbaren. Was ist richtig? Hören Sie und kreuzen Sie an.

	richtig	falsch
1. Frau Tannhäuser möchte für morgen einen Termin.	☐	☐
2. Die Handynummer von Frau Tannhäuser ist 0164 25393675.	☐	☐
3. Herr Varvelli ruft an, weil er einen Termin vorschlagen möchte.	☐	☐
4. Herr Varvelli kann morgen um 16:30 Uhr mit Herrn Schmidtbauer sprechen.	☐	☐

Punkte
4

Punkte gesamt
17–20: Super!
11–16: In Ordnung.
0–10: Bitte noch einmal wiederholen!

Seite 74–75

abstürzen

aktuell

der Aufzug, -ü-e

außerdem

beantworten

sich beschweren

doppelt-

einig-

das Gehalt, -ä-er

gründen

die Hilfe, -n

um Hilfe bitten

der IT-Experte, -n

die IT-Expertin, -nen

jemand

komplett

peinlich

rausgehen, er/sie ist rausgegangen

reagieren

die Situation, -en

das Team, -s

die Treppe, -n

unfreundlich

sich verhalten, er/sie verhält sich, er/sie hat sich verhalten

vorsichtig

wenn

sich wundern

Seite 76–77

absagen

der Anhang, -ä-e

ausdrucken

beenden

Bescheid geben, er/sie gibt Bescheid, er/sie hat Bescheid gegeben

die Besprechung, -en

die Datei, -en

die Daten (Pl.)

einschalten

löschen

Mit freundlichen Grüßen ...

der Ordner, -

das Postfach, -ä-er

privat

das Protokoll, -e

Sehr geehrte Damen und Herren, ...

Sehr geehrte Frau ... / Sehr geehrter Herr ...

senden

speichern

technisch

verschieben, er/sie hat verschoben

vorschlagen, er/sie schlägt vor, er/sie hat vorgeschlagen

weiterleiten

Seite 78–79

abwechslungsreich

d. h. (das heißt)

das Drittel, -

die Sicherheit, -en

sinnvoll

10 Mein Smartphone & ich

1 Das neue Smartphone-Modell

1.1 Was passt? Ergänzen Sie die Wörter mit Artikel.

~~Display~~ – Tarif – Kamera – Vertrag – Preis ohne Vertrag – Speicherplatz

	Lonu	flox	WYRA
[1] *das Display*	5,1 Zoll	5,5 Zoll	6 Zoll
[2]	12 Megapixel	16 Megapixel	24 Megapixel
[3]	8 GB	16 GB	32 GB
[4]	299 €	345 €	495 €
[5]	60 Minuten telefonieren, 100 SMS, surfen bis 2 GB für 20 €/Monat	120 Minuten telefonieren, 50 SMS, surfen bis 5 GB für 30 €/Monat	Flatrate telefonieren, SMS und surfen – so viel Sie wollen für 40 €/Monat
[6]	18 Monate	12 Monate	24 Monate

1.2 Wiederholung: Komparativ und Superlativ. Schreiben Sie Sätze.

1. Tarif günstig
2. viel Speicherplatz
3. Kamera gut
4. Preis hoch
5. Display groß
6. Vertrag dauert lange

> 1. Der Tarif von dem WYRA ist günstig, der von dem flox ist günstiger, aber am günstigsten ist der Tarif von dem Lonu.

1.3 Welches Smartphone in 1.1 passt am besten zu wem und warum? Lesen Sie, unterstreichen Sie im Text und ergänzen Sie dann die Sätze.

Mein Smartphone ist zwei Jahre alt und ich möchte mir ein neues kaufen. Für mich ist eine günstige Flatrate wichtig, weil ich mit meinem Smartphone viel im Internet surfen möchte. Das Display muss ziemlich groß sein, weil ich ohne Brille nicht so gut lesen kann. Ich höre auch sehr gern Musik und habe viele Apps, also brauche ich viel Speicherplatz.

Petra Krause

Finn Becker

Ich suche ein günstiges, aber gutes Smartphone. Ich fotografiere gern, also möchte ich eine gute Kamera und genug Speicherplatz für Fotos. Ich möchte ein kleines Gerät. Viele Smartphones sind heute sehr groß und sie passen nicht gut in die Tasche. Was noch? Ach ja: Ich will ein Handy ohne Vertrag kaufen. Mit Prepaid-Karten kann man Geld sparen. Noch etwas: Das Handy darf nicht zu teuer sein. Ich will nicht mehr als 350 Euro bezahlen.

1. *Zu Petra Krause passt ...*   ,

   weil ...

2. *Am besten passt zu Finn Becker ...*

1.4 Was passt? Ordnen Sie zu.

Aha. Ich möchte noch wissen, ob man das Handy ohne Vertrag kaufen kann. – Das ist nicht viel. Gibt es auch einen anderen Tarif? – Ich möchte wissen, ob das Handy eine gute Kamera hat. – ~~Ja. Ich möchte mehr über dieses Handy wissen.~~ – Okay, vielen Dank für Ihre Hilfe. – Super! Könnten Sie mir sagen, welche Tarife es gibt? – Toll! Was kostet dieser Tarif? – Wissen Sie, wie viel ich mit der Basic-Flatrate surfen kann?

👂 Kann ich Ihnen helfen?

👄 *Ja. Ich möchte mehr über dieses Handy wissen.*

👂 Das ist ein tolles Smartphone! Ich informiere Sie gern. Was möchten Sie wissen?

👄 _____

👂 Ja, 16 Megapixel. Sie können also viele tolle Fotos machen.

👄 _____

👂 Ein Tarif kostet nur 19,90 Euro im Monat. Mit dieser Basic-Flatrate können Sie telefonieren und SMS schreiben, so viel Sie wollen.

👄 _____

👂 Sie können bis zu 500 Megabyte im Monat surfen.

👄 _____

👂 Wir haben auch die Infinity-Flatrate. Sie können telefonieren und surfen, so viel Sie wollen.

👄 _____

👂 Er kostet 39,90 Euro im Monat.

👄 _____

👂 Ja, natürlich. Ohne Vertrag kostet es 399,50 Euro.

👄 _____

👂 Sehr gern.

2.08 ⊙ **1.5** Karaoke. Hören Sie und sprechen Sie die 👄-Rolle.

2 Indirekte Fragen: Könnten Sie mir sagen, wie viel …?

2.1 Markieren Sie die indirekten Fragen in 1.4 und ergänzen Sie die Tabelle.

			(Satzende Verb)
1. Ich möchte wissen,	_____	eine gute Kamera	_____ .
2. Könnten Sie mir sagen,	_____	Tarife es	_____ ?
3. Ich möchte noch wissen,	_____	ohne Vertrag	_____ .
4. Wissen Sie,	_____	der Basic-Flatrate	_____ ?

2.2 *Ob* oder *w*-Fragewort? Ergänzen Sie.

1. 💬 Können Sie mir sagen, *wie viel* Speicherplatz das Smartphone hat?
👍 Dieses Smartphone hat 64 GB Speicherplatz.

2. 💬 Ich möchte gern wissen, _____ dieses Tablet eine gute Kamera hat.
👍 Ja, es hat eine sehr gute Kamera mit Videofunktion.

3. 💬 Wissen Sie, _____ es das Handy auch in anderen Farben gibt?
👍 Nein, das Handy gibt es nur in Schwarz.

4. 💬 Könnten Sie mir sagen, _____ der Akku hält?
👍 Das kann ich nicht genau sagen, aber er hält circa 10 bis 15 Stunden.

5. 💬 Ich möchte gern wissen, _____ Flatrates es gibt.
👍 Es gibt die Super-Flatrate für 19,90 Euro im Monat und die Normal-Flatrate für 10,90 Euro.

6. 💬 Ich möchte gern wissen, _____ ich dieses Smartphone ohne Vertrag kaufen kann.
👍 Ja, Sie können es ohne Vertrag kaufen, aber mit einem Vertrag ist es günstiger.

7. 💬 Können Sie mir sagen, _____ dieses Handy ohne Vertrag kostet?
👍 Es kostet 299,50 Euro.

8. 💬 Wissen Sie, _____ man die Prepaid-Karten kaufen kann?
👍 Man kann sie in vielen Geschäften und sogar im Supermarkt kaufen.

2.3 Schreiben Sie indirekte Fragen. Variieren Sie die Satzanfänge.

1. Was kostet die Smartwatch?
2. Gibt es dieses Tablet auch in Weiß?
3. Wie viel Speicherplatz hat das Smartphone?
4. Kann ich mit dieser Flatrate auch im Internet surfen?
5. Welchen Tarif empfehlen Sie mir?
6. Hat die Kamera auch eine Videofunktion?

> 1. Ich möchte wissen, was die Smartwatch kostet.
> 2. Wissen Sie, ...

2.4 Wiederholung: Das Verb *wissen*. Ergänzen Sie.

1. 💬 *Weiß* Peter, wo der Kurs stattfindet?

   👍 Das _____ ich nicht.

2. _____ du, mit welchem Bus wir in die Stadt fahren müssen?

3. Entschuldigung, _____ Sie, wie ich zum Bahnhof komme?

4. _____ ihr, wann der Film im Kino heute beginnt?

5. 💬 Wohin wollt ihr diesen Sommer in den Urlaub fahren?

   👍 Das _____ wir noch nicht genau.

3 Welche Apps nutzen Sie?

3.1 Was passt? Ordnen Sie zu.

RegenSchirm   i-Kalender   SprachFit   KulturKarten   SchnellZumZiel   Info 24/7

1. ☐ Reisen ohne Stress! Mit dieser praktischen App können Sie Fahrpläne für U-Bahn, Bus und Zug lesen und sogar Fahrkarten kaufen und Sitzplätze buchen. Außerdem finden Sie auch schnell und sicher zur nächsten Haltestelle.

2. ☐ Mit dieser App sind Sie immer gut informiert. Sie haben aktuelle Radio- und TV-Nachrichten live auf Ihrem Handy. Sie können außerdem verschiedene Zeitungen lesen.

3. ☐ Möchten Sie wissen, was am Wochenende in Ihrer Stadt los ist? Lieben Sie Theater oder Kino? Gehen Sie gern ins Konzert? Mit dieser App können Sie das aktuelle Programm für Theater, Live-Musik und Kino lesen und Eintrittskarten kaufen.

4. ☐ Lernen Sie eine Fremdsprache? Mit dieser App können Sie neue Wörter schnell und sicher finden. Sie können auch neue Wörter und Grammatik trainieren. Lustige Tests und Spiele helfen Ihnen beim Lernen. Es gibt die App für Deutsch, Englisch, Arabisch und Chinesisch.

5. ☐ Kommen Sie nie wieder zu spät zu einem Termin! Mit dieser App können Sie Ihre Termine leicht und schnell organisieren. Wenn Sie einen Termin verschieben oder absagen müssen, kann diese App den anderen Teilnehmerinnen und Teilnehmern sofort mit einer E-Mail Bescheid geben.

6. ☐ Nie wieder nasse Füße! Ihr Handy klingelt, wenn es in Ihrer Nähe bald regnet – einfach, schnell und aktuell! Das hilft, wenn Sie in der Stadt unterwegs sind oder auf dem Land wandern.

3.2 Was ist richtig? Lesen Sie noch einmal und kreuzen Sie an.

	richtig	falsch
1. *Info 24/7* ist gut zum Sehen von Nachrichten.	☐	☐
2. *SchnellZumZiel* ist praktisch zum Lesen von Stadtplänen.	☐	☐
3. Mit *i-Kalender* können Sie Ihre E-Mails einfach organisieren.	☐	☐
4. Mit *KulturKarten* können Sie Konzerte als Livestreaming sehen.	☐	☐
5. *SprachFit* ist eine App zum Lernen von Fremdsprachen.	☐	☐
6. *RegenSchirm* informiert Sie über das Wetter.	☐	☐

4 Zum + Nomen (Infinitiv): Ich habe eine App zum Navigieren.

 4.1 Welche Person nutzt welche App? Hören Sie und ordnen Sie zu.

Person	Sophie	Oma	Tante Beate	Tim	Papa	Mama
App	c					

4.2 Was macht Frau Wang mit ihrem Smartphone? Schreiben Sie Sätze.

Ich nutze mein Smartphone zum Herunterladen von Musik.

Ich nutze es zum Telefonieren.

Ich nutze es zum Buchen von Flügen.

Ich nutze es zum Zeichnen von Ideen.

Ich nutze es zum Chatten.

Frau Wang lädt Musik herunter.

4.3 Wozu nutzt man ein Tablet? Schreiben Sie Sätze.

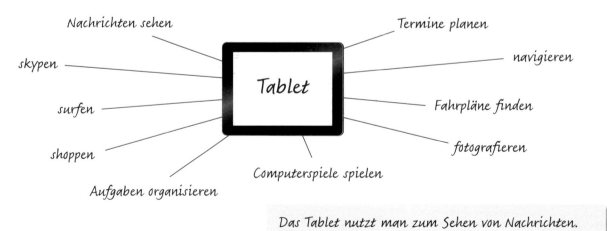

Nachrichten sehen
Termine planen
skypen
navigieren
surfen
Tablet
Fahrpläne finden
shoppen
fotografieren
Computerspiele spielen
Aufgaben organisieren

Das Tablet nutzt man zum Sehen von Nachrichten.

4.4 Was braucht James für seinen Urlaub in Österreich? Ordnen Sie zu und schreiben Sie Sätze mit *zum* + Nomen.

Badehose – Brille – ~~Flugticket~~ – Bücher – Kamera – Stiefel – Kreditkarte – Kuli – Postkarten – Reisepass – Sehenswürdigkeiten

1. → fliegen

2. → wandern

3. → bezahlen

4. → schwimmen

5. → reisen

6. → fotografieren von

7.  → lesen von

8. → schreiben von

1. James braucht ein Flugticket zum Fliegen.

5 Meine Apps, deine Apps

2.10 **5.1** Diktat. Hören und ergänzen Sie. Nutzen Sie die Pausentaste ( ).

Seit drei Monaten _____ Chinesisch. Ich habe eine

App _____ . Sie heißt

SprachFit. Ich finde die App _____ , also

nutze ich sie jeden Tag. Die Fahrt mit dem Bus zur Arbeit _____ .

Mit *SprachFit* kann ich diese Zeit _____ . Unterwegs kann ich

_____ . Ich höre die Wörter und _____

_____ , dann muss ich _____ . Einmal waren

chinesische Touristinnen im Bus. _____ , weil

ich auf Chinesisch telefoniert habe.

5.2 Und Sie? Welche Apps nutzen Sie? Schreiben Sie einen kurzen Text.

Ich nutze die App „musicmix" zum Hören von Musik.

6 Stirbt das Buch?

6.1 Was passt nicht? Streichen Sie durch.

1. der E-Book-Reader – das Buch – das Tablet – das Smartphone
2. umweltfreundlich – zuverlässig – nutzlos – praktisch
3. das Papier – das Internet – die Bibliothek – das Regal
4. bestellen – vergessen – kaufen – verkaufen
5. anfassen – hören – riechen – bieten

2.11 ⊚ **6.2** Was finden die Personen besser: Bücher oder
E-Books? Hören und ergänzen Sie.

1. Daniel Pfeiffer findet _____ besser.

2. Alina Pohl mag _____ lieber.

Alina Pohl   Daniel Pfeiffer

2.11 ⊚ **6.3** Was ist richtig? Hören Sie noch einmal und kreuzen Sie an.

	richtig	falsch
1. Daniel Pfeiffer liest nicht gern.	☐	☐
2. Er hat viele Bücher.	☐	☐
3. Er findet E-Books praktischer als Bücher.	☐	☐
4. Daniel Pfeiffer findet, dass E-Books Geld sparen.	☐	☐
5. Alina Pohl hat keine E-Books auf ihrem Tablet.	☐	☐
6. Sie findet E-Books weniger schön als Bücher.	☐	☐
7. Alina Pohl ist der Meinung, dass E-Books zuverlässig sind.	☐	☐
8. Sie glaubt, dass die digitale Entwicklung schnell ist.	☐	☐

2.11 ⊚ **6.4** Hören Sie noch einmal und bringen Sie die Sätze in die richtige Reihenfolge.

a ☐ Ja, ich stimme dir zu.

b ☐ Ich finde, du hast Recht.

c ☐ Nein, ich finde nicht, dass E-Books
sehr praktisch sind.

d ☐ Ich bin nicht sicher, ob das Buch
stirbt, aber es ist möglich.

e ☐1 Ich glaube, dass E-Books einfach besser sind.

f ☐ Ich sehe das anders.

g ☐ Meiner Meinung nach sind E-Books einfach
nicht so schön wie richtige Bücher.

h ☐ Glaubst du wirklich, dass die Technik in zehn
Jahren deine heutigen E-Books lesen kann?

6.5 Und was meinen Sie? Stirbt das Buch? Schreiben Sie Ihre Meinung.

Ich finde, _____ hat Recht, weil _____

Ich glaube / glaube nicht, dass _____

Meiner Meinung nach _____

Ich bin nicht sicher, ob _____

Aber ich bin sicher, dass _____

7 Medien unterwegs

7.1 Was ist das Thema von der Grafik? Lesen Sie die Überschrift und kreuzen Sie an.

So nutzen die Schweizerinnen und Schweizer ihr Smartphone

64%   72%   73%   81%   82%

Zeitung lesen   Musik hören   Spiele spielen   im Internet surfen   E-Mails lesen

Quelle: © Statista 2016

Die Grafik zeigt, ...
1. ☐ welche Medien man nutzt, wenn man in der Schweiz unterwegs ist.
2. ☐ was man in der Schweiz am häufigsten mit dem Smartphone macht.
3. ☐ was man in der Schweiz mit dem Smartphone machen kann.

7.2 Was zeigt die Grafik? Ergänzen Sie.

Diese Grafik zeigt das Ergebnis von einer Umfrage in der Schweiz. Man h___ Schweizerinnen

u___ Schweizer gef_____, wie s___ ihre Smart_____ im All_____ nutzen.

In d___ Schweiz hö_____ viele Mens_____ gern Mu___ mit ih____ Smartphones.

Noch häuf_____ nutzen s___ ihre Smart_____ zum Spie____. 64% v___ den

Schweizerinnen u___ Schweizer nut_____ das Smart_____ zum Le____ von Zeit_____

und 81% sur____ oft im Inte_____. Aber am liebsten lesen sie E-Mails.

Und in Ihrer Sprache?

Ihre Freundin/Ihr Freund sucht einen neuen Handytarif. Sie/Er versteht nur wenig Deutsch. Lesen Sie den Flyer und erklären Sie ihn in Ihrer Muttersprache.

1 Beratungsdialoge führen/technische Informationen über Geräte erfragen.

2.12 ● **1.1** Was ist richtig? Hören Sie und kreuzen Sie an.

	richtig	falsch
1. Der Super-Tarif ist teurer als der Normal-Tarif.	☐	☐
2. Mit dem Normal-Tarif kann man bis zu 500 MB im Internet surfen.	☐	☐
3. Ohne Vertrag kostet das Smartphone fast 300 Euro.	☐	☐
4. Das Smartphone gibt es nur in Schwarz und in Grün.	☐	☐

Punkte 4

1.2 Ergänzen Sie wie im Beispiel.

1. Wissen Sie, *ob es das Smartphone auch in einer anderen Farbe gibt* ?
   (Smartphone: andere Farbe)

2. Könnten Sie mir sagen, wie viele _____ ?
   (Kamera: Megapixel)

3. Ich möchte wissen, wie lange _____ .
   (Akku)

4. Ich möchte wissen, ob _____ .
   (32 GB Speicherplatz)

5. Wissen Sie, wie _____ ?
   (Display: groß)

Punkte 4

2 Apps beschreiben. Was passt? Verbinden Sie und schreiben Sie Sätze mit *zum* + Nomen.

1. eNatur
2. Foto-Profi
3. Zeichne-Pro
4. Aktuelles24
5. Ticket
6. i-Kalender
7. Musikload

a Zeitungen lesen
b Termine organisieren
c Flüge buchen
d Vogelstimmen erkennen
e Musik herunterladen
f zeichnen
g fotografieren

1d eNatur ist eine App zum Erkennen von Vogelstimmen.

Punkte 6

3 Seine Meinung äußern: zustimmen 😃, widersprechen 😠 oder unsicher sein 😕. Schreiben Sie sechs Sätze.

1 *E-Books sind nicht so gut wie Bücher.*
2 *Stadtpläne aus Papier braucht man nicht mehr.*
3 *Tablets sind besser zum Lesen als Smartphones.*

a 😃 b 😕
a 😠 b 😕
a 😠 b 😃

Punkte 6

1a Ich finde, du ...

Punkte gesamt
17–20: Super!
11–16: In Ordnung.
0–10: Bitte noch einmal wiederholen!

Seite 80–81

der Akku, -s _____

das Display, -s _____

das Smartphone, -s _____

der Speicherplatz (Sg.) _____

   Wie viel Speicherplatz hat das Handy? _____

   _____

der Tarif, -e _____

der Vertrag, -ä-e _____

   bis zu ... (+ Menge) _____

   Surfen bis zu 500 Megabyte! _____

   _____

   silber _____

   Das Smartphone gibt es nur in Silber. ____

   _____

die SMS, - _____

der Zoll (Sg.) _____

   Das Display ist 5,5-Zoll groß. _____

   ob _____

   Ich möchte wissen, ob das Handy eine Kamera hat. ___

   _____

   halten, er/sie hält, er/sie hat gehalten _____

   Der Akku hält 24 Stunden. _____

   _____

die Tastatur, -en _____

Seite 82–83

der Stadtplan, -ä-e _____

   erkennen, er/sie hat erkannt _____

   navigieren _____

   dringend _____

   herunterladen, er/sie lädt herunter, er/sie hat

   heruntergeladen _____

   zeichnen _____

Seite 84–85

   anfassen _____

die Bibliothek, -en _____

der Computervirus, -viren _____

   digital _____

   eigentlich _____

   elektronisch _____

die Entwicklung, -en _____

   heutig _____

   Die heutige Technik ändert sich schnell. ___

   _____

die Lösung, -en _____

   nutzlos _____

   riechen, er/sie hat gerochen _____

   sogar _____

   umweltfreundlich _____

   verbrauchen _____

   zuverlässig _____

die Meinung, -en _____

   Meiner Meinung nach sind E-Books besser als Bücher.

   _____

   unsicher _____

   zustimmen _____

Deutsch aktiv 9|10 / Panorama V

   ausstellen _____

   beraten, er/sie berät, er/sie hat beraten _____

   _____

   besprechen, er/sie bespricht, er/sie hat besprochen ___

   _____

die Visitenkarte, -n _____

   zuhören _____

Freunde tun gut

1 Freundschaft – was heißt das eigentlich?

1.1 Was passt zu den Fotos? Lesen Sie und ordnen Sie die gelb markierten Wörter mit Artikel zu.

30. Juli: Internationaler Tag der Freundschaft

Seit 2011 gibt es ihn weltweit: den Internationalen Tag der Freundschaft. Aber schon 1958 hatte ein Arzt aus Paraguay bei einer Feier mit Freunden die Idee. Weil Freundschaft zwischen Menschen oder auch zwischen verschiedenen Ländern so wichtig ist, soll man Freundschaften in der ganzen Welt an einem bestimmten Tag feiern. Freundschaft kann das Unglück in der Welt nicht beenden, aber sie kann es etwas weniger machen, denn sie bringt Glück in den Alltag. Man mag die wirklich guten Freunde, ja man liebt sie sogar. Und ist die Liebe nicht am wichtigsten? Deshalb feiern auch Sie den Tag der Freundschaft am 30. Juli! Treffen Sie Ihre Freunde oder laden Sie sie zu einem Fest ein. Haben Sie Spaß mit Ihren Freunden und genießen Sie die gemeinsame Zeit!

1. _____   2. _____   3. _____   4. _____

1.2 Was ist richtig? Lesen Sie noch einmal und kreuzen Sie an.

1. Den Freundschaftstag feiert man seit …
   a ☐ 1958
   b ☐ 1985
   c ☐ 2011

2. Freundschaft …
   a ☐ beendet das Unglück.
   b ☐ ist wichtiger als Liebe.
   c ☐ bringt den Menschen Glück.

3. Am 30. Juli …
   a ☐ kann man Freunde treffen.
   b ☐ muss man ein Fest feiern.
   c ☐ hat man Zeit.

1.3 Das machen Freunde. Was passt? Ergänzen Sie und notieren Sie das Lösungswort.

telefonieren – Chor – denken – fahren – frühstücken – helfen – sagen – sein – Spaß haben – treffen – zuverlässig – sprechen

1. am Sonntag zusammen
   ☐F _____

2. über Probleme ___ ☐ ___

3. ehrlich ___ ☐

4. immer ___ ☐
   sein

5. alles _____ ☐ können

6. häufig das Gleiche ☐ ___

7. viel ☐ _____ zusammen _____

8. vielleicht auch im ☐ _____ singen

9. Freunden ☐

10. zusammen in den Urlaub ___ ☐

11. oft _____ ☐

12. sich häufig ☐ _____

Lösungswort:

F											
1	2	3	4	5	6	7	8	9	10	11	12

2.13 ⊙ **1.4** Ein Zitat – zwei Meinungen. Wer stimmt zu, wer stimmt nicht zu? Hören Sie und kreuzen Sie an.

Natürlich ist meine Frau für mich wichtig. Aber ich lebe lieber ohne meine Frau als ohne meine Freunde.

(nach: Kevin Costner, US-amerikanischer Schauspieler, *1955)

	stimmt zu	stimmt nicht zu
1. Martina Schmidt	☐	☐
2. Ursula Weyer	☐	☐

2.13 ⊙ **1.5** Wer hat welche Meinung? Hören Sie noch einmal und kreuzen Sie an.

	Martina Schmidt	Ursula Weyer
1. Für sie sind die Freunde auch am wichtigsten.	☐	☐
2. Sie findet es besonders wichtig, dass man einen gemeinsamen Alltag hat.	☐	☐
3. Sie denkt, dass ihre Freunde ihr immer helfen.	☐	☐
4. Sie sieht das anders, weil sie lieber mit ihrem Mann über Probleme spricht.	☐	☐
5. Am Ende gefällt ihr das Zitat doch.	☐	☐

2 Wirklich gute Freunde?

2.1 Wie heißt das Gegenteil? Schreiben Sie.

1. böse ≠ _____
2. ängstlich ≠ _____
3. dick ≠ _____
4. dumm ≠ _____
5. schwach ≠ _____
6. lange Haare ≠ _____ Haare

2.2 Welches Tier ist das? Lesen Sie, markieren Sie die Adjektive und kreuzen Sie an.

6/2016 KNUDDEL

Meistens ist es lieb. Aber wenn man keine Geduld hat, kann das Tier böse und auch gefährlich werden. In manchen Ländern hilft es den Menschen bei der Arbeit. Weil es so groß und stark ist, ist es auch sehr mutig. Man sagt, dass es neugierig und sehr intelligent ist. Es hat graue Haare und ziemlich große Ohren. Die Füße sind auch sehr groß, aber das Tier kann ganz leise gehen. Die Nase ist lang und das Tier kann mit ihr viele Dinge tun. Das ist sehr praktisch.

1 das Kamel   2 der Esel   3 der Elefant

2.3 Wiederholung: Adjektive nach dem indefiniten Artikel. Ergänzen Sie die Adjektive. Achten Sie auf die Endungen.

gemütlich – groß – ~~jung~~ – klein – langweilig – nett – nett – neugierig – spannend – sportlich – süß

---

www.suchenundfinden.com

Suche E-Mail-Partner

Hallo, ich bin eine *junge*_____ Frau (22) und lerne seit sechs Monaten Deutsch. Ich lebe in einer

sehr _____ Stadt: In Shanghai leben über 16 Millionen Menschen! Ich würde sehr gern

regelmäßig auf Deutsch schreiben und suche eine _____ E-Mail-Partnerin oder einen

_____ E-Mail-Partner.

Ich bin ein sehr _____ Mensch: Ich gehe joggen, fahre viel Mountainbike und gehe

regelmäßig klettern. Wenn es regnet, liege ich auf meinem _____ Sofa und lese

_____ Krimis. Ich bin auch ein sehr _____ Mensch und möchte viel über

das Leben in Deutschland wissen. Ich habe einen etwas _____ Beruf (Sekretärin),

denn die Arbeit ist leider nicht abwechslungsreich. Ich lebe in einer Wohnung mit zwei

_____ Katzen. Wenn du eine E-Mail-Freundin haben möchtest, dann schreib mir!

2.4 Sie suchen eine E-Mail-Partnerin / einen E-Mail-Partner. Schreiben Sie eine Anzeige in Ihr Heft.

3 Meine beste Freundin

2.14 ◉ **3.1** Wo war Jutta? Hören Sie und markieren Sie im Stadtplan die Sehenswürdigkeiten.

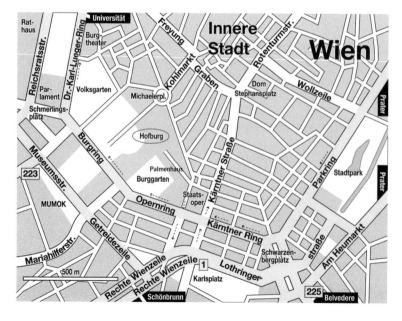

2.14 ◉ **3.2** Was erzählt Jutta? Hören Sie noch einmal und
ergänzen Sie die Sätze.

1. Jutta wollte in Wien _____

_____ .

2. Dort hat sie ihre _____

_____ Lola getroffen.

3. Lola und sie _____
zusammen.

4. Am Abend waren sie _____ .

2.14 ◉ **3.3** Was ist richtig? Hören Sie noch einmal und kreuzen Sie an.

	richtig	falsch
1. Jutta hat Lola in der Hofburg getroffen.	☐	☐
2. Sie kennt Lola seit der Schule.	☐	☐
3. Jutta hat Lola seit über zehn Jahren nicht gesehen.	☐	☐
4. Lola ist verheiratet.	☐	☐
5. Die Freundinnen haben einen Spaziergang gemacht.	☐	☐
6. Später waren sie in einer bekannten Fußgängerzone.	☐	☐
7. Jutta hat in Wien nichts gekauft.	☐	☐
8. Jutta ist mit dem Bus ins Hotel gefahren.	☐	☐
9. Lola möchte Jutta bald besuchen.	☐	☐

3.4 Korrigieren Sie die falschen Sätze und schreiben Sie sie in Ihr Heft.

3.5 Präteritum. Welches Verb passt? Ergänzen Sie.

gab – kam – war – mochte – mochte

1. Jutta _____ alte Städte schon immer.

2. Jutta _____ am Morgen in der Hofburg und hat dort Lola getroffen.

3. In dem kleinen Geschäft _____ es tolle Sachen für wenig Geld.

4. Jutta _____ eine Bluse und hat sie deshalb gekauft.

5. Als Jutta ins Hotel _____ , war sie sehr müde.

3.6 Schreiben Sie mit den Punkten 1. bis 10. die Geschichte von Jutta.

1. die Hofburg besichtigen
2. Lola treffen
3. früher beide in einem Haus
wohnen
4. lange beste Freundinnen sein

5. Kaffee trinken
6. spazieren gehen
7. die Stadt ansehen
8. shoppen gehen

9. kurz schlafen
10. tanzen

Jutta war in Wien und wollte …
Dort …

4 Als mein Opa 17 war, …

4.1 Was ist falsch? Lesen Sie und streichen Sie durch.

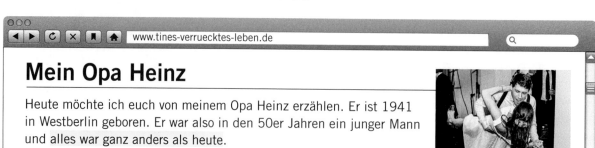

○○○ ◀ ▶ C ✕ ◼ ▲ www.tines-verruecktes-leben.de   🔍

Mein Opa Heinz

Heute möchte ich euch von meinem Opa Heinz erzählen. Er ist 1941
in Westberlin geboren. Er war also in den 50er Jahren ein junger Mann
und alles war ganz anders als heute.
Die Eltern waren sehr streng und die jungen Leute – besonders die
Mädchen – durften viele Dinge nicht tun. Aber es gab einen beliebten
Ort für Mädchen und Jungen: Mein Opa war 17 und seine Eltern haben
ihn in die Tanzschule geschickt. Dort sollten die jungen Leute tanzen
lernen. Alle haben gern getanzt, sogar zu altmodischen Liedern.
Mein Opa hat erzählt, dass die jungen Männer die Mädchen zum Tanz bitten sollten und er war
sehr nervös. Ein Mädchen war besonders schön: Liselotte. Sie haben zusammen getanzt und
sie hat gesagt, dass sie viel lieber die Musik von Elvis Presley hört. Mein Opa mochte diese Musik
auch und er hat Liselotte in ein Rock'n'Roll-Café eingeladen. Die Eltern durften das nicht wissen.
Damals hat man gedacht, dass Rock'n'Roll für junge Leute gefährlich ist. Liselotte und mein Opa
sind dann aber nicht mehr in die Tanzschule gegangen, sie haben lieber im Rock-Café getanzt. Das
haben ihre Eltern schnell gemerkt und Liselotte durfte nicht mehr tanzen. Sie konnten sich nicht
mehr sehen. Aber sieben Jahre später haben sie sich wieder getroffen. Das war ein großer Zufall.
Sie haben sich in einem Geschäft wiedergesehen und sie haben sich verliebt.
Romantisch, oder?

1. Junge Leute haben in den 50er Jahren Tanzen *gemocht / altmodisch gefunden*.
2. Liselotte und Heinz sind am liebsten *in die Tanzschule / ins Rock'n'Roll-Café* gegangen.
3. Die beiden haben sich *sofort / nach einigen Jahren* verliebt.

4.2 Nebensätze mit *als*. Lesen Sie noch einmal und ergänzen Sie die Sätze mit den gelb markierten Wörtern. Achten Sie dabei auf das Verb.

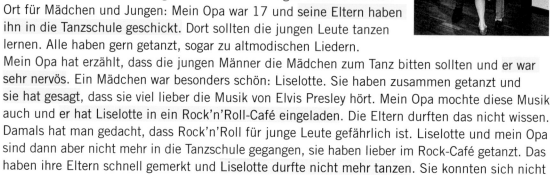

1. Als Opa Heinz ein junger Mann war, *war alles ganz anders als heute.*

2. Als Heinz 17 war, *haben seine Eltern …*

3. Als die jungen Männer die Mädchen zum Tanz bitten sollten, *war …*

4. Als Liselotte und Heinz zusammen getanzt haben, _____, dass sie lieber
   die Musik von Elvis Presley hört.

5. Als Heinz das gehört hat, _____

6. Als die Eltern gemerkt haben, dass Liselotte und Heinz ins Rock-Café gegangen sind, _____

7. Als sich Heinz und Liselotte nach sieben Jahren wieder getroffen haben, _____

4.3 Stefan erzählt. Schreiben Sie Nebensätze mit *als* und unterstreichen Sie die Verben wie im Beispiel.

1. Lukas und ich haben uns kennengelernt. Wir waren noch Kinder.
2. Wir sind in die Schule gekommen. Wir haben in der gleichen Bank gesessen.
3. Ich habe mich verliebt. Mein bester Freund hat sich gefreut.
4. Er hat auch eine Freundin gefunden. Wir haben viel zu viert gemacht.
5. Meine Eltern und ich sind umgezogen. Wir haben leider den Kontakt verloren.

1. Als Lukas und ich uns <u>kennengelernt haben</u>, <u>waren</u> wir noch Kinder.

4.4 Nebensätze mit *als* am Ende. Schreiben Sie die Sätze in 4.3 und unterstreichen Sie wie im Beispiel.

1. Wir <u>waren</u> noch Kinder, als Lukas und ich uns <u>kennengelernt haben</u>.

4.5 Schreiben Sie Sätze mit *als* zu den Bildern.

den Hund sehen/Angst haben

1. Als das Mädchen den Hund gesehen hat, hatte sie ...

das Glas kaputtgehen/ich: sich ärgern

auf dem Berg ankommen/müde sein

(plötzlich) regnen/sie: ein Taxi nehmen

bezahlen wollen/er: kein Geld haben

5 Eine Freundschaftsgeschichte

5.1 Und du? Wie alt warst du, als ...? Beantworten Sie die Fragen und schreiben Sie Sätze.

1. Wann hast du Fahrrad fahren gelernt?
2. Wann hast du lesen gelernt?
3. Wann bist du in die Schule gekommen?
4. Wann hast du mit der Schule aufgehört?
5. Wann hast du deine erste Reise gemacht?
6. Wann hast du dich das erste Mal verliebt?

1. Ich habe Fahrrad fahren gelernt, als ich ... Jahre alt war.

2.15 ⊙ **5.2** Diktat. Hören und ergänzen Sie. Nutzen Sie die Pausentaste (⏸).

Als ich _____, habe ich meine Freundin Emma kennengelernt.

Sie war _____. Wir haben immer _____

_____. Als _____, haben wir immer _____

_____. Sie war sehr gut in Englisch _____

_____. Wir haben uns immer geholfen. Als ich 14 war, _____

_____. Heute weiß ich nicht mehr, warum. _____

_____ zusammen gemacht. _____ war ich in

Indien _____. Und wen treffe ich dort? Richtig! Meine Emma. Wir haben uns

sofort _____ und sind jetzt wieder viel zusammen. Emma ist jetzt

_____.

5.3 Und Sie? Wie haben Sie eine gute Freundin / einen guten Freund kennengelernt? Schreiben Sie einen Text in Ihr Heft.

– Wann und wo haben Sie sie / ihn kennengelernt?
– Was haben Sie damals in dem Moment gerade gemacht?
– Was hat Ihnen an ihr / ihm besonders gut gefallen?

6 Und Ihre beste Freundin / Ihr bester Freund?

6.1 Und Ihre Freundin / Ihr Freund? Ergänzen Sie die Antworten.

👂 Wie heißt eine gute Freundin oder ein guter Freund von dir?

👄 Sie / Er heißt _____.

👂 Wann habt ihr euch kennengelernt?

👄 Vor _____ Jahren.

👂 Lebt ihr heute in der gleichen Stadt?

👄 Ja, in _____ . / Nein, ich lebe heute in _____ .

👂 Wie oft trefft ihr euch?

👄 Wir treffen uns _____ (ziemlich oft / regelmäßig / selten / fast nie).

👂 Habt ihr das gleiche Hobby?

👄 Ja, wir _____ zusammen. / Nein.

2.16 ⊙ **6.2** Karaoke. Hören Sie und sprechen Sie die 👄-Rolle.

7 Gertrud und Eva

2.17 **7.1** Wer ist Gertrud Winkler, wer ist Eva da Silva? Lesen Sie zuerst. Hören Sie dann und ergänzen Sie die Namen.

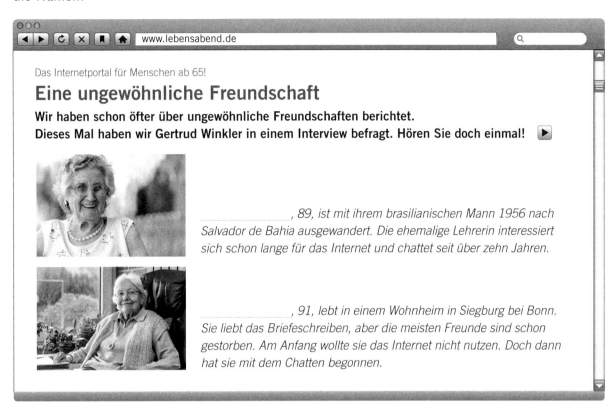

> Das Internetportal für Menschen ab 65!
>
> ### Eine ungewöhnliche Freundschaft
>
> **Wir haben schon öfter über ungewöhnliche Freundschaften berichtet.**
> **Dieses Mal haben wir Gertrud Winkler in einem Interview befragt. Hören Sie doch einmal!** ▶
>
> _____, 89, ist mit ihrem brasilianischen Mann 1956 nach Salvador de Bahia ausgewandert. Die ehemalige Lehrerin interessiert sich schon lange für das Internet und chattet seit über zehn Jahren._
>
> _____, 91, lebt in einem Wohnheim in Siegburg bei Bonn. Sie liebt das Briefeschreiben, aber die meisten Freunde sind schon gestorben. Am Anfang wollte sie das Internet nicht nutzen. Doch dann hat sie mit dem Chatten begonnen._

2.17 **7.2** *Ja* oder *nein*? Hören Sie noch einmal und kreuzen Sie an.

	ja	nein
1. Gertrud Winkler hat sich schon immer für Computer interessiert.	☐	☐
2. Früher hatte Gertrud Winkler Brieffreunde.	☐	☐
3. Gertrud Winklers Sohn hat ihr am Anfang das Internet gezeigt.	☐	☐
4. Gertrud Winkler hat ihre Freundin 1956 in Brasilien besucht.	☐	☐
5. Eva da Silva singt über Skype öfter mit Gertrud Winkler im Chor.	☐	☐

Und in Ihrer Sprache?

2.17 **1** Lesen Sie noch einmal die Internetseite in 7.1 und hören Sie noch einmal das Interview. Machen Sie sich Notizen zu den folgenden Fragen:
- – Wann und wie haben sich Gertrud Winkler und Eva da Silva kennengelernt?
- – Wie alt sind sie?
- – Wo leben sie?
- – Was machen sie?

2 Berichten Sie einer Freundin / einem Freund in Ihrer Muttersprache über die Freundschaftsgeschichte von den beiden Frauen.

1 Über Freundschaft und über Vergangenes sprechen. Was passt zusammen? Verbinden Sie.

1. Man hat im Leben   a   als ich sechs Jahre alt war.
2. Freundschaft ist wichtiger   b   sofort sympathisch.
3. Wir haben uns kennengelernt,   c   nicht viele gute Freunde.
4. Sie war mir   d   als Geld.

Punkte

2

2 Seine Meinung äußern: Stimmen Sie zu oder widersprechen Sie.

1. Eine Freundschaft für ein ganzes Leben? Das gibt es nicht! _____

2. Erfolg im Beruf ist wichtiger als Freundschaft. _____

3. Man hat nur wenige gute Freunde. _____

4. Gute Freunde helfen immer bei Problemen. _____

Punkte

4

3 Eine Person beschreiben. Biene Maja, Obelix oder Asterix? Wählen Sie eine Figur und beschreiben Sie sie in sechs Sätzen.

So sieht die Figur aus:

_____

_____

So ist sie:

_____

Punkte

6

_____

4 Eine Freundschaftsgeschichte nacherzählen. Lesen Sie die Stichpunkte und schreiben Sie einen Text.

Klaus und Peter
- sich mit 12 im Gymnasium kennenlernen, sich sofort mögen
- zusammen im Sportverein sein, oft gemeinsam Filme sehen
- mit 17 in das gleiche Mädchen verliebt sein, sich streiten und 15 Jahre keinen Kontakt mehr haben
- letztes Jahr sich plötzlich wieder treffen, heute beste Freunde sein

Punkte

8

Als Klaus 12 Jahre alt war, ...

Punkte gesamt
17–20: Super!
11–16: In Ordnung.
0–10: Bitte noch einmal wiederholen!

Seite 90–91

ehrlich _____

die Freundschaft, -en _____

Spaß haben _____

der Applaus, -e _____

gleich- _____

Sie waren in das gleiche Mädchen verliebt. _____

das Unglück (Sg.) _____

das Zitat, -e _____

das Abenteuer, - _____

das Magazin, -e _____

ängstlich _____

das Beste (Sg.) _____

die Biene, -n _____

blond _____

dumm _____

dünn _____

das Huhn, -ü-er _____

lieb _____

die Liebe (Sg.) _____

klug _____

mutig _____

schwach _____

übersetzen _____

der Unsinn (Sg.) _____

verliebt (sein) _____

Sie sind nicht verliebt, sie sind nur gute Freunde. _____

weinen _____

die Zeitschrift, -en _____

zusammenhalten, sie halten zusammen, sie haben

zusammengehalten _____

Die Freundinnen halten immer zusammen. _____

Seite 92–93

als _____

der Ärger (Sg.) _____

brennen, es hat gebrannt _____

der Rauch (Sg.) _____

sich verlieben _____

Ich habe mich in ... verliebt. _____

die Zigarette, -n _____

Seite 94–95

das Thema, Themen _____

das Alter (Sg.) _____

der Bär, -en _____

die Bärin, -nen _____

berichten _____

der Käfig, -e _____

leidtun, er/sie tut leid, er/sie hat leidgetan _____

lieb _____

offiziell _____

schreien, er/sie hat geschrien _____

tierisch _____

ungewöhnlich _____

das Zuhause (Sg.) _____

zum Lachen bringen, er/sie hat zum Lachen

gebracht _____

Ich habe ihn zum Lachen gebracht. _____

zusammenleben _____

teilen _____

1 Ein Unfall im Haushalt

1.1 Was passt? Verbinden Sie.

1. sich an der Hand	a fahren
2. die Verletzung	b warten
3. ins Krankenhaus	c verletzen
4. in der Notaufnahme	d blutet stark
5. mit einem Arzt	e sprechen

1.2 Was passiert? Sehen Sie die Bilder an und schreiben Sie mit den Wörtern in 1.1 Sätze.

1. Die Frau schneidet Gemüse und ...

2 Einen Notruf machen

2.18 **2.1** In der Notaufnahme. Wie viele Patienten hatte Dr. Faller heute? Hören Sie und kreuzen Sie an.

1. ☐ fünf   2. ☐ acht   3. ☐ elf   4. ☐ sechzehn

2.18 **2.2** Was ist passiert? Hören Sie noch einmal und ordnen Sie die Fotos zu. Ergänzen Sie danach die Sätze.

1. ☐ Der kleine Junge ist vom Fahrrad _____

2. ☐ Die drei Personen am Vormittag hatten _____

3. ☐ Bei der Familie hat das _____

4. ☐ Die Patientin am Nachmittag ist _____

5. ☐ Der junge Mann hat _____

2.3 Zwei Notrufe. Sortieren Sie die zwei Gespräche.

Wer ruft an?

Wo ist der Unfall?

Was ist passiert?

Wie viele Verletzte?

Welche Verletzungen?

Hallo, hallo? Hier spricht Karl Gruber. Mein Kollege braucht Hilfe! – Hallo, mein Name ist Angelika Schmitz. Hier ist etwas passiert. – In der Firma, Meininger Straße 55. Wir sind im 3. Stock. – Mein Kollege ist plötzlich gefallen und jetzt ist er bewusstlos. – Äh ja, meine Nummer: 0157 89795126. – Die Büronummer ist: 040 23463421. – Hier gab es einen Autounfall. Es gibt zwei Verletzte. Sie bluten. – Ich bin auf der Autobahn. Auf der A1, kurz vor Bremen, bei Kilometer 86.

💬 Notrufzentrale, guten Tag. Sie sprechen mit Herrn Müller.

👍 _____   👍 _____

_____   _____

_____   _____

💬 Bitte bleiben Sie ruhig. Wie ist Ihre Telefonnummer?

👍 _____   👍 _____

_____   _____

💬 Wo sind Sie jetzt genau?

👍 _____   👍 _____

_____   _____

_____   _____

💬 Was ist passiert und wie viele Verletzte gibt es?

👍 _____   👍 _____

_____   _____

_____   _____

💬 Gut, ich schicke sofort einen Krankenwagen. Bitte legen Sie nicht auf. ...

2.19 🔘 **2.4** Karaoke. Hören Sie und sprechen Sie die 👄-Rolle.

👂 ...

👄 Hallo, mein Name ist ... Hier ist etwas passiert.

👂 ...

👄 Ja, das hier ist meine Nummer.

👂 ...

👄 Ich bin auf der Autobahn. Auf der A1, kurz vor Bremen, bei Kilometer 86.

👂 ...

👄 Hier gab es einen Autounfall. Es gibt zwei Verletzte. Sie bluten. Bitte kommen Sie schnell!

👂 ...

2.5 Adjektive auf -*los* und -*bar*. Was passt? Ergänzen Sie.

ansprechbar – bewusstlos – erfolglos – erreichbar – essbar – grundlos – hilflos – waschbar

1. Sie hatte einen Unfall. Man kann nicht mit ihr sprechen, sie ist nicht _____ .

2. Wenn man keinen Erfolg hat, ist man _____ .

3. Ich habe ihn schon dreimal angerufen, aber er ist nicht _____ .

4. Die Person ist verletzt oder krank. Sie braucht Hilfe, weil sie _____ ist.

5. Diese Pflanze kann man essen, sie ist _____ .

6. Er ist gestürzt. Jetzt ist er nicht ansprechbar, weil er _____ ist.

7. Sie ärgert sich oft ohne Grund, sie ärgert sich _____ .

8. Das T-Shirt ist _____ . Man kann es bei 30 Grad waschen.

3 Im Krankenhaus

3.1 Was ist das? Ergänzen Sie.

→

1. Man bekommt die ... von der Krankenkasse. Beim Arzt und im Krankenhaus muss man sie zeigen. Dann muss man nichts bezahlen.
2. Diese Medikamente sind klein und helfen z. B. gegen Kopfschmerzen.
3. Wenn etwas weh tut, hat man ...
4. Wir können denken, weil wir ein ... haben.

↓

5. Sie hat sich am Kopf gestoßen. Jetzt hat sie eine leichte ...
6. Gesundes Essen, Sport und Entspannung sind gut für die ...
7. Hier kann man Medikamente kaufen.
8. An diesem Tag ist man geboren.
9. Sie kann keinen Joghurt essen, weil sie eine ... gegen Milchprodukte hat.
10. Manche Medikamente bekommt man in der Apotheke nur mit ...
11. Als er sich schlimm am Bein verletzt hat, hatte er eine ... und musste danach drei Wochen im Krankenhaus bleiben.
12. Die ... bezahlt meistens den Arztbesuch und die Medikamente.

3.2 Was fehlt den Personen? Ordnen Sie zu.

Husten – Schmerzen in der Brust – sich geschnitten – starke Bauchschmerzen – eine Grippe – Schnupfen

Sie hat ...

3.3 Beim Arzt. Was passt? Ergänzen Sie.

Arme – Beine – gute Besserung – besser – fehlt – Grippe – im Bett – Hals – Husten – müde – Rezept – Schnupfen – Tee – Tabletten

💬 Guten Tag Frau Wacker. Was _____ Ihnen denn?

👍 Guten Tag. Ich habe seit einer Woche _____ und _____. Ich war im Bett, habe viel _____ getrunken, aber ich bin immer noch erkältet.

💬 Aha. Bitte öffnen Sie den Mund. Ah ja, Ihr _____ ist sehr rot. Haben Sie Halsschmerzen?

👍 Ja, mein Hals tut sehr weh. Deshalb kann ich kaum essen. Mir tun auch die _____ und _____ weh. Ich schlafe viel, aber ich bin immer _____.

💬 Ja, Frau Wacker, Sie haben keine einfache Erkältung, Sie haben eine _____. Ich schreibe Ihnen jetzt ein _____ für ein Medikament. Nehmen Sie die dreimal täglich – immer eine nach dem Essen.

👍 Okay, danke. Muss ich _____ bleiben?

💬 Ja, Sie sollten viel schlafen. Aber wenn es Ihnen _____ geht, dürfen Sie auch einen kleinen Spaziergang machen. Aber ziehen Sie sich warm an.

👍 Gut, das mache ich. Vielen Dank.

💬 Auf Wiedersehen, Frau Wacker. Und _____!

2.20 ◉ **3.4** Welches Bild passt? Hören Sie vier Gespräche und kreuzen Sie an.

1. Was fehlt dem Mann?

2. Wann soll die Frau zum Arzt kommen?

3. Was fehlt noch für die Aufnahme im Krankenhaus?

4. Was soll die Kollegin tun?

4 Du solltest …

4.1 Eine gesunde Familie? Ergänzen Sie die Formen von *sollte*.

Ich _____ mehr schlafen.

Du _____ weniger arbeiten.

Unser Sohn, er _____ mehr Obst essen.

Wir alle _____ mehr Sport machen.

Aber ihr _____ euch öfter entspannen.

Alle Menschen _____ mehr Spaß im Leben haben!

4.2 Wiederholung: Imperativ. Lesen Sie die Tipps und schreiben Sie Sätze im Imperativ.

Ihre Apotheke informiert:

Unsere Tipps gegen Erkältung

Der Herbst ist da und mit ihm kommen oft Husten, Schnupfen und Halsschmerzen.
Mit ein paar einfachen Tipps kann man etwas gegen eine Erkältung tun.
So kommen Sie gesund durch die kalte Jahreszeit!

1. jeden Tag spazieren gehen und die richtige Kleidung tragen
2. viel frisches Obst und Gemüse essen
3. viel Tee trinken
4. warm <u>und</u> kalt duschen
5. Sport machen
6. genug schlafen

1. Gehen Sie jeden Tag spazieren und ...

4.3 Schreiben Sie zu den Sätzen in 4.2 Ratschläge mit *sollte*.

1. Sie sollten jeden Tag spazieren gehen und ...

2.21 **4.4** Diktat. Hören und ergänzen Sie. Nutzen Sie die Pausentaste ( ).

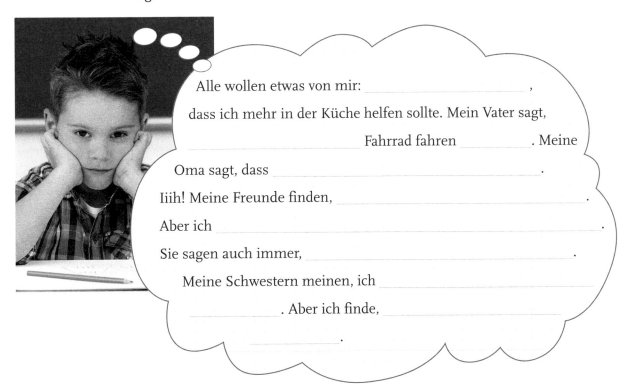

Alle wollen etwas von mir: _____ ,
dass ich mehr in der Küche helfen sollte. Mein Vater sagt,
_____ Fahrrad fahren _____ . Meine
Oma sagt, dass _____ .
Iiih! Meine Freunde finden, _____ .
Aber ich _____ .
Sie sagen auch immer, _____ .
Meine Schwestern meinen, ich _____
_____ . Aber ich finde, _____
_____ .

5 Ratschläge geben

5.1 Dr. Winter rät. Lesen Sie die Fragen und ordnen Sie die Antworten zu. Eine Antwort fehlt.

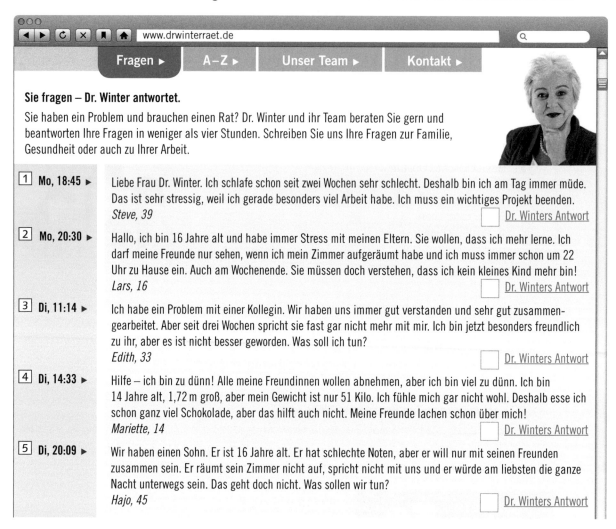

Sie fragen – Dr. Winter antwortet.

Sie haben ein Problem und brauchen einen Rat? Dr. Winter und ihr Team beraten Sie gern und beantworten Ihre Fragen in weniger als vier Stunden. Schreiben Sie uns Ihre Fragen zur Familie, Gesundheit oder auch zu Ihrer Arbeit.

1 Mo, 18:45 ▶ Liebe Frau Dr. Winter. Ich schlafe schon seit zwei Wochen sehr schlecht. Deshalb bin ich am Tag immer müde. Das ist sehr stressig, weil ich gerade besonders viel Arbeit habe. Ich muss ein wichtiges Projekt beenden.
Steve, 39
☐ Dr. Winters Antwort

2 Mo, 20:30 ▶ Hallo, ich bin 16 Jahre alt und habe immer Stress mit meinen Eltern. Sie wollen, dass ich mehr lerne. Ich darf meine Freunde nur sehen, wenn ich mein Zimmer aufgeräumt habe und ich muss immer schon um 22 Uhr zu Hause ein. Auch am Wochenende. Sie müssen doch verstehen, dass ich kein kleines Kind mehr bin!
Lars, 16
☐ Dr. Winters Antwort

3 Di, 11:14 ▶ Ich habe ein Problem mit einer Kollegin. Wir haben uns immer gut verstanden und sehr gut zusammengearbeitet. Aber seit drei Wochen spricht sie fast gar nicht mehr mit mir. Ich bin jetzt besonders freundlich zu ihr, aber es ist nicht besser geworden. Was soll ich tun?
Edith, 33
☐ Dr. Winters Antwort

4 Di, 14:33 ▶ Hilfe – ich bin zu dünn! Alle meine Freundinnen wollen abnehmen, aber ich bin viel zu dünn. Ich bin 14 Jahre alt, 1,72 m groß, aber mein Gewicht ist nur 51 Kilo. Ich fühle mich gar nicht wohl. Deshalb esse ich schon ganz viel Schokolade, aber das hilft auch nicht. Meine Freunde lachen schon über mich!
Mariette, 14
☐ Dr. Winters Antwort

5 Di, 20:09 ▶ Wir haben einen Sohn. Er ist 16 Jahre alt. Er hat schlechte Noten, aber er will nur mit seinen Freunden zusammen sein. Er räumt sein Zimmer nicht auf, spricht nicht mit uns und er würde am liebsten die ganze Nacht unterwegs sein. Das geht doch nicht. Was sollen wir tun?
Hajo, 45
☐ Dr. Winters Antwort

a Machen Sie sich nicht so viele Sorgen. In Ihrem Alter ist es ganz normal, dass das Gewicht manchmal nicht zum Körper passt. Sie sollten ganz normal und gesund essen. Und wenn Ihre Freundinnen oder Freunde lachen, ärgern Sie sich nicht.

b Mit 16 Jahren ist man kein kleines Kind mehr. Natürlich muss jeder in die Schule gehen und die Noten sind wichtig. Aber man muss auch sein eigenes Leben leben. Das sollten Sie akzeptieren. Sie sollten einen „Gesprächstermin" machen. Kochen Sie sein Lieblingsessen und fragen Sie ihn, was für ihn am wichtigsten ist. Dann sagen Sie, was für Sie am wichtigsten ist und warum. Sie sollten Regeln mit ihm – nicht gegen ihn – machen.

c Sie sollten unbedingt offen sprechen! Laden Sie sie zum Kaffee oder Wein nach der Arbeit ein. Wenn sie das nicht will, dann sagen Sie, dass Sie mit ihr reden müssen. Streiten Sie nicht, fragen Sie ganz ruhig, was passiert ist. Und Sie sollten ihr auch sagen, dass Sie die Situation nicht verstehen und dass Sie sich ärgern. Dann antwortet sie bestimmt.

d Sie sollten etwas Gutes für sich tun! Arbeiten Sie nicht mehr als neun Stunden am Tag. Machen Sie dann Sport, gehen Sie spazieren oder treffen Sie Freunde. Es ist sehr wichtig, dass Sie sich entspannen. Wenige Stunden vor dem Schlafen sollte das Gehirn nicht mehr so viel arbeiten.

5.2 Was rät Frau Dr. Winter den Leuten? Lesen Sie noch einmal in 5.1 und schreiben Sie Sätze.

Was sollte man machen, ...
1. wenn man viel arbeitet und schlecht schläft?
2. wenn man sich mit 14 Jahren zu dünn findet?
3. wenn eine Kollegin plötzlich anders ist?
4. wenn man Probleme mit dem 16-jährigen Sohn hat?

1. Wenn man viel arbeitet und schlecht schläft, sollte man etwas Gutes für sich tun. Man sollte nicht mehr als ...

5.3 Und Sie? Was ist Ihre Meinung zu Frage 2 in 5.1? Schreiben Sie eine Antwort.

```
- ja: mit 16 kein Kind mehr
- aber: in Deutschland muss man bis 22 Uhr zu
  Hause sein(jünger als 18 Jahre)
- Tipps:• manchmal im Haushalt helfen
        • ruhig mit Eltern reden
        • zusammen eine Liste machen:
          Was ist wichtig für Sie/Ihre Eltern?
```

*Lieber Lars,
ich finde auch, dass ...*

6 Rote Nasen

2.22 **6.1** Ein Radiointerview. Was ist richtig? Hören Sie und kreuzen Sie an.

1. ☐ Die kleine Lili ist krank. Ihre Eltern wollen, dass die Clowndoctors sie besuchen.
2. ☐ Lili war lange im Krankenhaus. Sie hatte oft Besuch von den Clowndoctors.
3. ☐ Lili war krank und will jetzt auch Clown werden, weil sie die Clowndoctors sehr mochte.

2.22 **6.2** Was ist richtig? Hören Sie noch einmal und kreuzen Sie an.

	richtig	falsch
1. Als Lili acht Jahre alt war, kam sie ins Krankenhaus.	☐	☐
2. Jetzt ist sie wieder gesund.	☐	☐
3. Wenn die Clowns da waren, konnte Lili am Abend besser schlafen.	☐	☐
4. Die Clowns sind jede Woche einmal gekommen.	☐	☐
5. Zu Lili sind immer die gleichen Clowns gekommen.	☐	☐
6. Die Clowns haben mit Bällen jongliert.	☐	☐
7. Lili konnte über ihre Ängste sprechen.	☐	☐

Und in Ihrer Sprache?

Ihre Freundin / Ihr Freund ist sehr erkältet. Sie waren mit ihr/ihm beim Arzt und haben Notizen gemacht. Erklären Sie in Ihrer Muttersprache, was sie/er tun soll.

- *viel Wasser trinken*
- *zwei Tage im Bett bleiben*
- *Medikament nehmen: 3x täglich 1 Tablette (mit Wasser)*
- *keinen Sport machen (1 Woche)*

1 Einen Unfall/eine Verletzung beschreiben. Was ist passiert? Schreiben Sie Sätze.

1. Die Frau hat ...

Punkte
6

2 Einen Notruf machen. Beantworten Sie die Fragen.

1. 💬 Hier ist die Notrufzentrale. Wie heißen Sie?

   👍 *Ich bin Anke Wittich.*

2. 💬 Wo sind Sie genau?

   👍 _____

3. 💬 Was ist passiert? Wie viele Verletzte gibt es?

   👍 _____

4. 💬 Welche Verletzungen hat er? Ist er bewusstlos?

   👍 _____

Punkte
6

3 Dialoge beim Arzt führen. Welche Antwort passt? Kreuzen Sie an.

1. Guten Tag. Was fehlt Ihnen?
   a ☐ Muss ich ins Krankenhaus?
   b ☐ Ich bin gefallen. Jetzt ist mir schlecht.

2. Ist Ihnen schlecht geworden?
   a ☐ Nein, aber ich habe Kopfschmerzen.
   b ☐ Ja, ich habe Husten.

3. Nehmen Sie drei Tabletten täglich.
   a ☐ Muss ich Medikamente nehmen?
   b ☐ Brauche ich ein Rezept?

4. Sie dürfen nach Hause gehen.
   a ☐ Soll ich im Bett bleiben?
   b ☐ Wo ist die Notaufnahme?

Punkte
4

4 Ratschläge geben. Schreiben Sie Sätze mit *sollte-* in Ihr Heft.

heiße Milch trinken – weniger arbeiten – die 112 anrufen – Sport machen

Punkte
4

1. Meine Freunde haben nie Zeit.
2. Wie können wir wieder fitter werden?
3. Mein Mann ist gestürzt und er ist bewusstlos.
4. Meine Mutter kann oft nicht schlafen.

Punkte gesamt
17–20: Super!
11–16: In Ordnung.
0–10: Bitte noch einmal wiederholen!

Seite 96–97

das Blut (Sg.)

    bluten

das Krankenhaus, -äu-er

der Krankenwagen, -

die Notaufnahme, -n

der Patient, -en

die Patientin, -nen

    (sich) stoßen, er/sie stößt, er/sie hat gestoßen

    (sich) verletzen

die Verletzung, -en

    putzen

    (sich) Sorgen machen

der Finger, -

    bewusstlos

der Notruf, -e

    stürzen

    ansprechbar

    auflegen

    Legen Sie nicht auf.

die Autobahn, -en

das Bewusstsein (Sg.)

die Brust, -ü-e

    Er hat Schmerzen in der Brust.

    erreichbar

    erreichen

    hilflos

    kaum

der Verletzte, -n

die Verletzte, -n

Seite 98–99

das Geburtsdatum, -daten

die Gesundheitskarte, -n

die Krankenkasse, -n

die Krankheit, -en

die Operation, -en

das Gehirn, -e

die Gehirnerschütterung, -en

das Rezept, -e

die Schmerztablette, -n

die Grippe, -n

der Husten (Sg.)

    Mir ist schlecht.

    Mir ist schlecht geworden.

der Schnupfen (Sg.)

    auf jeden Fall

    einschlafen

der Kamillentee, -s

Seite 100–101

der Clown, -s

die Clownin, -nen

der Humor (Sg.)

    jonglieren

der Krankenpfleger, -

die Krankenpflegerin, -nen

der Künstler, -

die Künstlerin, -nen

Deutsch aktiv 11|12 / Panorama VI

    unternehmen, er/sie unternimmt, er/sie hat
    unternommen

der Wettkampf, -ä-e

der Verein, -e

    reden

1 Essen in Basel

1.1 Suchen Sie 16 Wörter zum Thema Essen. Ergänzen Sie bei den Nomen die Artikel und den Plural.

B	T	K	V	E	G	E	T	A	R	I	S	C	H	Z
I	S	P	E	Z	I	A	L	I	T	Ä	T	K	U	U
O	A	P	G	E	W	Ü	R	Z	Y	R	E	Ü	N	T
E	L	G	E	R	I	C	H	T	I	K	T	C	R	A
S	A	U	T	H	E	N	T	I	S	C	H	H	S	T
N	T	E	R	F	R	I	S	C	H	R	B	E	U	O
A	T	R	A	D	I	T	I	O	N	E	L	L	P	L
C	L	E	I	C	H	T	E	N	U	S	S	C	P	W
K	J	U	S	C	H	A	R	F	L	E	C	K	E	R

Nomen	Adjektive
das Gericht, -e	scharf

1.2 Das Street Food Festival Basel. Lesen Sie und ordnen Sie die Überschriften zu.

Exotische Snacks – Pasta und mehr – Wie zu Hause – Leckeres aus Asien – Was ist Street Food?

19.–21. August, Messe

Street Food Festival Basel

1

Man kocht Gerichte aus frischen Zutaten und verkauft sie – direkt auf der Straße. Das hat in Ländern wie Thailand und Vietnam Tradition, aber ist auch in Großstädten wie Berlin, New York und London schon lange sehr beliebt. Seit 2015 gibt es diesen Trend auch in der Schweiz: Jedes Jahr finden in Zürich, Bern, Basel und anderen Schweizer Städten Street Food Festivals statt. Dort kann man verschiedene Gerichte aus der ganzen Welt probieren.

Hier sind unsere Tipps für das Street Food Festival Basel:

2

Wenn Sie ungewöhnliche Gewürze mögen, aber nichts Scharfes, empfehlen wir die arabische Küche. Bei **Al Iwan** können Sie zum Beispiel *Falafel* mit Gemüse und Brot genießen. Oder die beliebte Spezialität *Baklawa* – ein süßer Kuchen aus Nüssen.

3

Sushi und *Sashimi* sind leichte Fischspezialitäten aus Japan. Bei **Kumo** können Sie sie probieren. Wenn Sie lieber ganz ohne Fisch und Fleisch essen, empfehlen wir einen Besuch bei **Saikoro**. Dort können Sie *Ramen* essen – eine Nudelsuppe mit frischem Gemüse.

4

Genießen Sie authentische Pizzen und Nudelgerichte aus Italien in der **Cucina Toscana**. Sie haben Appetit auf etwas Süßes? Kein Problem! In der **Gelateria Primavera** gibt es viele Eissorten und Kuchen.

5

Natürlich gibt es auf dem Festival auch viel Leckeres und Traditionelles aus der Schweiz, wie zum Beispiel *Rösti* – das berühmte Kartoffelgericht – und *Käsefondue* bei **Schwiizer Chuchi**.

1.3 Was ist richtig? Kreuzen Sie an.

	richtig	falsch
1. Street Food kann man in Asien häufig essen.	☐	☐
2. Die Gerichte von *Al Iwan* sind exotisch und scharf.	☐	☐
3. Wenn man etwas Vegetarisches mag, ist *Saikoro* gut.	☐	☐
4. Etwas Süßes bekommt man in der *Cucina Toscana*.	☐	☐
5. Das Essen bei *Schwiizer Chuchi* ist modern und international.	☐	☐

2 Was essen Sie gern?

2.1 Wie sind die Lebensmittel? Ordnen Sie zu.

Torte · Pralinen · Marmelade · Salat · Kakao · Zucker · Gewürze · Schokolade · Obst · Bananen · Bratwurst · Lebkuchen · Eis · Bier · Gemüse · Joghurt · Chips · Espresso · Kuchen · Äpfel · Kaffee · Paprika

bitter: *Bier, ...* _____

frisch: _____

_____

salzig: _____

sauer: _____

scharf: _____

süß: _____

_____

2.2 Wiederholung: Nebensätze mit *wenn*. Was isst Thomas gern? Was isst er nicht?
Schreiben Sie Sätze mit *etwas* und *nichts*.

1. fernsehen →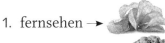

2. Mittag essen →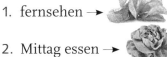

3. Kaffee trinken →

4. frühstücken → ✗

5. Bier trinken → ✗

6. Sport machen → ✗

1. Wenn Thomas fernsieht, isst er gern etwas Salziges.

2.3 Und Sie? Was essen Sie wann (nicht) gern? Schreiben Sie Sätze mit den Verben aus 2.2.

1. Wenn ich fernsehe, esse ich gern etwas .../esse ich nichts ...

2.4 *Etwas Schönes* oder *nichts Schönes*? Was passt? Ergänzen Sie.

🗨 Ich suche **etwas Schönes** _____ (*schön*) als Geburtstagsgeschenk für meine Frau.

👍 Dann empfehle ich Ihnen Schmuck. Wir haben diese Ringe. Wie finden Sie diese hier?

🗨 Sie sind zu altmodisch. Meine Frau mag _____ (*altmodisch*).

Sie sind auch alle zu groß und zu schwer. Meine Frau trägt _____ (*groß*).
Sie hat so kleine Finger.

👍 Dann lieber _____ (*elegant*)?

🗨 Ja, genau, _____ (*fein*) passt gut zu ihr. Wie diese Ringe hier.

👍 Gern. Sie kosten zwischen 350 und 1000 Euro.

🗨 Oh! Ich kann leider _____ (*teuer*) kaufen.

👍 Alles klar. Vielleicht finden wir noch _____ (*günstig*).

3 Restaurant-Empfehlungen

3.1 Welche Anzeige passt zu wem? Ordnen Sie zu.

1. ☐ Frau Beering möchte ihre Kunden aus den USA am Dienstag zu einem typisch deutschen Abendessen einladen.

2. ☐ Familie Heinzl will mit den zwei kleinen Kindern im Stadtzentrum frühstücken.

3. ☐ Herr Stricker und seine Kollegen wollen Mittag essen. Sie haben aber wenig Zeit und wollen deshalb nicht in ein Restaurant gehen.

4. ☐ Sophie und Javier möchten heiraten und suchen einen schönen Ort zum Feiern mit ihren vielen Gästen.

a
Zum Storch
Das beliebte Ausflugsrestaurant am Park bietet traditionelle Küche, aber auch viele internationale Gerichte.
Das Restaurant hat Platz für 180 Personen, eine schöne Aussicht auf den See und einen Spielplatz für Kinder.
Der perfekte Ort für Familienfeste oder Veranstaltungen, nur 10 km außerhalb von der Stadt!
Nur am Wochenende von 11 bis 22 Uhr geöffnet.

b
Lunchbox
Unser kleines, freundliches asiatisches Restaurant im Zentrum hat ein großes Angebot an vielen – auch vegetarischen – Nudelgerichten, auch zum Mitnehmen.
Lieferservice an Firmen im Stadtzentrum möglich.
Wir haben von Montag bis Sonntag von 11 bis 24 Uhr geöffnet.

c
•*Leckerbissen*•
Leckere selbst gemachte Snacks und Kuchen im veganen Café in der Altstadt.
Alles ist bio und aus der Region.
Für die kleinen Gäste gibt es einen Spielplatz im Hof hinter dem Café.
Mo–Sa 8.00 bis 17 Uhr geöffnet, Frühstück bis 15 Uhr.

d
Rathauskeller
Genießen Sie deutsche Küche und die besten deutschen und internationalen Weine in unserem ruhigen und gemütlichen Restaurant.
Gerichte mit Fisch und Fleisch sind unsere Spezialitäten.
Täglich 10 bis 23 Uhr geöffnet.

3.2 Ergänzen Sie die 👄-Rolle.

Das Eis würde ich auch gern einmal probieren. – Das klingt lecker! Was kann man als Nachtisch essen? – Ich esse kein Huhn. Gibt es etwas Vegetarisches? – Ja, gern! Das ist eine gute Idee. – Ich mag nichts Scharfes. Kannst du etwas anderes empfehlen? – Kennst du ein gutes Restaurant im Stadtzentrum? – Wie ist das Curry?

👄 _____

👂 Mein Lieblingsrestaurant heißt Lunchbox. Dort gibt es zum Beispiel Curry mit Reis.

👄 _____

👂 Es ist sehr gut, wenn du etwas Scharfes möchtest.

👄 _____

👂 Als Hauptgericht empfehle ich Nudeln mit Huhn und Zwiebeln. Das ist mild.

👄 _____

👂 Ja, der Reissalat mit Paprika und Mango ist sehr gut.

👄 _____

👂 Als Nachtisch esse ich am liebsten das selbst gemachte Fruchteis mit Nüssen.

👄 _____

👂 Wenn du willst, können wir morgen Mittag zusammen dort hingehen.

👄 _____

2.23 ◉ **3.3** Karaoke. Hören Sie und sprechen Sie die 👄-Rolle.

2.24 ◉ **3.4** Diktat. Hören und ergänzen Sie. Nutzen Sie die Pausentaste (⏸).

Das neue Café *Leckerbissen* _____ . Dort gibt es

_____ und selbst gemachtes Brot _____

_____ . Das ist perfekt für ein leichtes Essen. Wenn Sie Mittag essen

wollen, gibt es auch _____

_____ . Wenn man _____ möchte,

empfehle ich den Schokoladenkuchen. Das Café ist _____ und die

Preise sind ziemlich günstig: vier Euro für _____

_____ für sechs Euro.

3.5 Lesen Sie noch einmal die Anzeige für den Rathauskeller in 3.1. Schreiben Sie eine kurze Empfehlung in Ihr Heft.

4 Im Restaurant

4.1 Was passt nicht? Streichen Sie durch.

1. Gabel – Messer – Serviette – Löffel
2. Teller – Öl – Tasse – Glas
3. bitter – vegan – salzig – scharf
4. Zucker – Knoblauch – Pfeffer – Essig
5. Vorspeise – Abendessen – Nachtisch – Hauptgericht

4.2 Was passt? Lesen Sie die Speisekarte und ergänzen Sie.

Beilagen und Gemüse – ~~Hauptgerichte~~ – Hähnchen – Tomatensalat – Nachtisch – Pommes frites – Suppen und Vorspeisen – Obstsalat mit Sahne

Restaurant Zur alten Mühle

1		
Zwiebelsuppe		4,90 €
Oliven		3,90 €
2		5,90 €

3 *Hauptgerichte*		
Pizza		9,50 €
Steak		12,90 €
Lammkotelett		11,90 €
4		9,50 €

5		
Champignons		3,00 €
Grüne Bohnen		2,00 €
6		3,00 €

7		
Schokokuchen		3,50 €
8		4,50 €
Eis (3 Sorten)		5,50 €

5 Welchen Rotwein? – Diesen Rotwein hier.

5.1 Was schmeckt Ihnen am besten? Unterstreichen Sie. Hören Sie dann und antworten Sie mit Nominativ wie im Beispiel.

1. Schwarztee/Kamillentee/Grüntee
2. Nusstorte/Apfeltorte/Schokoladentorte
3. Schokoladeneis/Mangoeis/Vanilleeis

Welcher Tee schmeckt Ihnen am besten?

Dieser Tee. Der Kamillentee schmeckt mir am besten.

2.26 **5.2** Hören Sie und antworten Sie mit Ihren Informationen aus 5.1 mit Akkusativ wie im Beispiel.

> *Welchen Tee möchten Sie?*

> *Ich möchte diesen Tee, bitte. Den Kamillentee.*

5.3 *Welch-* oder *dies-*? Ergänzen Sie.

1. 👍 In *welches* Restaurant wollen wir gehen?

   💬 _____ Restaurant sieht nett aus, meinst du nicht?

   👍 Ja, okay. Probieren wir es!

2. 👍 Guten Tag. Haben Sie einen Tisch für zwei Personen?

   💬 Ja, gern. _____ Tisch ist frei oder der Tisch neben der Tür. Sie können aber auch _____ Tisch hier in der Ecke haben.

   👍 _____ Tisch nehmen wir?

   💬 Den in der Ecke.

3. 💬 So, was möchten Sie trinken?

   💬 Für mich ein Glas Rotwein, bitte.

   💬 Wir haben verschiedene Rotweine, _____ Wein möchten Sie?

   💬 Ich weiß nicht. Ist _____ Wein gut?

   💬 Der Merlot? Ja, er ist sehr gut.

   👍 Ich trinke lieber etwas Süßes. _____ süßen Rotwein empfehlen Sie mir?

   💬 Ich empfehle Ihnen _____ Wein, den Rialto, er schmeckt sehr gut.

   👍 Okay, danke. Dann nehme ich _____ Wein, den Rialto.

4. 💬 Haben Sie schon gewählt?

   👍 Ja. Aber wir möchten nur eine Vorspeise.

   💬 Kein Problem. _____ Vorspeise möchten Sie?

   👍 _____ hier bitte: die Garnelen.

   💬 Garnelen. Gern, kommt sofort.

2.27 **5.4** Welche Antwort passt? Hören Sie und kreuzen Sie an.

1. a ☐ Ja, eine Flasche Wasser, bitte.   b ☐ Ja, die Forelle vom Grill, bitte.
2. a ☐ Ja, ich nehme das Steak mit Bohnen.   b ☐ Nein, danke.
3. a ☐ Ja, eine Tasse Tee mit Milch.   b ☐ Nein, danke. Das ist alles.
4. a ☐ Ja, sehr gut, danke.   b ☐ Danke, das ist alles.
5. a ☐ Ja, ich möchte zahlen, bitte.   b ☐ Die Pommes frites sind zu salzig.

5.5 Im Restaurant. Was passt? Ordnen Sie die Sätze den Fotos zu.

bestellen

sich beschweren

falsche Rechnung

1, ...

1. Ich empfehle Ihnen einen Weißwein.
2. Das tut mir aber leid. Sie bekommen einen neuen.
3. Ich nehme den Fisch mit Kartoffeln und Salat.
4. Die Rechnung ist falsch. Ich hatte keinen Kuchen.
5. Hmm, eigentlich nicht. Der Salat ist viel zu salzig.
6. Sie haben Recht. Das ist falsch. Entschuldigung.

7. Haben Sie schon gewählt?
8. Welchen Wein empfehlen Sie?
9. Sofort! Hier, die Rechnung.
10. Vielen Dank. Das ist sehr nett.
11. Schmeckt es Ihnen?
12. Zahlen, bitte!

5.6 Bringen Sie die Sätze in 5.5 in die richtige Reihenfolge und schreiben Sie die drei Dialoge.

> a *Kellner: Haben Sie schon gewählt?*
> *Gast: Ich nehme ...*

6 Die Schweiz – ein Land für Feinschmecker

2.28 **6.1** In einem Restaurant in der Schweiz. Was ist das Problem? Hören Sie und kreuzen Sie an.

1. ☐ Die Frau isst nur vegetarisch, aber alle Gerichte sind mit Fleisch.
2. ☐ Der Kellner kennt die Gerichte nicht und muss in der Küche nachfragen.
3. ☐ Die Frau kennt einige Gerichte nicht. Sie bittet den Kellner um Hilfe.

2.28 **6.2** Was ist richtig? Hören Sie noch einmal und kreuzen Sie an.

	richtig	falsch
1. Die Frau bestellt eine Wähe.	☐	☐
2. Das Gericht Egli ist nicht vegetarisch.	☐	☐
3. Den Fisch gibt es mit Kartoffelsalat.	☐	☐
4. Die Frau kennt Polenta.	☐	☐
5. Die Polenta gibt es auch vegetarisch.	☐	☐
6. Der Nidelfladen ist mit Nüssen.	☐	☐

6.3 Welches Gericht ist das? Ordnen Sie die Fotos zu.

„Schwiizer Chuchi"
Schweizer Küche

Die Schweizer Küche hat viel mit der deutschen, französischen und norditalienischen Küche gemeinsam. Die Schweizer Schokolade ist in der ganzen Welt bekannt und neben den vielen leckeren Käsesorten (wie Appenzeller, Emmentaler, Gruyère) gibt es auch typische Gerichte. Diese sind in der Schweiz und weltweit sehr beliebt. Hier sind ein paar Beispiele:

Raclette
Raclette ist eine Schweizer Käsesorte, aber auch ein Gericht: heißer Käse mit Gschwellti (das sind gekochte Kartoffeln), Essiggurken und Zwiebeln.

Älplermagronen
Das ist ein Gericht aus Kartoffeln, Magronen (das ist eine Nudelsorte), Käse, Sahne und Zwiebeln. Und als Beilage gibt es Apfelmus, ein gekochter Brei aus Äpfeln.

Käsefondue
Käsefondue kann man einfach machen und es ist sehr lecker: heißer Käse und Brot. Man benutzt eine lange Gabel und gibt die kleinen Brotstücke in den weichen Käse.

Rösti
Das ist ein heißer, sehr dünner Kuchen aus Kartoffeln. Man isst Rösti mit Apfelmus oder nimmt die Rösti als Beilage zu Fleischgerichten.

6.4 Lesen Sie noch einmal und beantworten Sie die Fragen.

1. Welches Gericht ist ohne Gemüse?
2. Zu welchen Gerichten isst man gekochtes Obst?
3. Welches Gericht kann man essen, wenn man eine Milchallergie hat?
4. Was isst man zu Älplermagronen?

Und in Ihrer Sprache?

1 Sie sitzen mit einer Freundin / einem Freund in einem Restaurant. Sie/Er spricht nicht so gut Deutsch. Sie fragen den Kellner, was er empfiehlt. Hören Sie seine Antwort und machen Sie Notizen.

2 Berichten Sie Ihrer Freundin / Ihrem Freund in Ihrer Muttersprache.

Suppe:
Hauptgericht:
Nachtisch:

1 Über Essgewohnheiten sprechen / Vorlieben ausdrücken

1.1 Was essen die Personen gern? Was essen sie nicht? Ordnen Sie zu und schreiben Sie Sätze.

a ☒   b (Bananen) ✓   c ☒ (Fisch)   d (Tomaten) ✓   e ✓   f (Steak) ✓

1. |a| Rebekka: Ich esse vegan.

2. |☐| Pietro: Nachmittags esse ich gern Obst.

3. |☐| Mario: Wenn ich Nüsse esse, bekomme ich eine Allergie.

4. |☐| Ina: Ich habe eine Fischallergie.

5. |☐| Tom: Ich esse viel Gemüse.

6. |☐| Olga: Am liebsten esse ich Steak.

Punkte 5

1a Rebekka isst keine Eier.

1.2 Was essen Sie gern? Was essen Sie nicht gern? Schreiben Sie Sätze mit *etwas* und *nichts*.

süß – salzig – bitter – sauer – frisch – scharf

1. morgens   2. mittags   3. nachmittags   4. abends

Punkte 4

2 Ein Restaurant empfehlen/vorschlagen – zustimmen – ablehnen. Bringen Sie die Sätze in die richtige Reihenfolge.

a ☐ Oh, Eis esse ich sehr gern. Das probiere ich.

b ☐ Mein Lieblingsrestaurant heißt *Al Capone*. Es ist ein italienisches Restaurant. Es gibt dort leckere Nudelgerichte mit Gemüse.

c ☐ Ich möchte mit meinem Freund vegetarisch Essen gehen. Welches Restaurant können Sie mir empfehlen?

d ☐ Und welcher Nachtisch schmeckt Ihnen im *Al Capone* besonders gut?

e ☐ Ich empfehle Ihnen das Schokoladeneis mit Kirschen.

Punkte 5

3 Im Restaurant bestellen – reklamieren – bezahlen. Schreiben Sie die Dialoge in Ihr Heft.

1. ⌂ Haben Sie schon gewählt? ⌷ ... (*Steak, Pommes, Champignons*) ⌂ Sehr gern.

2. ⌂ ... (*Suppe zu kalt*) ⌷ Das tut mir leid. Ich bringe Ihnen eine neue.

3. ⌂ Gibt es ein Problem? ⌷ Ja, ... (*falsche Rechnung: kein Nachtisch*) ⌂ Darf ich mal sehen? Ja, Sie haben Recht. Entschuldigung!

Punkte 6

Punkte gesamt
17–20: Super!
11–16: In Ordnung.
0–10: Bitte noch einmal wiederholen!

Seite 106–107

die Altstadt, -ä-e _____

    aromatisch _____

    authentisch _____

die Beilage, -n _____

    Was empfehlen Sie mir als Beilage? _____

    _____

    bitter _____

die Erdnuss, -ü-e _____

    frisch _____

das Fruchteis (Sg.) _____

das Gericht, -e _____

das Gewürz, -e _____

das Hauptgericht, -e _____

die Kantine, -n _____

    mild _____

das Motto, -s _____

der Nachtisch (Sg.) _____

    Als Nachtisch nehme ich ... _____

    _____

die Nuss, -ü-e _____

    perfekt _____

    salzig _____

    scharf _____

die Suppe, -n _____

    vegan _____

    vegetarisch _____

    verwenden _____

die Zutat, -en _____

Seite 108–109

die Bohne, -n _____

der Champignon, -s _____

das Essig (Sg.) _____

die Forelle, -n _____

die Gabel, -n _____

der Grill, -s _____

das Kartoffelpüree, -s _____

die Kirsche, -n _____

der Knoblauch (Sg.) _____

das Lammkotelett, -s _____

der Löffel, - _____

das Messer, - _____

die Olive, -n _____

der Pfeffer (Sg.) _____

der Rotwein, -e _____

das Schnitzel, - _____

die Serviette, -n _____

das Steak, -s _____

    trocken _____

    Dieses Steak ist sehr trocken. _____

die Vorspeise, -n _____

Seite 110–111

der Betrieb, -e _____

    braten, er/sie brät, er/sie hat gebraten _____

der Feinschmecker, - _____

das Gebäck, -e _____

der Gulasch, -e _____

die Identität, -en _____

der Knödel, - _____

der Pfannkuchen, - _____

    regional _____

    ursprünglich _____

    Das Schnitzel kommt ursprünglich aus Italien. _____

1 Kaufen oder shoppen? Was ist das? Ergänzen Sie.

→

1. Das Kleid passt mir nicht. Ich brauche eine andere ...
2. In diesem Gebäude gibt es viele verschiedene Geschäfte, Cafés und Restaurants.
3. Man bekommt sie in den Geschäften und man kann den Einkauf tragen. Sie ist aus Plastik.

↓

4. Ich möchte wissen, ob die Hose passt. Ich muss sie ...
5. Hier kann man in einem Geschäft bezahlen.
6. In diesem Gebäude gibt es viele Parkplätze.
7. Tipps (beim Einkaufen) geben; sagen, was man gut findet und warum
8. sehr genau sehen oder gucken
9. Dieses Geschäft hat ein besonderes Angebot an Kleidung oder Schuhen.

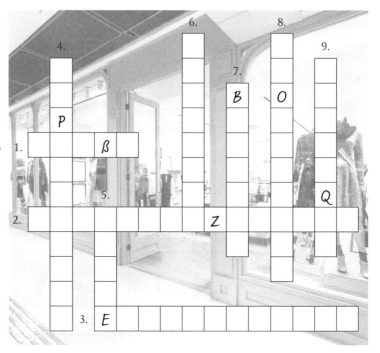

2 Leserbriefe

2.1 Was passt? Ergänzen Sie in der richtigen Form.

shoppen gehen – Zeit brauchen – ~~Geld ausgeben~~ – sinnlose Dinge – das Verhalten beschreiben

1. Sie will für ein Auto sparen. Deshalb kann sie nicht so viel *Geld* _____ *ausgeben* _____ .

2. Im Einkaufszentrum habe ich alle Geschäfte in der Nähe. Deshalb _____ ich nicht viel _____ .

3. Ich liebe Boutiquen und Designer-Geschäfte, denn ich _____ gern

   _____ .

4. Herr Schuster sitzt gerne in Einkaufszentren. Er beobachtet und

   _____ von den Leuten.

5. Wenn man emotional einkauft, gibt man oft Geld für _____ aus.

2.30 🔘 **2.2** Was ist falsch? Hören Sie und streichen Sie die falsche Antwort durch.

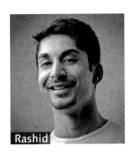

1. Angelika stimmt der Meinung von Herrn Schuster *zu / nicht zu*.

2. Rashid findet, dass Herr Schuster *Recht hat / nicht Recht hat*.

2.30 🔘 **2.3** Was ist richtig? Hören Sie noch einmal und kreuzen Sie an.

	richtig	falsch
1. Angelika geht gern mit ihren Freundinnen shoppen.	☐	☐
2. Ihre Freundinnen kaufen meistens etwas.	☐	☐
3. Rashids Freundin bestellt lieber im Online-Shop.	☐	☐
4. Rashid geht am liebsten allein shoppen.	☐	☐

2.4 Und Sie? Wie ist Ihre Meinung? Lesen Sie noch einmal den Artikel im Kursbuch auf Seite 112 und schreiben Sie einen Leserbrief an Herrn Schuster. Achten Sie auch auf die Anrede und den Gruß.

Sehr geehrter Herr Schuster,
ich finde ...

3 Relativsätze (Nominativ): Ein Parkplatz, der …

3.1 Hauptsätze und Relativsätze. Was passt zusammen? Verbinden Sie.

1. Ich suche einen Baumarkt,
2. Ich suche eine Buchhandlung,
3. Ich möchte ein Einkaufszentrum,
4. Ich liebe Boutiquen,
5. Ich mag keine Geschäfte,
6. Ich brauche eine Verkäuferin,
7. Ich habe schon viele Verkäufer getroffen,
8. Ich fahre nicht gern zu einem Supermarkt,

a das abends lange geöffnet hat.
b die keine Zeit für die Kunden hatten.
c die auch Bücher auf Englisch hat.
d der nicht genug Parkplätze hat.
e der ein großes Angebot hat.
f die unfreundliche Verkäufer haben.
g die elegante Mode anbieten.
h die gut beraten kann.

3.2 Schreiben Sie die Sätze aus 3.1 und markieren Sie die Bezugswörter und die Relativpronomen wie im Beispiel.

*1e Ich suche einen **Baumarkt**, **der** ein großes Angebot hat.*

3.3 Und Sie? Schreiben Sie Relativsätze.

mich persönlich beraten – freundlich sein – viele/wenige Verkäufer haben – viele/wenige Parkplätze haben – Zeit für mich haben – günstig/teuer sein

1. Ich möchte ein Einkaufszentrum, *das* ...

2. Ich brauche einen Verkäufer,

3. Ich mag keine Geschäfte,

4. Ich suche immer eine Verkäuferin,

3.4 Personen im Einkaufszentrum. Schreiben Sie Definitionen wie im Beispiel.

der Optiker/die Optikerin

der Kellner/die Kellnerin

der Gast

der Verkäufer/die Verkäuferin

der Kunde/die Kundin

die Reinigungskraft

in einem Geschäft etwas kaufen – in einem Geschäft arbeiten und Dinge verkaufen – in einem Café oder Restaurant sitzen und etwas essen oder trinken – im Café oder Restaurant das Essen und die Getränke bringen – Kunden beraten und Brillen verkaufen und reparieren – im Einkaufszentrum putzen

> 1. Ein Optiker/eine Optikerin ist eine Person, die Kunden berät und ...
> 2. Ein Kellner/eine Kellnerin ist ein Mensch, ...

4 Im Einkaufszentrum

4.1 Durchsagen im Kaufhaus. Was ist falsch? Hören Sie und streichen Sie durch. 2.31

1. Im Januar ist *Kinderkleidung/Spielzeug* im Angebot.
2. Das Geschäft hat von *7 bis 14 Uhr/9 bis 20 Uhr* geöffnet.
3. Das Café-Restaurant „Panorama" bietet *heute/jeden Sonntag* Kaffee- und Kuchenspezialitäten an.
4. Heute gibt es *Sportschuhe/Herrenschuhe* besonders günstig.
5. Im ersten Stock gibt es *Parfüms/Seifen* im Sonderangebot.

2.32 **4.2** Diktat. Hören und ergänzen Sie. Benutzen Sie die Pausentaste (⏸).

Ich kenne ein tolles Einkaufszentrum, _____

_____ : Das *Mira* in München. _____ .

Ich liebe _____ und ich kaufe gerne _____ , _____ ,

_____ , manchmal auch Möbel oder _____

_____ von meiner Schwester. _____ ,

es in einem Einkaufszentrum auch _____ ,

weil ich gerne kleine Pausen mache und _____ .

4.3 Wie heißen die Geschäfte? Schreiben Sie die Wörter mit Artikel.

1.

2.

3.

4.

5.

6.

7.

8.

9.

4.4 Wiederholung: Nebensätze mit *wenn*. Wo kaufen Sie was? Schreiben Sie Sätze wie im Beispiel.

der Drucker, die Sonnenbrille, der E-Book-Reader, die Jackett, die Gewürze, das Papier, der Reiseführer, die Krawatte, das Parfüm, der Kamillentee, die Sonnencreme, das Hemd, die Seife, die Schere, der Lippenstift, das Ladekabel, die Zeitschrift, der Fotoapparat, das Kinderbuch, die Schmerztabletten (Pl.)

Wenn ich einen Reiseführer suche, gehe ich in eine Buchhandlung.

2.33 **4.5** Karaoke. Hören Sie und sprechen Sie die 👄-Rolle.

👄 Sag mal, wo ist der Elektromarkt, der gerade Fernseher im Angebot hat?

👂 …

👄 Ja, es gibt eine Buchhandlung, die sehr viele englische Bücher hat, im zweiten Stock, rechts neben der Drogerie.

👂 …

👄 Okay. Und danach gehen wir in das Restaurant, das diese leckeren vegetarischen Suppen hat.

👂 …

4.6 In welchen Stock muss man gehen? Lesen Sie und kreuzen Sie an.

Kaufhaus

4. Stock: Fotoapparate – Elektroartikel – Laptops – Computer – Tablets – Smartphones – Drucker – Software – Fernseher – Spielzeug – Kinderkleidung – Kinderschuhe – Restaurant

3. Stock: Kinderwagen – Möbel – Lampen – Gardinen – Teppiche – Artikel für Küche und Bad – Handtücher – Dekorationsartikel für die Wohnung

2. Stock: Herrenmode – Kleidung für Büro und Freizeit – Mäntel und Jacken – Sportkleidung – Sportschuhe – Fahrräder – Schuhreparatur – Reparatur von Uhren und Kleingeräten – CDs und DVDs – Geschenkartikel

1. Stock: Damenmode – Kostüme – Mäntel – Abendkleider – Koffer – Reisebüro – Flugtickets – Bustouren – Urlaubsreisen – Hotelbuchungen – Kundentoilette

Erdgeschoss: Schreibwaren – Bücher – Zeitungen und Zeitschriften – Kosmetik – Parfüms – Taschen – Uhren und Schmuck – Optiker – Blumen – Zigaretten – Schlüssel-Dienst – Theaterkarten – Information

1. Ihre Uhr ist kaputtgegangen und Sie möchten eine neue kaufen.
   a ☐ Erdgeschoss
   b ☐ 2. Stock
   c ☐ anderer Stock

2. Sie fliegen nach Indonesien und brauchen deshalb eine Sonnencreme.
   a ☐ 1. Stock
   b ☐ 2. Stock
   c ☐ anderer Stock

3. Herr Wagner braucht ein neues Jackett für die Arbeit.
   a ☐ 4. Stock
   b ☐ 1. Stock
   c ☐ anderer Stock

4. Frau Jin sucht Papier und Stifte zum Malen.
   a ☐ 4. Stock
   b ☐ Erdgeschoss
   c ☐ anderer Stock

5 Relativsätze (Akkusativ): Wo ist der Laden, den …?

5.1 Wiederholung: Verben mit Akkusativ. Unterstreichen Sie den Akkusativ und markieren Sie das Verb wie im Beispiel.

💬 Ich brauche eine Sonnencreme. Hast du hier im Einkaufszentrum eine Drogerie gesehen?
👍 Nein, ich denke, es gibt hier keine Drogerie. Aber die Apotheke im 1. Stock hat auch gute Cremes.
💬 Gut, dann gehe ich zur Apotheke. Da kann ich auch noch meinen Bio-Kamillentee kaufen.
👍 Bringst du mir eine Packung Schmerztabletten mit? Ich habe Zahnschmerzen.
💬 Ja, klar. Aber ich kenne auch einen guten Zahnarzt hier im Einkaufszentrum. Willst du nicht lieber zum Zahnarzt gehen?
👍 Hmm, mal gucken … Ich mag keine Ärzte.

5.2 Was passt? Ordnen Sie den Dialog.

a ⌑1⌑ Hallo, Diana, kannst du mir einen Tipp geben? Ich brauche ein Geschenk für Martin.

b ☐ Das ist auch eine gute Idee. Sag mal, wie heißt die Buchhandlung, die du letzte Woche gesehen hast?

c ☐ Ja, oder du schenkst ihm ein Buch, das er für die Reise brauchen kann: einen guten Reiseführer zum Beispiel.

d ☐ Stimmt. Deshalb habe ich gedacht, ich schenke ihm ein Heft von diesen Comics, die in Brasilien gerade in sind und die dort jeder kennt.

e ☐ Das ist einfach. Du kennst doch das Eiscafé, das im Sommer immer Eistorten hat? Die Buchhandlung ist hinter dem Eiscafé links.

f ☐ Martin? Das ist doch der <u>Typ</u>, <u>den</u> du vom Sprachkurs kennst und <u>der</u> im September nach Brasilien fliegt, oder?

g ☐ Hmm, in der Fußgängerzone? Wo genau?

h ☐ Das ist der *Lesetempel* im Einkaufszentrum, eine kleine Buchhandlung, die auch nicht so teuer ist. Aber das beste Geschäft für Reiseführer, das ich kenne, ist in der Fußgängerzone.

5.3 Markieren Sie in 5.2 die Bezugswörter und die Relativpronomen wie im Beispiel. Ergänzen Sie dann die Tabelle.

		Relativpronomen im Nominativ	Relativpronomen im Akkusativ
m.	der Typ	*der*	*den*
n.	das Buch, das Geschäft, das Eiscafé		
f.	die Buchhandlung		
Pl.	die Comics		

5.4 Schreiben Sie Relativsätze im Akkusativ.

1. Wie findest du das Parfüm, *das ich ...* _____?
   (Ich habe dir das Parfüm empfohlen.)

2. Wie gefällt dir die Krawatte, _____?
   (Du hast die Krawatte anprobiert.)

3. Willst du den Drucker kaufen, _____?
   (Du hast den Drucker gestern im Elektromarkt gesehen.)

4. Hast du die Zeitschriften mitgebracht, _____?
   (Ich brauche die Zeitschriften für meine Arbeit.)

5. Hast du den Schlüssel gefunden, _____?
   (Du hast den Schlüssel gestern verloren.)

5.5 Relativsätze in der Mitte vom Satz (Nominativ und Akkusativ). Schreiben Sie die Sätze.

1. Tanja, ▾, ist eine gute Freundin von mir. (Tanja hat das Jackett für mich gekauft.)
2. Der Fotoapparat, ▾, ist sehr preiswert. (Ich habe den Fotoapparat gestern gesehen.)
3. Hast du das Buch, ▾, schon gelesen? (Ich habe dir das Buch empfohlen.)
4. Der Rotwein, ▾, steht in der Küche. (Der Rotwein schmeckt dir so gut.)
5. Die Pizza, ▾, war wirklich super. (Du hast mir die Pizza gestern mitgebracht.)
6. Heute kommen meine Freunde Adisa und Sindo, ▾, für eine Woche zu mir nach Hamburg.
   (Ich habe sie vor drei Jahren im Senegal kennengelernt.)

> *1. Tanja, die das Jackett für mich gekauft hat, ist eine gute Freundin von mir.*

5.6 H. Müller, G. Baierle oder M. Keller? Wer sagt was? Lesen Sie und schreiben Sie die Namen zu den Fotos.

---

fit & modern   4/16

Wir fragen, Sie antworten:

Haben Sie ein Lieblingsgeschäft?

Bücher sind für mich etwas Besonderes. Ich liebe Bücher. Viele Leute kaufen Bücher im Internet. Das ist natürlich praktisch, aber mir gefällt das nicht. Wenn ich ein Buch kaufe, möchte ich es sehen und anfassen können. Deshalb ist mein Lieblingsgeschäft das „Lesecafé". Dort kann ich ganz gemütlich bei einer Tasse Tee viele Bücher ansehen und auch schon ein bisschen lesen. Die Verkäuferinnen im „Lesecafé" sind sehr freundlich und beraten immer gut. Ich finde jedes Mal ein Buch, das ich kaufen möchte, meistens sogar mehrere.

(W. Müller, Dresden)

Ich arbeite sehr viel. Deshalb bin ich oft unterwegs und habe wenig Zeit. Wenn ich mit der Arbeit fertig bin und einkaufen gehen kann, dann haben die Geschäfte schon geschlossen oder sie schließen gerade. Ich finde das zu hektisch. Deshalb kaufe ich am liebsten im Internet ein. Da muss ich keinen Parkplatz suchen und kann zu jeder Tageszeit shoppen, auch morgens um 10 Uhr, wenn ich in der S-Bahn sitze. Die Geschäfte liefern die Pakete direkt nach Hause. Das ist so bequem. Online-Shopping ist perfekt für mich.

(G. Baierle, Emden)

Die Läden hier in Deutschland haben nur von Montag bis Samstag geöffnet und auch nur am Tag. Das ist für mich sehr unpraktisch. Ich arbeite am Theater und komme manchmal erst nachts von der Arbeit. Und dann sehe ich, dass nichts im Kühlschrank ist. Zum Glück gibt es bei uns viele „Spätis". Das sind Geschäfte, die lange geöffnet haben, viel länger als die normalen Supermärkte. Mein Lieblings-Späti hat sogar 24 Stunden geöffnet, jeden Tag. Es gibt natürlich nicht alles, weil das Geschäft sehr klein ist. Aber die Verkäufer sind sehr nett und wir unterhalten uns jedes Mal ein bisschen.

(M. Keller, Berlin)

> Die Öffnungszeiten von den normalen Geschäften hier in Deutschland sind unpraktisch für mich.

> Ich mag gemütliche Läden und eine gute Beratung.

> Einkaufen muss schnell und einfach gehen.

5.7 Was ist richtig? Lesen Sie noch einmal und kreuzen Sie an.

	richtig	falsch
1. Herr Müller kauft gern im Internet ein, weil er das praktisch findet.	☐	☐
2. Er geht gern in eine Buchhandlung, die auch Getränke anbietet.	☐	☐
3. Frau Baierle geht immer abends einkaufen, weil sie lange arbeitet.	☐	☐
4. Sie mag Online-Shopping, weil es so bequem ist.	☐	☐
5. Herr Keller kauft oft spät abends noch Essen ein.	☐	☐
6. Sein Lieblingsgeschäft hat ein sehr großes Angebot.	☐	☐

6 Besondere Einkaufsstraßen in Deutschland

2.34 **6.1** Was passt? Hören Sie und kreuzen Sie an.

1. Frau Marquard ...
   - a ☐ begleitet Freunde beim Einkaufen.
   - b ☐ kauft gern Souvenirs.
   - c ☐ will eine Kuckucksuhr kaufen.

2. Frau Marquard ...
   - a ☐ hat schon gegessen.
   - b ☐ fährt heute noch nach Köln.
   - c ☐ geht später ins Tanzlokal.

3. Auf der Kö ...
   - a ☐ gibt es nur Mode-Geschäfte.
   - b ☐ haben die Cafés noch geschlossen.
   - c ☐ sind schon viele Leute unterwegs.

4. Kathrin Düver ...
   - a ☐ war bei einer Präsentation.
   - b ☐ beobachtet die Menschen.
   - c ☐ kauft häufig auf der Kö.

6.2 Und Sie? Gehen Sie gern shoppen? Schreiben Sie einen Text in Ihr Heft.

Und in Ihrer Sprache?

2.35 **1** Sie sind mit einer Freundin / einem Freund, die/der nicht gut Deutsch versteht, im Kaufhaus. Hören Sie und notieren Sie die wichtigen Informationen:
   – Was kann man kostenlos probieren?
   – Wo kann man es probieren?

2 Berichten Sie Ihrer Freundin / Ihrem Freund in Ihrer Muttersprache.

1 Über Shoppen und Einkaufen sprechen. Was passt zusammen? Verbinden Sie und schreiben Sie vier Sätze.

1. die Leute im Einkaufszentrum
2. sinnlos Geld
3. im Geschäft eine Hose
4. zur Kasse
5. das Verhalten von Menschen

a beschreiben
b beobachten
c gehen
d ausgeben
e anprobieren

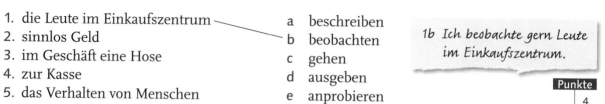
1b Ich beobachte gern Leute im Einkaufszentrum.

Punkte
4

2 Sich im Einkaufszentrum orientieren.

2.36 **2.1** Wo ist/sind …? Hören Sie und ordnen Sie zu.

1. das Café
2. der Elektromarkt
3. die Toiletten
4. das Schuhgeschäft

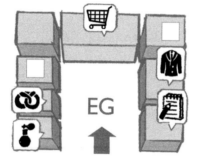
EG

1.Stock

Punkte
4

2.2 Wo kann man diese Sachen kaufen? Sehen Sie den Plan in 2.1 an und schreiben Sie Sätze.

1. ~~Brot~~   2. Herrenhosen und Hemden   3. Spielzeug   4. Sonnencreme   5. eine Uhr

1. Brot kann man in der Bäckerei im Erdgeschoss links neben der Drogerie kaufen.

Punkte
4

3 Empfehlungen geben. Was passt? Ordnen Sie zu und ergänzen Sie die Fragen.

Es bietet guten Kaffee an. – Er hat gute Fotoapparate. – Sie hat gute Cremes. – Sie beraten gut.

1. Kannst du mir eine Drogerie empfehlen, *die …* _____?

2. Kannst du mir eine Boutique mit Verkäufern empfehlen, _____?

3. Kannst du mir ein Café empfehlen, _____?

4. Kennst du einen Elektromarkt, _____?

Punkte
4

4 Über Einkaufsstraßen sprechen. Schreiben Sie vier Sätze in Ihr Heft.

Bahnhofstrasse

– *im Zentrum von Zürich*
– *1,4 km lang*
– *viele teure Boutiquen und Uhrengeschäfte*
– *viele Banken*

Punkte
4

Punkte gesamt
17–20: Super!
11–16: In Ordnung.
0–10: Bitte noch einmal wiederholen!

Seite 112–113

beobachten _____

die Kasse, -n _____

der Käufer, - _____

die Käuferin, -nen _____

das Parkhaus, -äu-er _____

persönlich _____

der Shopper, - _____

die Shopperin, -nen _____

ausgeben, er/sie gibt aus, er/sie hat ausgegeben _____

Er gibt gern viel Geld aus. _____

der Baumarkt, -ä-e _____

beschreiben, er/sie hat beschrieben _____

einzig- _____

Er ist nicht der einzige Mann, der gern einkauft. _____

der Elektromarkt, -ä-e _____

emotional _____

rational _____

sinnlos _____

das Verhalten (Sg.) _____

Seite 114–115

die Creme, -s _____

die Drogerie, -n _____

der Drucker, - _____

das Jackett, -s _____

die Kosmetik (Sg.) _____

die Krawatte, -n _____

der Optiker, - _____

das Parfüm, -s _____

die Schere, -n _____

die Seife, -n _____

der Spielzeugladen, -ä- _____

die Weinhandlung, -en _____

das Souvenir, -s _____

preiswert _____

Seite 116–117

breit _____

Die Straße ist nur 3 Meter breit. _____

nennen, er/sie hat genannt _____

die Speisekarte, -n _____

das Weinlokal, -e _____

Deutsch aktiv 13|14/Panorama VII

schick _____

die Kneipe, -n _____

die Currywurst, -ü-e _____

der Dieb, -e _____

die Diebin, -nen _____

backen, er/sie backt, er/sie hat gebacken _____

die Form, -en _____

legen _____

der Ofen, Ö- _____

1 Einladungs- und Glückwunschkarten

1.1 Was feiern die Menschen? Ordnen Sie die Fotos zu.

1. ☐ Karnevalsparty
2. ☐ Spieleabend
3. ☐ Silvesterparty
4. ☐ Weihnachtsfeier
5. ☐ Sommerfest
6. ☐ Einweihungsparty

1.2 Was passt zusammen? Ordnen Sie die Teile und schreiben Sie die zwei Einladungen in Ihr Heft.

a Deshalb möchten wir mit euch in unserer neuen Wohnung feiern!

f Bitte sagt bis zum 15. April Bescheid, ob ihr kommt.

b Liebe Grüße Miriam

g Ihr Lieben,

c Wir sind umgezogen!

h Sia und Tim

d Besucht uns am 14. Juni um 19 Uhr in der Brandstraße 3.

i ich bin jetzt schon seit 45 Jahren auf der Welt.

e Das möchte ich mit euch am 24. April ab 15 Uhr bei mir zu Hause feiern.

j Wir freuen uns auf euch!

1.3 Was passt? Ergänzen Sie.

_____ Nadine, lieber Ramon!

Herzlichen _____ zur Hochzeit!

Wir _____ uns sehr für euch!

Und wir _____ euch alles Liebe und

_____ für das gemeinsame _____.

Herzliche _____

Frieda und Tom

freuen – Glückwunsch – Grüße – Gute – Leben – Liebe – wünschen

2 Zu- und Absagen

2.37 **2.1** Mailbox-Nachrichten. Was ist was? Ordnen Sie zu.

a ☐ Einladung   b ☐ Zusage   c ☐ Absage

2.37 **2.2** Was passt? Hören Sie noch einmal die Nachrichten aus 2.1. Verbinden Sie und ergänzen Sie die Präpositionen *ab, am, am, um, von … bis*.

1. Thilo ist   a _____ 11 Uhr.

2. Meike feiert ihren Geburtstag   b _____ Freitag _____ Sonntag bei seiner Mutter.

3. Das Frühstück bei Meike beginnt   c _____ Samstag, _____ 20 Uhr.

4. Simon feiert   d _____ Sonntag.

2.3 Was feiert Ben? Lesen Sie und kreuzen Sie an.

1. ☐ seinen Geburtstag   2. ☐ seinen Schulabschluss   3. ☐ ein erfolgreiches Konzert

9:00 AM

Ich freue mich, wenn du kommst.

Hi, Ben! Danke für deine Einladung und Glückwunsch zum Abitur! Ich komme natürlich gern zu deiner Party! Ich kann erst ab 21 Uhr kommen, aber besser spät als gar nicht, oder? ☺

Mensch, Ben! Nie wieder Prüfungen! Klar, ich feiere mit dir! Soll ich etwas mitbringen? LG

○○○

Lieber Ben,

wir gratulieren dir ganz herzlich zu deinem Erfolg und danken dir für die liebe Einladung zu deiner Party. Leider können wir nicht dabei sein. Das finden wir sehr schade. Aber wir haben für diesen Abend schon seit einem Jahr Karten für ein Konzert.

Viele Grüße
Beate

2.4 Welche Sätze bedeuten das Gleiche? Markieren Sie in 2.3 und schreiben Sie.

1. Ganz herzlichen Glückwunsch zu deinem Erfolg!   3. Brauchst du noch etwas für die Feier?
2. Es tut uns leid, aber wir können nicht kommen.   4. Ich komme auf jeden Fall.

1. Ganz herzlichen Glückwunsch zu deinem Erfolg! = Wir gratulieren dir …

2.38 ○ **2.5** Welche Reaktion passt? Hören Sie und ordnen Sie zu.

a ☐ Das finde ich sehr schade.

b ☐ Oh, herzlichen Glückwunsch!

c ☐ Wie nett. Danke!

d ☐ Ja, wir haben uns sehr gefreut,
dass du uns eingeladen hast.

2.39 ○ **2.6** Karaoke. Hören Sie und sprechen Sie die 👄-Rolle.

👂 ...
👄 Hallo! Danke für deine Einladung. Ich habe mich sehr gefreut.
👂 ...
👄 Nein, ich kann leider nicht kommen. Tut mir leid.
👂 ...
👄 Ich muss an dem Abend arbeiten.
👂 ...
👄 Ja, das finde ich auch! Aber ich wünsche dir ein schönes Fest.
👂 ...
👄 Okay, ich rufe dich nach der Party wieder an. Bis dann.

2.7 Eine Zusage schreiben. Antworten Sie Andreas in einer SMS. Schreiben Sie zu jedem Punkt ein bis zwei Sätze.

– Bedanken Sie sich und sagen Sie zu.
– Erklären Sie, warum Sie etwas
   später kommen.
– Fragen Sie, ob Sie etwas mitbringen sollen.

9:00 AM

Hi, ich habe ab Juli eine neue Stelle. Juhu ☺ !!! Das möchte ich am Freitag feiern. Ab 14 Uhr bei mir zu Hause. Kommst du? LG Andreas

9:00 AM

3 Wie feierst du deinen Geburtstag?

3.1 Was passt? Ergänzen Sie.

besichtigen – feiern – gehen – grillen – machen – spielen

1. einen Ausflug und ein Picknick _____
2. mit Kaffee und Kuchen _____
3. ins Kino oder ins Schwimmbad _____
4. Würstchen _____
5. Bowling _____
6. eine Stadt _____

3.2 Was passt? Ordnen Sie zu.

a   Pizza essen gehen
d   in einer Kneipe feiern

b   im Garten grillen
e   nichts machen

c   ins Kino gehen
f   mit der Familie backen

3.3 Wiederholung: Imperativ. Eine Freundin / Ein Freund hat bald Geburtstag. Was kann sie/er am Geburtstag machen? Schreiben Sie Sätze zu den Fotos in 3.2.

1. Geh doch mit Freunden eine Pizza essen!

4 Eine Feier planen

4.1 Was ist das? Ergänzen Sie.

1. Fahrten in die Natur oder in eine Stadt = ... (Pl.)
2. eine Gruppe von Musikern = die ...
3. einen Raum schön machen = ...
4. „Alles Gute!" = einer Person zum Geburtstag ...
5. die Feier = die ...
6. Freunde zu einem Fest ...
7. Messer, Gabel und Löffel = das ...
8. einen DJ ...
9. Teller und Tassen = das ...
10. Gerät zum Musikhören = die ...
11. die Bar = die ...
12. ein Mensch, den man einlädt = ein ...

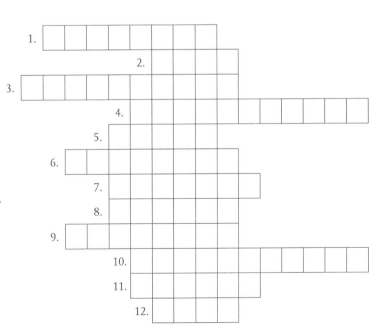

2.40 ● **4.2** Was für eine Feier planen die Freundinnen? Hören Sie und kreuzen Sie an.

1. ☐ einen Kinoabend   3. ☐ eine Überraschungsparty für Felix
2. ☐ ein Geburtstagsessen   4. ☐ eine Familienfeier zusammen mit Felix

2.40 ● **4.3** Was haben die Freundinnen schon organisiert? Hören Sie noch einmal und kreuzen Sie an. Schreiben Sie dann Sätze.

1. ☐ den DJ buchen   4. ☐ die Tische dekorieren   7. ☐ den Raum reservieren
2. ☐ die Getränke bestellen   5. ☐ das Essen organisieren   8. ☐ das Besteck bestellen
3. ☐ die Musikanlage mieten   6. ☐ die Gäste einladen   9. ☐ das Geschirr bestellen

> Sie haben schon …   Sie müssen noch …

4.4 Was passt? Lesen Sie zuerst und ergänzen Sie dann die Sätze.

🗩 Ich habe eine Idee für Jules Geburtstag. Wir können _____ .

🗩 Ich weiß nicht. Ich glaube, Jule mag keine Partys – und auch keine Überraschungen.

🗩 Aber sie wird 40! Das muss sie feiern. Wir _____ .

🗩 Zusammen grillen? Ist das nicht ein bisschen langweilig? Und ihr Garten ist sehr klein. Aber sie spielt gern Bowling.

🗩 Meinst du, wir sollen _____ ?

🗩 Ja, wir sagen ihren Freunden Bescheid und reservieren für alle.

5 Der Geburtstagsmuffel

5.1 Welche zwei Überschriften passen? Kreuzen Sie an.

☐ 1. *Du ärgerst dich, dass du älter wirst. Das ist normal, denn niemand möchte alt und grau werden. Und am Geburtstag ist es für jeden klar: Schon wieder ist ein Jahr zu Ende. Das macht keinen Spaß, aber auf deiner Party musst du natürlich gute Laune haben. Wie soll das gehen? Unmöglich!*

☐ 2. *Du kannst nicht alle deine Freunde und Kollegen einladen. So viel Platz hast du nicht in deiner Wohnung. Wenn du aber nur ein paar Freunde und Kollegen auswählst, dann sind die anderen unzufrieden. Das heißt: Immer ist jemand böse! Das ist nur Stress!*

☐ 3. *Partys sind gefährlich. Mit den Menschen kommen immer auch Krankheiten. Und du musst jedem Gast die Hand geben (Igitt!). Das ist nicht gut für die Gesundheit (Schnupfen! Husten! Erkältung! Grippe!). Sei nicht dumm, bleib allein!*

☐ 4. *Alle Gäste denken, sie können mit dir an deinem Geburtstag über dein Alter sprechen. „Na, wie fühlst du dich so – mit 30?" Willst du wirklich so blöde Fragen hören? Und: Willst du antworten?*

☐ 5. *Auf jeder Party ist die Musik immer viel zu laut. Das ist sehr ungesund. Deine Ohren werden leider auch nicht jünger (Haaallooo???). Sei nett zu ihnen!*

☐ 6. *Eine Party ist ziemlich teuer. Natürlich bekommst du auch Geschenke. Aber du kannst sicher sein, dass dir die meisten Geschenke nicht gefallen. Und: Die Geschenke sind bestimmt nicht so teuer wie das Essen und die Getränke, der DJ usw. Das heißt: Nach deiner Feier hast du kein Geld mehr und musst sparen!*

1. ☐ So macht Feiern Spaß   3. ☐ Tipps für eine coole Party
2. ☐ Deshalb sollte man keine Geburtstagsparty feiern   4. ☐ Nie wieder Geburtstagspartys!

5.2 Zu welchem Punkt in 5.1 passen die Sätze? Ordnen Sie zu.

  a Auf einer Geburtstagparty reden viele Menschen über ein Thema, das man nicht mag.
  b Geburtstagspartys kosten viel Geld, mit dem man viele tolle Dinge kaufen kann.
  c Man möchte keine Menschen treffen, von denen man nicht weiß, ob sie krank sind.
  d Kein Mensch möchte auf Partys Musik hören, bei der man sich nicht gut unterhalten kann.
  e Partys, bei denen man immer fröhlich sein muss, sind schrecklich.
  f Manchmal gibt es Ärger, weil man nicht alle Menschen einladen kann, mit denen man feiern möchte.

5.3 Wiederholung: Präpositionen mit Dativ. Was passt? Ergänzen Sie.

aus – ~~bei~~ – mit – seit – von – zu

Ich habe meinen Geburtstag *bei* ein*er* Freundin im Garten gefeiert. Ich kenne diese Freundin erst _____ ein_____ Jahr, aber sie ist super nett. Ich habe _____ viel_____ Gästen gefeiert. Ich glaube, wir waren 40 Leute. Ein besonders tolles Geschenk habe ich _____ mein_____ Onkel bekommen: Er hat einen DJ für mich gebucht! Viele Gäste hatten einen langen Weg. Sie sind _____ ein_____ anderen Stadt gekommen. Es hat mich sehr gefreut, dass alle _____ mein_____ Party gekommen sind!

5.4 Relativsätze. Was passt? Verbinden Sie.

1. Ich möchte endlich den Ausflug machen,	a mit denen wir an einen See fahren können.
2. Ich habe Lust auf ein Picknick,	b von dem wir schon so lange reden.
3. Ich habe Fahrräder ausgeliehen,	c in der ich früher oft geschlafen habe.
4. Ich zeige euch die Jugendherberge,	d bei dem es leckeres Essen gibt.

5.5 Markieren Sie die Relativpronomen, die Bezugswörter und die Präpositionen wie im Beispiel.

  1. Das <u>Essen</u>, zu dem du mich eingeladen hast, war sehr gut.

  2. Kennst du den netten Mann, mit dem ich auf deinem Geburtstag getanzt habe?

  3. Meine Tochter plant gerade die Hochzeitsfeier, von der sie immer geträumt hat.

  4. Wer waren die Freunde, bei denen du deinen Geburtstag gefeiert hast?

  5. Das Restaurant, in dem wir gegessen haben, hat eine sehr gute Speisekarte.

5.6 Was passt? Ergänzen Sie die Relativpronomen im Dativ.

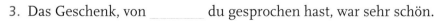

  1. Die Party, zu *der* ich gestern gefahren bin, war toll.

  2. Alle Gäste, mit _____ ich geredet habe, waren nett.

  3. Das Geschenk, von _____ du gesprochen hast, war sehr schön.

  4. Die Frau, mit _____ ich getanzt habe, hat mir gut gefallen.

  5. Die Kneipe, in _____ wir gefeiert haben, war gar nicht so groß.

  6. Den DJ, von _____ ich immer geträumt habe, kann ich leider nicht bezahlen.

5.7 Was passt? Ergänzen Sie die Relativsätze.

Alle reden immer von der Hauptstadt. – Ich habe gestern mit dem Reisebüro telefoniert. – Ich habe schon viel von den Sehenswürdigkeiten gehört. – Ich war noch nie in dem Land. – Ich muss zu dem Flughafen fahren. – ~~Ich träume schon lange von dem Urlaub.~~

1. Der Urlaub, *von dem ich schon lange träume,* kostet leider ziemlich viel Geld.

2. Das Land, _____, liegt in Asien.

3. Für die Sehenswürdigkeiten, _____, interessiere ich mich sehr.

4. Die Hauptstadt, _____, möchte ich auch gern besuchen.

5. Das Reisebüro, _____, hatte noch einen günstigen Flug im Angebot.

6. Der Flughafen, _____, ist 150 Kilometer weit weg.

2.41 ◉ **5.8** Diktat. Hören und ergänzen Sie. Nutzen Sie die Pausentaste (⏸).

Es gibt einen Tag im Jahr, _____.

Das ist mein Geburtstag. Ich lade jedes Jahr alle Menschen ein, _____

_____ und mit denen ich

mich wohlfühle. _____, denn ohne Musik ist es

schrecklich öde. Mein Geburtstag ist keine Party, _____.

Wenn manche Freunde keine Lust haben, dann _____

_____. Das ist kein Problem.

6 Der perfekte Plan für einen großen Tag

6.1 Was passt? Ergänzen Sie.

Bräutigam – Ringe – Standesamt – Hochzeit – Braut – Brautstrauß – Brautpaare

Jeder feiert seine _____ anders. Die _____ und der _____

können in der Kirche oder im _____ „Ja" sagen. Aber es gibt

auch andere Orte, an denen man heiraten kann: in einer S-Bahn, am Meer

oder auf einem Schloss. Viele _____ tragen auch heute noch

_____, mit denen sie zeigen, dass sie verheiratet sind. Oft hat

die Braut Blumen. Bei der Feier wirft sie den _____ zu ihren

Freundinnen. Man sagt, wer den Strauß bekommt, heiratet bald.

2.42 ◉ **6.2** Eine Radiosendung. Was ist das Thema? Hören Sie und kreuzen Sie an.

1. ☐ Heiraten ist unmodern
2. ☐ Hochzeiten früher und heute

3. ☐ So wollen wir heiraten
4. ☐ Pannen bei der Hochzeit

2.42 ◉ **6.3** Was passt zu wem? Hören Sie noch einmal und kreuzen Sie an.

	Ute Kleist + Ralf Heller	Sonja Thiele + Tom Lanke
1. Sie sind seit vier Jahren ein Paar.	☐	☐
2. Sie wollen ohne Gäste heiraten.	☐	☐
3. Für sie ist ein großes Fest mit Freunden wichtig.	☐	☐
4. Sie heiraten im Alten Rathaus.	☐	☐
5. Sie heiraten in den Sommerferien.	☐	☐
6. Ihren Eltern gefällt der Plan nicht.	☐	☐
7. Sie planen eine Feier im Garten.	☐	☐
8. Nach der Reise feiern sie vielleicht noch einmal zu Hause.	☐	☐

6.4 Wortbildung: Nomen auf -chen und -lein. Wie heißt das Grundwort? Ergänzen Sie das Nomen mit Artikel.

1. das Herzlein: *das Herz*

2. das Kärtchen: _____

3. das Spielchen: _____

4. das Städtchen: _____

5. das Köpfchen: _____

6. das Männlein: _____

6.5 Und Sie? Möchten Sie heiraten und wie? Oder wie haben Sie Ihre Hochzeit gefeiert? Schreiben Sie einen kurzen Text in Ihr Heft.

Und in Ihrer Sprache?

Eine Freundin / Ein Freund hat eine SMS bekommen. Sie/Er versteht nicht so gut Deutsch. Lesen Sie die SMS und erklären Sie in Ihrer Muttersprache: Was feiert Maja? Wo und wann feiert sie?

> 9:00 AM
>
> Hallo! Ich habe am Freitag Geburtstag und möchte am Samstag feiern. Kommst du auch? Ich feiere im Garten von einer Freundin, in der Weberstr. 19. Um 16 Uhr geht es los mit Kaffee und Kuchen. Aber du kannst auch später kommen. Wir feiern sicher die ganze Nacht.
> Hoffentlich bis Samstag!!! LG Maja

15 Alles klar?

1 Einladungen/Glückwünsche aussprechen.

1.1 Laden Sie Ihre Freunde ein. Schreiben Sie eine Einladung in Ihr Heft.

Sommerfest – im Garten – 15. Juli, ab 16 Uhr – Bescheid sagen bis zum 10. Juli – Getränke mitbringen – nicht vergessen: gute Laune

Punkte
6

1.2 Ihre Freundin Clara hat eine Tochter (Frieda) bekommen. Schreiben Sie eine Glückwunschkarte in Ihr Heft.

Punkte
3

2 Sich für eine Einladung bedanken, zusagen und absagen. Was passt? Ergänzen Sie.

aber ein bisschen später – Ich kann aber leider nicht kommen – Ich würde sehr gern kommen – ich komme auf jeden Fall zu deiner Party

1. Ich gratuliere dir sehr herzlich und _____ .
   Soll ich etwas mitbringen?

2. _____ , aber leider habe ich einen wichtigen Termin.

3. Ich komme sehr gern, _____ . Ich habe noch einen
   Termin beim Arzt. Soll ich einen Salat machen?

4. Danke für eure Einladung. _____ .
   Tut mir leid.

Punkte
4

3 Ein Fest/eine Feier planen.

3.1 Ein Freund will eine Party machen. Hat er an alles gedacht? Schreiben Sie Fragen.

decken – dekorieren – ~~buchen~~ – schreiben – bestellen

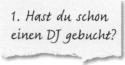

1. Hast du schon einen DJ gebucht?

Punkte
4

3.2 Sie planen eine Party. Ein Freund hat viel Erfahrung. Schreiben Sie die Fragen in Ihr Heft.

1. Wie ist die Telefonnummer von dem DJ, ...?
   (Du bist mit dem DJ immer so zufrieden.)
2. Wo ist die tolle Kneipe, ...?
   (Du hast mir von der Kneipe erzählt.)
3. Wie heißt die Firma, ...?
   (Du bestellst bei der Firma das Essen und die Getränke.)

Punkte
3

Punkte gesamt
17–20: Super!
11–16: In Ordnung.
0–10: Bitte noch einmal wiederholen!

Seite 122–123

basteln

Bescheid sagen

Bitte sag bis Samstag Bescheid, ob du kommst.

gratulieren

Ich gratuliere dir sehr herzlich!

Ihr Lieben!

rund

Ich feiere einen runden Geburtstag.

schwanger

die Überraschung, -en

zurückkommen, er/sie ist zurückgekommen

Seite 124–125

das Besteck (Sg.)

(den Tisch) decken

der DJ, -s

das Geschirr (Sg.)

(sich) langweilen

die Musikanlage, -n

öde

das Picknick, -e

Wollen wir ein Picknick machen?

der Rest, -e

schrecklich

Die Party war schrecklich öde.

der Sinn (Sg.)

träumen

Seite 126–127

ausfallen, er/sie fiel aus, er/sie ist ausgefallen

Der Strom ist ausgefallen.

die Behörde, -n

die Braut, -äu-e

der Bräutigam, -e

das Brautpaar, -e

der Brautstrauß, -äu-e

die Dekoration, -en

das Gewitter, -

das Herz, -en

der Hochzeitsplaner, -

die Hochzeitsplanerin, -nen

kaputtmachen

der Luftballon, -s

die Möglichkeit, -en

die Panne, -n

der Profi, -s

schiefgehen, es ist schiefgegangen

So kann bei einer Hochzeit nichts mehr schiefgehen.

das Standesamt, -ä-er

übernehmen

Ich kann alle Aufgaben übernehmen.

verantwortlich

Ich bin für die Überraschungsparty verantwortlich.

der Vorschlag, -ä-e

1 Das Pflasterspektakel

1.1 Was ist was? Ordnen Sie zu.

die Zuschauer / das Publikum – das Zirkuszelt – die Akrobatin – der Straßenkünstler –
der Umzug – das Kostüm – die Bühne – die Sängerin – der Infostand – die Band

1. _____		6. _____
2. _____		7. _____
3. _____		8. _____
4. _____		9. _____
5. _____		10. _____

1.2 Was passt? Verbinden Sie.

1. vor Publikum		a	werfen
2. mit Feuer		b	tragen
3. Eintritt		c	besuchen
4. im Umzug		d	jonglieren
5. Geld in den Hut		e	haben
6. ein Kostüm		f	informieren
7. auf der Bühne		g	mitlaufen
8. Spaß		h	auftreten
9. sich über das Programm		i	singen
10. eine Vorstellung		j	zahlen

1.3 Was passiert auf dem Festival in 1.1? Schreiben Sie Sätze mit den Wortverbindungen aus 1.2.

> 1h Der Straßenkünstler tritt vor Publikum auf.

1.4 Wiederholung: Wechselpräpositionen mit Dativ und Akkusativ. Wo sind die acht Clowns in 1.1 und was machen sie? Ergänzen Sie die Präpositionen und Artikel.

---
auf – auf – hinter – in – in – neben – über – unter – vor – zwischen

---

1. Clown A ist *im* _____ Umzug _____ _____ Leuten.

2. Clown B geht _____ Zirkuszelt.

3. Clown C steht _____ _____ Infostand, _____ _____ Mann mit dem Rucksack.

4. Clown D springt _____ Kiste.

5. Clown E schläft _____ Bühne.

6. Clown F klettert _____ Bühne.

7. Clown G steht _____ Kasse.

8. Clown H sitzt _____ Zelt.

2.43 **1.5** Was ist richtig? Hören Sie und kreuzen Sie an.

1. Wo findet das Festival statt?
   a ☐ Auf dem Messegelände.
   b ☐ Am Bahnhof.
   c ☐ In der Altstadt.

2. Was soll Tina tun?
   a ☐ Eintrittskarten kaufen.
   b ☐ Sophie einladen.
   c ☐ Anne Bescheid geben.

3. Wann beginnt der Samba-Umzug?
   a ☐ Um 14:45 Uhr.
   b ☐ Um 15:00 Uhr.
   c ☐ Um 16:00 Uhr.

4. Wie wird das Wetter am Sonntag?
   a ☐ Zuerst windig und kalt, danach nass.
   b ☐ Zuerst wolkig, danach sonnig.
   c ☐ Zuerst warm und trocken, danach nass.

2.43 **1.6** Was? Wann? Wo? Hören Sie die Ansagen 1. bis 3. noch einmal und machen Sie Notizen.

Was?	Wann?	Wo?	Eintritt?
Straßenkunst-Festival			
Blues-Konzert			
Samba-Umzug			

1.7 Schreiben Sie Sätze mit den Informationen aus 1.6.

> Das Straßenkunst-Festival beginnt ...

2 Interview mit einer Festival-Managerin

2.1 Was passt? Ordnen Sie zu.

Organisieren Sie alles selbst? – Was ist für ein gutes Festival wichtig? – Was macht man als Festival-Managerin? – Was gefällt Ihnen an Ihrer Arbeit am besten?

Unser Stadtmagazin   – 14–

Im Gespräch mit …
Elani Hübner, Festival-Managerin

1

Man organisiert Festivals und Feste zu Kunst, Theater, Musik oder Film. Zum Beispiel habe ich letztes Jahr ein Theaterfest in München organisiert. Das Fest hat drei Tage gedauert. Es gab drei Bühnen, wir hatten 30 Vorstellungen und über
5 10.000 Festival-Besucherinnen und -Besucher sind gekommen.

2

Vieles. Nehmen wir zum Beispiel ein Straßenkunst-Festival. Man muss gute Künstler finden und sie früh einladen. Das Programm muss viele abwechslungsreiche Attraktionen anbieten. Für die Programme und den Kartenverkauf braucht man Infostände. Zu einem erfolgreichen Festival gehört auch eine gute
10 Internetseite oder App, denn immer mehr Besucher wollen sich auch online über das Programm und die Attraktionen informieren. Wichtig ist gutes Wetter, aber leider können wir das nicht planen. Als Veranstalter ärgern wir uns über schlechtes Wetter. Das Publikum hat aber oft sogar bei Regen Spaß.

3

Nein, natürlich nicht! Das ist zu viel Arbeit für eine Person. Deshalb arbeite ich immer im Team. Eine
15 Person allein kann nicht an alle wichtigen Dinge denken.

4

Ich habe mich schon immer sehr für Kunst und Kultur interessiert. Jetzt ist das mein Job. Das finde ich toll. Ich freue mich jeden Tag auf die Arbeit, denn sie ist sehr abwechslungsreich: Jedes Festival ist ein neues Projekt und ich arbeite mit neuen Kolleginnen und Kollegen. Am liebsten würde ich einmal ein
20 internationales Lese-Festival organisieren, mit berühmten Autoren, die aus ihren Bücher vorlesen. Das ist mein großer Traum.

2.2 Was ist richtig? Kreuzen Sie an.

	richtig	falsch
1. Frau Hübner organisiert jedes Jahr ein Theaterfestival in München.	☐	☐
2. Veranstaltungsprogramme finden die Besucher nur im Internet.	☐	☐
3. Frau Hübner arbeitet immer wieder in neuen Teams.	☐	☐
4. An ihrer Arbeit gefällt ihr, dass die Projekte so unterschiedlich sind.	☐	☐

2.3 Was passt? Lesen Sie noch einmal und verbinden Sie.

1. Frau Hübner interessiert sich	a über schlechtes Wetter.
2. Sie freut sich jeden Tag	b von einem internationalen Lese-Festival.
3. Sie lädt Künstlerinnen und Künstler	c für Kunst und Kultur.
4. Frau Hübner träumt	d auf ihre Arbeit.
5. Sie ärgert sich	e zu den Straßenkunst-Festivals ein.

2.4 Schreiben Sie die Sätze in 2.3 in Ihr Heft und markieren Sie die Verben und Präpositionen.

> 1c Frau Hübner <u>interessiert sich</u> <u>für</u> Kunst und Kultur.

2.5 Ergänzen Sie die Präpositionen.

Frau Hübner, was macht Sie als Festival-Managerin so erfolgreich?

Ein großes Festival macht viel Arbeit. Aber Stress gehört _____ meiner Arbeit und ich kann sehr gut

organisieren. Vorher muss ich mich _____ die Veranstaltungsorte informieren und alles gut vorbereiten.

Manchmal vergesse ich auch etwas. Ich kann nicht _____ alle Dinge denken. Aber ich freue mich

_____ die vielen Besucherinnen und Besucher, die dann zu einem Festival kommen. Und nach einem

Festival warte ich schon _____ das nächste Projekt.

Frau Hübner, vielen Dank für das Gespräch.

2.6 Was machen die Personen? Schreiben Sie Sätze.

Susan → Linda: einladen zu

Lena: sich informieren über

Maike: sich freuen auf

Alex: sich ärgern über

Eberhard: sich interessieren für

Tom: denken an

Merle: sich freuen über

Hans: träumen von

> 1. Susan lädt Linda zum ...

3 Musikfestivals

3.1 Was passt? Ergänzen Sie.

Eintritt – klassische Musik – auftreten – Wetter – genießen – Bühnen – interessant – Spaß – informieren – Eintrittskarten – Wohnwagen – bequemer – Kleidung – Sonne – zelten

---

Los geht's! – dein Freizeitmagazin   *Seite 7*

Sommer ist Festival-Zeit

Egal, ob du dich für HipHop, Rock, Jazz oder _____ [1] interessierst: Es gibt für jeden das perfekte Musikfestival. Aber deinen Festivalbesuch musst du gut planen.

Hier sind fünf wichtige Tipps, wie du entspannt und mit viel Spaß den Festivalsommer _____ [2] kannst.

▶ Nicht jedes Festival kostet _____ [3], aber für die meisten Festivals brauchst du ein Ticket. Das solltest du so schnell wie möglich kaufen, denn viele Musikfestivals sind sehr beliebt und die _____ [4] sind schnell weg.

▶ Gemeinsam tanzt ihr besser: Ein Festivalbesuch allein kann _____ [5] sein, aber die meisten Menschen fahren lieber mit Freunden zu einem Festival. Aber Achtung! In deiner Gruppe sollten keine Festival-Muffel sein, die immer schlechte Laune haben. Das macht einfach keinen _____ [6]!

▶ Besonders abwechslungsreich ist ein Festival, wenn mehrere Musiker zur gleichen Zeit auf verschiedenen _____ [7] spielen. Deshalb solltest du dich schon vor dem Festival auf der Internetseite über das Programm _____ [8]. So weißt du, welche Bands und DJs wann und wo _____ [9].

▶ Viele Festivals dauern mehrere Tage. Oft kannst du mit deinen Freunden auf dem Festival _____ [10] oder im _____ [11] schlafen. Aber das ist nachts sehr laut und wenn ihr gut schlafen wollt, ist ein Hotelzimmer oder eine Jugendherberge ruhiger und _____ [12].

▶ Man kann nicht nur tanzen. Bestimmt möchtest du auch in der _____ [13] liegen und Musik hören. Vergiss also die Sonnencreme nicht. Leider ist das _____ [14] bei Open-Air-Festivals nicht immer gut. Deshalb sind gute Schuhe und warme _____ [15] wichtig.

3.2 Was ist das Thema? Kreuzen Sie an.

1. ☐ Die Top-5 aus dem Musikprogramm   2. ☐ Fünf Tipps zur Festival-Planung

3.3 Auf dem Festival. Beantworten Sie die Fragen in Ihrem Heft.

1. Warum sollte man die Eintrittskarten früh kaufen?
2. Mit wem sollte man zu einem Festival fahren?
3. Wie und wo kann man sich über die Bands informieren?
4. Welche Übernachtungsmöglichkeiten gibt es?
5. Warum ist die richtige Kleidung wichtig?

1. Man sollte die Eintrittskarten früh kaufen, weil ...

2.44 **3.4** Diktat. Hören und ergänzen Sie. Nutzen Sie die Pausentaste (⏸).

_____ Live-_____ , deshalb habe ich mich sehr auf die „Blues

und Folk-Tage" gefreut. Das Open-Air-Festival _____ .

_____ : nur 29 Euro für zwei Tage. Die

Musikerinnen und Musiker _____ . Viele Bands

kommen aus der Region, aber _____ .

Meine Lieblingsband dieses Jahr war *Querschläger*: _____

_____ , die auch in Deutschland bekannt ist. _____

_____ . Alle Zuschauer hatten gute Laune und _____ .

Nur über das schlechte Wetter habe ich mich geärgert – _____ .

3.5 Karin war auf einem Festival. Schreiben Sie Sätze im Perfekt in Ihr Heft.

1. Karin und zwei Freundinnen: Pop-Festival besuchen
2. Wochenende im Juni: zwei Tage lang viel Musik hören und tanzen
3. Auftritt von ihrer Lieblingsband *Blütentau* sehen
4. im Zelt schlafen
5. Wetter gut: sich freuen über

3.6 Und Sie? Haben Sie schon einmal ein Festival besucht oder möchten Sie ein Festival besuchen? Schreiben Sie einen kurzen Text in Ihr Heft.

4 Fragewörter mit *wo(r)-*: Worauf freut sie sich?

4.1 Was passt zusammen? Verbinden Sie.

1. Wovon träumst du?
2. Wofür interessiert er sich?
3. Worüber freust du dich?
4. Woran denkst du?
5. Worauf freuen sie sich?

a An den Umzug.
b Auf den Sommerurlaub.
c Von einer neuen Wohnung.
d Für den neuen Kinofilm.
e Über das schöne Wetter.

4.2 Schreiben Sie die Antworten.

1. Worauf freust du dich? → das Sommerfest
2. Worüber informieren sie sich? → die Ticketpreise
3. Wovon träumt er? → einem großen Haus
4. Wofür interessierst du dich? → Jazz-Musik
5. Worüber freut ihr euch? → das neue Spielzeug
6. Worüber ärgert sie sich? → das schlechte Essen
7. Worauf wartet ihr? → den Bus zum Festival
8. Woran denken Sie? → meine Familie

> 1. Ich freue mich auf
> das Sommerfest.

4.3 *wo-* oder *wor-*? Welche Fragewörter passen zu den Verben mit Präposition. Schreiben Sie die Fragewörter und Fragen wie im Beispiel.

1. sich freuen auf   2. sich freuen über   3. denken an   4. sich ärgern über
5. träumen von   6. sich interessieren für   7. warten auf   8. sich informieren über

> 1. sich freuen auf: worauf → Worauf freust du dich?

2.45 ◉ **4.4** Hören Sie und sprechen Sie die Fragen aus 4.3 wie im Beispiel.

> Ich freue mich auf das Wochenende.

> Wie bitte? Worauf freust du dich?

> Auf das Wochenende.

2.45 ◉ **4.5** Schließen Sie das Buch. Hören Sie noch einmal und sprechen Sie die Fragen.

5 Meine Musikinteressen

5.1 Und Sie? Wie sind Ihre Musikinteressen? Ergänzen Sie.

👂 …

👄 Ja, ich höre am liebsten _____ .

👂 …

👄 Meine Lieblingssängerin / Mein Lieblingssänger heißt _____ . /
Ich habe keine Lieblingssängerin / keinen Lieblingssänger.

👂 …

👄 Ja, ich würde gern zum _____ -Festival fahren. /
Nein, ich möchte kein Festival besuchen.

👂 …

👄 Ja, ich spiele _____ . / Nein, ich spiele kein Instrument.

2.46 ◉ **5.2** Karaoke. Hören Sie und sprechen Sie die 👄-Rolle.

6 Kühlschrankpoesie

6.1 Was klingt ähnlich? Suchen Sie Wortpaare.

Bäcker – Wecker

6.2 Bringen Sie die Zeilen in die richtige Reihenfolge.

doch wer würde ihn begleiten? – und träumt dabei von einem Pferd. –
kocht weiter und bekommt Applaus – Wie gern möchte er jetzt reiten, –
~~Ein Mann steht an seinem Herd~~ – Also bleibt er lieber zu Haus, –
~~für seine leckere Gemüsesuppe.~~

Ein Mann steht an seinem Herd

für seine leckere Gemüsesuppe.

6.3 Schreiben Sie mit einigen Wörtern aus 6.1 ein lustiges Gedicht in Ihr Heft.

Und in Ihrer Sprache?

2.47 **1** Sie hören eine Werbung für ein Stadtfest im Radio. Machen Sie Notizen.

Wo? Wann? Umzug? Eintritt? Essen und Trinken? Programm?

2 Ihre Freundin/Ihr Freund versteht kein Deutsch. Berichten Sie in Ihrer Muttersprache.

1 Ein Veranstaltungsprogramm verstehen. Beantworten Sie die Fragen und schreiben Sie Sätze in Ihr Heft.

Bands und DJs aus 14 Ländern
19.–21.06.2017

Eintritt frei
(Hutgeld nicht vergessen!)

Indie & Pop-Festival   Hannover, Stadion

ⓘ –http://www.indiealternative-hannover.org

1. Wann und wo findet das Festival statt?
2. Wer nimmt teil?
3. Wie viel kostet es?

Punkte
6

2 Von einer Veranstaltung erzählen. Ergänzen Sie die Präpositionen und Artikel.

Hallo Stefan,

viele Grüße aus Dresden. Meine Tante hat mich

_____ Straßenkunst-Festival hier

eingeladen, denn ich interessiere mich sehr

_____ Akrobatikvorstellungen. Besonders

habe ich mich _____ Straßenkünstler

gefreut, der mit Feuer jongliert hat. Aber wir

mussten sehr lange _____ großen Umzug

warten, weil es immer geregnet hat. Hast du dich

schon _____ Musikfestivals in diesem

Jahr informiert? Ich freue mich _____

Sommer und deinen Besuch bei mir in Berlin!

Das wird toll! Deine Marie

45

An

Stefan Müller

Bläsisstr. 18

CH-8029 Zürich

Punkte
6

3 Seine Musikinteressen beschreiben. Was mag Tom Reiler? Was gefällt ihm nicht? Schreiben Sie Sätze in Ihr Heft.

- Popmusik
- Madonna
- Konzert, ~~Oper~~
- eigene Band: Gitarre

Tom Reiler

Punkte
8

Punkte gesamt
17–20: Super!
11–16: In Ordnung.
0–10: Bitte noch einmal wiederholen!

Seite 128–129

sich ärgern über

Ich ärgere mich über einen leeren Kühlschrank.

der Akrobat, -en

die Akrobatin, -nen

die Akrobatik (Sg.)

denken an

Ich denke an den Urlaub.

einladen zu

Ich lade ihn zu einem Fest ein.

sich freuen auf

Ich freue mich auf die Vorstellung.

sich freuen über

Er freut sich über Erfolge.

gehören zu

Gute Laune gehört zur Straßenkunst.

das Honorar, -e

Die Künstler bekommen kein Honorar.

(sich) informieren über

Sie informiert sich über das Programm.

der Infostand, -ä-e

sich interessieren für

Ich interessiere mich für Akrobatik.

klatschen

leer

die Nation, -en

träumen von

Ich träume von einem eigenen Zirkus.

die Vorstellung, -en

Die Vorstellung findet am Bahnhof statt.

warten auf

Ich warte auf die Vorstellung.

der Zuschauer, -

die Zuschauerin, -nen

Seite 130–131

das Open Air, -s

das Lieblingsorchester, -

Seite 132–133

wachsen, er/sie wächst, er/sie ist gewachsen

Panorama VIII

die Fahne, -n

die Kutsche, -n

das Pferd, -e

reiten, er/sie ist geritten

der Reiter, -

die Reiterin, -nen

der Schneemann, -ä-er

die Uniform, -en

verbrennen, er/sie hat verbrannt

verabschieden

anmachen

Man macht das Feuer an.

die Glocke, -n

läuten

das Symbol, -e

Die Audio-Dateien und Hörtexte zum Test finden Sie unter www.cornelsen.de/panorama (Lernen/Modelltest Goethe-Zertifikat A2).

Lesen

Der Test „Lesen" hat vier Teile. Sie lesen eine E-Mail, Informationen und Artikel aus der Zeitung und dem Internet.

Teil 1

Sie lesen in einer Zeitung diesen Text. Wählen Sie für die Aufgaben 1 bis 5 die richtige Lösung a, b, oder c.

---

tagesaktuell

Seite 12   Donnerstag, 18. August 2016

„Menschen und ihre Geschichten haben mich schon immer interessiert"

Seit acht Jahren moderiert Thomas Schäfer die Sendung „Im Gespräch mit ..." Immer drei Personen sprechen eine Stunde mit ihm über ihr Leben. Die internationalen Gäste sind bekannt aus Politik, Musik oder Film und Fernsehen.

Die Zuschauer mögen die Sendung, weil Thomas Schäfer immer interessante Fragen stellt. Der Moderator findet auch nach vielen Jahren immer noch interessant, dass er jede Woche neue Gäste trifft. „Die Sendung macht mir großen Spaß, weil ich immer andere Leute kennenlerne und alle spannende Geschichten erzählen können."

Nach dem Abitur wollte Thomas Schäfer nicht sofort studieren. Deshalb hat er ein Jahr lang eine Reise um die Welt gemacht. Das war kein Urlaub, denn er hat in jedem Land gearbeitet. Bei dieser Reise hat er viele Menschen kennengelernt und mit ihnen über ihr Leben gesprochen. Sein Buch „50 Menschen – 50 Leben", das er zehn Jahre später geschrieben hat, erzählt von dieser Zeit.

Nach seinem Studium hat er Artikel für eine Zeitung geschrieben und später für einen Radiosender gearbeitet. 2007 hat er dann erste Sendungen für das Fernsehen gemacht. Warum Thomas Schäfer so viel Spaß beim Moderieren hat, erklärt er so: „Ich mag Menschen und ich interessiere mich für ihr Leben". Das zeigt er schon seit vielen Jahren in „Im Gespräch mit ..."

Beispiel: In der Sendung „*Thomas Schäfer im Gespräch mit ...*"...

a ☐ gibt es immer einen Gast.
b ☐ kommen nur deutsche Gäste.
c ☒ sprechen immer bekannte Leute.

1. Die Sendung ist bei den Zuschauern beliebt, weil ...
   a ☐ die Gäste berühmt sind.
   b ☐ sie die Fragen interessant finden.
   c ☐ Thomas Schäfer spannende Geschichten erzählt.

2. Nach der Schule hat Thomas Schäfer ...
   a ☐ ein Jahr lang Urlaub gemacht.
   b ☐ in verschiedenen Ländern gearbeitet.
   c ☐ mit dem Studium angefangen.

3. Auf seiner Weltreise ...
   a ☐ hat er sehr viele Menschen getroffen und mit ihnen geredet.
   b ☐ hat Thomas Schäfer ein Buch geschrieben.
   c ☐ ist er mit vielen Menschen zusammen gereist.

4. Thomas Schäfer hat nach seinem Studium ...
   a ☐ zuerst für das Radio gearbeitet.
   b ☐ sofort eine Fernsehsendung gemacht.
   c ☐ in verschiedenen Jobs gearbeitet.

5. Dieser Text informiert über ...
   a ☐ einen bekannten Fernsehmoderator.
   b ☐ das Leben von verschiedenen Menschen.
   c ☐ eine beliebte Fernsehsendung.

Teil 2

Sie lesen das Fernsehprogramm für heute. Lesen Sie die Aufgaben 6 bis 10.
Welches Programm passt? Wählen Sie die richtige Antwort a, b oder c.

Programmtipps für heute

Das Erste	10:45 Uhr: Classic Open Air *(Live-Übertragung)*; 18:30 Uhr: Sportschau Fußball-Bundesliga *(Live-Übertragung)*; 20:00 Uhr: Tagesschau *(Nachrichtensendung)*; 20:15 Uhr: Tatort *(TV-Krimi)*
ZDF	18:05 Uhr: SOKO Stuttgart *(Krimi)*; 19:25 Uhr: Jazz-Konzert *(Live-Übertragung)*; 20:15 Uhr: Die Liebe lebt weiter *(Liebesfilm)*; 21:45 Uhr: heute-Journal *(Nachrichten)*
RTL	16:15 Uhr: Best of ...! *(Show)*; 19:05 Uhr: Explosiv *(Boulevard-Magazin)*; 19:40 Uhr: Gute Zeiten – Schlechte Zeiten *(Serie)*; 20:15 Uhr: Wer wird Millionär? – Das Prominenten-Special *(Quiz-Show)*
SAT 1	18:00 Uhr: Mein Geheimnis *(Doku-Serie)*; 18:55 Uhr: Jetzt wird's tierisch! *(Doku-Serie)*; 19:55 Uhr: SAT 1 – Nachrichten; 20:15 Uhr: Madagaskar 3 *(Animationsfilm ab 6 Jahre)*
ORF	14:40 Uhr: Findet Nemo *(Animationsfilm ab 6 Jahre)*; 16:55 Uhr: Sport aktuell Formel 1 *(Sportmagazin)*; 19:56 Uhr: Wetter; 20:15 Uhr: Deutschlands Berge von oben – Die Alpen *(Dokumentation)*

Beispiel: Sie möchten nach neun Uhr abends noch Nachrichten sehen.

a [x] ZDF   b [ ] Das Erste   c [ ] anderes Programm

6. Sie interessieren sich für Fußball.

a [ ] ORF   b [ ] Das Erste   c [ ] anderes Programm

7. Sie interessieren sich für klassische Musik.

a [ ] Das Erste   b [ ] ZDF   c [ ] anderes Programm

8. Ihre Tochter (8 Jahre) möchte am Nachmittag fernsehen.

a [ ] RTL   b [ ] SAT 1   c [ ] anderes Programm

9. Sie interessieren sich für die Natur und gehen gerne wandern.

a [ ] ORF   b [ ] ZDF   c [ ] anderes Programm

10. Sie möchten heute Abend etwas Romantisches sehen.

a [ ] RTL   b [ ] Das Erste   c [ ] anderes Programm

Teil 3

Sie lesen eine E-Mail.
Wählen Sie bei den Aufgaben 11 bis 15 die richtige Lösung a, b oder c.

○○○

Von:

An:

Betreff:

Hallo Jan,

ich bin gut in Frankfurt angekommen und schon einen Monat hier. Frankfurt ist eine tolle Stadt. Vieles ist ganz anders als zu Hause in Griechenland. Hier kann man viel machen, es ist nie langweilig: Es gibt viele Kinos, tolle Parks und gemütliche Bars.

Zuerst habe ich in einem Hostel gewohnt, aber jetzt habe ich eine nette Wohngemeinschaft gefunden und wohne mit zwei Studenten zusammen. Tobi kommt aus Berlin und Pedro ist Brasilianer. Abends kochen wir oft gemeinsam oder wir unternehmen etwas zusammen. Ich kann jetzt schon besser Deutsch als Englisch, denn wir sprechen meistens Deutsch.

Mein Praktikum am Flughafen ist sehr interessant und alle sind sehr sympathisch. Am Anfang hatte ich viele Fragen, aber ein Kollege hat mir alles erklärt. Jetzt fühle ich mich sicher und kann fast alles alleine machen. Der Flughafen ist sehr groß, viel größer als in Rhodos.

Letzten Dienstag war ich mit Kollegen vom Flughafen in Frankfurt Inliner fahren. Das war klasse. Von März bis Oktober finden im Stadtzentrum jeden Dienstag Inliner-Fahrten statt. Dann dürfen dort auch keine Autos fahren. Meistens nehmen sehr viele Leute an der Tour teil.

Wenn du im Sommer zu mir kommst, musst du unbedingt deine Inliner mitbringen, dann können wir mal zusammen fahren. Das wird toll. Du kannst auch gern bei mir schlafen, dann lernst du auch Tobi kennen. Pedro ist leider nicht da. Er fährt nach Brasilien. Oder möchtest du lieber im Hotel schlafen? Ich kann auch ein günstiges Zimmer organisieren. Sag einfach Bescheid.

Was gibt es Neues von dir?

Bis bald
Georgios

Beispiel: Georgios sagt, dass ...
a ☐ Frankfurt langweilig ist.
b ☒ man in Frankfurt viel machen kann.
c ☐ in Frankfurt vieles wie in Griechenland ist.

11. Georgios wohnt ...
a ☐ mit zwei deutschen Studenten.
b ☐ in einem Hostel.
c ☐ mit einem Deutschen und einem Brasilianer.

12. Georgios und seine Mitbewohner ...
a ☐ lernen zusammen Englisch.
b ☐ reden fast nur auf Deutsch.
c ☐ sprechen oft Englisch.

13. Beim Praktikum ...
a ☐ war vieles für ihn schon bekannt.
b ☐ muss er alles alleine machen.
c ☐ hat ihm ein Kollege die Arbeit erklärt.

14. In Frankfurt kann man im Sommer ...
a ☐ am Flughafen Inliner fahren.
b ☐ in der Stadt Inliner fahren.
c ☐ an einem Inliner-Wettbewerb teilnehmen.

15. Wenn Jan nach Frankfurt kommt, ...
a ☐ soll er seine Inliner mitbringen.
b ☐ will er in einem Hotel schlafen.
c ☐ lernt er Tobi und Pedro kennen.

Teil 4

Sechs Personen suchen Reiseangebote im Internet.
Lesen Sie die Aufgaben 16 bis 20 und die Anzeigen a bis f. Welche Anzeige passt zu welcher Person? Für eine Aufgabe gibt es keine Lösung. Markieren Sie dann so ☒.

a www.urlaub-am-edersee.de

Großer Campingplatz direkt am See mit jungem Publikum und vielen Freizeitmöglichkeiten: segeln oder Boot fahren, Fahrrad und Inliner fahren, wandern, schwimmen. Das ganze Jahr geöffnet und mit günstigen Preisen in der Ferienzeit. Rufen Sie uns an!

d www.hotels-in-deutschland.de

Sie sind beruflich viel unterwegs? Wir bieten ein großes Angebot an Hotels auf unserer Internetseite. Alle Hotels haben Konferenzräume. Wir haben ein großes Angebot speziell für Firmen. Einfach online buchen.

b www.sonnenhotel.de

Kleines Hotel in Strandnähe. Kommen Sie ins Sonnenhotel auf Usedom, der Insel mit den meisten sonnigen Tagen. Alle Zimmer mit Bad, Fernseher und Minibar, außerdem haben wir ein Schwimmbad. Tennisplätze und Segelverein in der Nähe. Viele attraktive Angebote.

e www.wellnessurlaub.de

Urlaub ohne Stress – Entspannung pur! Genießen Sie unser Wellnesshotel mit Sauna, Massagen und tollen Fitnessangeboten. Vergessen Sie den hektischen Alltag und gehen Sie mit uns wandern! Alle Zimmer mit Balkon und Bergblick, Frühstück inklusive.

c www.ferien-auf-dem-bauernhof.de

Urlaub auf dem Bio-Bauernhof – Entspannung für die ganze Familie. Machen Sie Urlaub weit weg von der Großstadt. Genießen Sie die gute Landluft und die schöne Natur. Für Ihre Kinder haben wir Pferde, Hühner und Katzen. Hier wohnen Sie einfach und günstig: Übernachtungen in Ferienwohnungen mit Frühstück, attraktive Preise in den Schulferien.

f www.urlaub-auf-zwei.raedern.de

Urlaub einmal anders. Sie fahren mit dem Fahrrad von einem Ort zum nächsten Ort – wir fahren Ihr Gepäck und buchen Ihre Hotelzimmer. Reisen Sie zu zweit, mit der Familie oder in einer Gruppe. Viele attraktive Städte und Orte warten auf Sie. Lesen Sie noch heute die aktuellen Angebote auf unserer Internetseite!

Beispiel: c Luis möchte mit seiner Familie Urlaub auf dem Land machen.

16. ☐ Herr Schulz sucht ein Hotel für eine Präsentation mit der Firma.

17. ☐ Robin will sich erholen und eine Stadt besichtigen.

18. ☐ Elena möchte im Meer baden und in der Sonne liegen.

19. ☐ Anna möchte eine Radtour durch Deutschland machen.

20. ☐ Frank möchte nicht so viel Geld bezahlen und am liebsten zelten.

Hören

Der Test Hören hat vier Teile. Sie hören Sendungen aus dem Radio, Gespräche, Nachrichten auf dem Anrufbeantworter und Durchsagen. Lesen Sie zuerst die Aufgaben und hören Sie dann den Text dazu.

Teil 1

Sie hören fünf kurze Texte. Sie hören jeden Text zweimal. Wählen Sie bei den Aufgaben 1 bis 5 die richtige Lösung a, b oder c.

Beispiel: Welchen Kurs können Serkan und Max nicht besuchen?

a [x] Den Computerkurs.
b [ ] Den Fotokurs.
c [ ] Den Spanischkurs.

1. Welche Frage soll man beantworten?
   a [ ] Welche Schauspieler spielen im Film?
   b [ ] Wie heißt die Sängerin / der Sänger?
   c [ ] Wie heißt der Film?

2. Wie kann man heute zum Bahnhof fahren?
   a [ ] Vom Stadtbad mit dem Bus 27.
   b [ ] Vom Stadion mit der S-Bahn.
   c [ ] Von der Messe mit der U-Bahn.

3. Was möchte Stefanie machen?
   a [ ] Mit Tina im Garten grillen.
   b [ ] Mit Tina ins Kino gehen.
   c [ ] Tina zu ihrem Geburtstag einladen.

4. Wo findet das Konzert statt?
   a [ ] Um 17 Uhr am Bahnhof.
   b [ ] Um 18 Uhr in der Messe.
   c [ ] Um 19 Uhr im Fußballstadion.

5. Wie wird das Wetter morgen im Osten von Deutschland?
   a [ ] Die Sonne scheint und es ist warm.
   b [ ] Es gibt Wolken und Regen.
   c [ ] Es ist sonnig, aber es gibt Gewitter.

Teil 2

www ◎

Sie hören ein Gespräch. Sie hören den Text einmal.
Was machen die Frau und der Mann in der Woche?

Wählen Sie für die Aufgaben 6 bis 10 ein passendes Bild aus a bis i.
Wählen Sie jeden Buchstaben nur einmal. Sehen Sie sich jetzt die Bilder an.

	Beispiel	6	7	8	9	10
Tag	Montag	Dienstag	Mittwoch	Donnerstag	Freitag	Samstag
Lösung	e					

Teil 3

Sie hören fünf kurze Gespräche. Sie hören jeden Text einmal. Wählen Sie für die Aufgaben 11 bis 15 die richtige Lösung a, b oder c.

Beispiel: Was bestellt die Frau?

a ☐   b ☒   c ☐

11. Wo treffen sich die beiden Personen?

a ☐   b ☐   c ☐

12. Was ist das Problem?

a ☐   b ☐   c ☐

13. Welches Gerät kauft der Mann?

a ☐   b ☐   c ☐

14. Wann hat der Mann einen Termin?

a ☐   b ☐   c ☐

15. Was ist passiert?

a ☐   b ☐   c ☐

Teil 4

Sie hören ein Interview. Sie hören den Text zweimal.
Wählen Sie für die Aufgaben 16 bis 20 *Ja* oder *Nein*.
Lesen Sie jetzt die Aufgaben.

Beispiel: Cem ist in der Türkei geboren.	☒ Ja	☐ Nein
16. Cem hat Deutsch von seinen Eltern gelernt.	☐ Ja	☐ Nein
17. Er hat Geige gespielt.	☐ Ja	☐ Nein
18. Cem spielt oft mit seiner Band.	☐ Ja	☐ Nein
19. Die Arbeit als Elektriker gefällt Cem.	☐ Ja	☐ Nein
20. Er will Musik studieren.	☐ Ja	☐ Nein

Schreiben

Dieser Prüfungsteil hat zwei Teile: Sie schreiben eine SMS und eine E-Mail.

Teil 1

Sie wollen mit Ihrem Freund Julian ins Kino gehen und schreiben ihm eine SMS.

– Schreiben Sie, dass der Bus Verspätung hat.
– Fragen Sie Julian, ob er schon die Eintrittskarten kaufen kann.
– Erklären Sie, dass Julian vor dem Kino warten soll.

Schreiben Sie 20 - 30 Wörter.
Schreiben Sie zu allen drei Punkten.

Teil 2

Ihre Kollegin, Frau Kaiser, ist in ein neues Haus gezogen. Sie hat Ihnen eine Einladung zu ihrer Einweihungsfeier geschickt. Schreiben Sie Frau Kaiser eine E-Mail.

– Bedanken Sie sich und sagen Sie, dass Sie kommen.
– Informieren Sie, dass Sie etwas später kommen und begründen Sie, warum.
– Fragen Sie, ob Sie etwas mitbringen sollen.

Schreiben Sie circa 30 – 40 Wörter.
Schreiben Sie zu allen drei Punkten.

Sprechen

Dieser Prüfungsteil hat drei Teile:
Sie stellen Ihrer Partnerin / Ihrem Partner Fragen zur Person und antworten ihr/ihm.
Sie erzählen etwas über sich und Ihr Leben.
Sie planen etwas mit Ihrer Partnerin / Ihrem Partner.

Teil 1

Sie bekommen vier Karten und stellen mit diesen Karten vier Fragen.
Ihre Partnerin / Ihr Partner antwortet.

Partnerin/Partner A

Partnerin/Partner B

| Geburtstag? | Lieblingsband? | Beruf? | Hobby? |

Teil 2

Sie bekommen eine Karte und erzählen etwas über Ihr Leben.

Partnerin/Partner A   Partnerin/Partner B

Teil 3

Sie wollen mit Ihrer Partnerin / Ihrem Partner in den Sommerurlaub fahren. Machen
Sie Vorschläge und reagieren Sie auf die Vorschläge von Ihrer Partnerin / Ihrem Partner.

Partnerin/Partner A   Partnerin/Partner B

- Meer
- Sommer: warm ☺
- Hotel (bequem)
- schwimmen
- in der Sonne liegen, entspannen
- abends: Disko

- Berge
- Herbst: kühl ☺
- Campingplatz (günstig)
- wandern + klettern
- Nationalpark besichtigen
- abends: am Feuer sitzen

Antwortbogen

Nachname, Vorname _____ , _____

Geburtsdatum

Institution, Ort _____ ☐☐.☐☐.☐☐☐☐

Lesen

Teil 1

	a	b	c
1	☐	☐	☐
2	☐	☐	☐
3	☐	☐	☐
4	☐	☐	☐
5	☐	☐	☐

Teil 2

	a	b	c
6	☐	☐	☐
7	☐	☐	☐
8	☐	☐	☐
9	☐	☐	☐
10	☐	☐	☐

Teil 3

	a	b	c
11	☐	☐	☐
12	☐	☐	☐
13	☐	☐	☐
14	☐	☐	☐
15	☐	☐	☐

Teil 4

	a	b	c	d	e	f	X
16	☐	☐	☐	☐	☐	☐	☐
17	☐	☐	☐	☐	☐	☐	☐
18	☐	☐	☐	☐	☐	☐	☐
19	☐	☐	☐	☐	☐	☐	☐
20	☐	☐	☐	☐	☐	☐	☐

Hören

Teil 1

	a	b	c
1	☐	☐	☐
2	☐	☐	☐
3	☐	☐	☐
4	☐	☐	☐
5	☐	☐	☐

Teil 2

	a	b	c	d	e	f	g	h	i
6	☐	☐	☐	☐	☐	☐	☐	☐	☐
7	☐	☐	☐	☐	☐	☐	☐	☐	☐
8	☐	☐	☐	☐	☐	☐	☐	☐	☐
9	☐	☐	☐	☐	☐	☐	☐	☐	☐
10	☐	☐	☐	☐	☐	☐	☐	☐	☐

Teil 3

	a	b	c
11	☐	☐	☐
12	☐	☐	☐
13	☐	☐	☐
14	☐	☐	☐
15	☐	☐	☐

Teil 4

	Ja	Nein
16	☐	☐
17	☐	☐
18	☐	☐
19	☐	☐
20	☐	☐

Markieren Sie so: ☒

Schreiben

Teil 2

G Grammatik

Wörter

1 Verben im Präsens

1.1 Regelmäßige Verben

▶ Singular **A1**, E1, S. 13; Plural **A1**, E2, S.17

Infinitiv:	kommen	heißen	arbeiten
ich	komme	heiße	arbeite
du	kommst	heißt	arbeitest
er/es/sie	kommt	heißt	arbeitet
wir	kommen	heißen	arbeiten
ihr	kommt	heißt	arbeitet
sie/Sie	kommen	heißen	arbeiten

*Bei Verben mit d oder t vor der Endung:
2. und 3. P. Sg und 2. P. Pl. +e.
du arbeitest, er arbeitet*

*Bei Verben mit s, ss, ß, x oder z vor der
Endung: 2. P. Sg. ohne s.
Heißt du Mia?*

Die Sie-Form ist wie die Plural-Form.

Wie heißen sie?

Sie heißen Monika und Valerie.

Wie heißen Sie?

Ich heiße Klaus Müller.

1.2 Verben mit Vokalwechsel

▶ **A1**, E5, S.42

Infinitiv:	a → ä fahren	e → ie lesen	e → i treffen	au → äu laufen
ich	fahre	lese	treffe	laufe
du	fährst	liest	triffst	läufst
er/es/sie	fährt	liest	trifft	läuft
wir	fahren	lesen	treffen	laufen
ihr	fahrt	lest	trefft	lauft
sie/Sie	fahren	lesen	treffen	laufen
genauso:	schlafen (du schläfst, er/sie schläft) einladen (du lädst ein, er/sie lädt ein)	sehen (du siehst, er/sie sieht)	sprechen (du sprichst, er/sie spricht) essen (du isst, er/sie isst) nehmen (du nimmst, er/sie nimmt) helfen (du hilfst, er/sie hilft)	

1.3 Unregelmäßige Verben

▶ *sein* und *mögen* **A1**, E1 , S. 13 und E2, S.17; *haben* und *möchten* **A1**, E4, S. 34; *werden* **A2**, E2, S.20; *wissen* **A2**, E8, S.64

Infinitiv:	sein	mögen	haben	möchten	werden	wissen
ich	bin	mag	habe	möchte	werde	weiß
du	bist	magst	hast	möchtest	wirst	weißt
er/es/sie	ist	mag	hat	möchte	wird	weiß
wir	sind	mögen	haben	möchten	werden	wissen
ihr	seid	mögt	habt	möchtet	werdet	wisst
sie/Sie	sind	mögen	haben	möchten	werden	wissen

1.4 Trennbare Verben

▶ A1, E5, S.45

		Position 2		Satzende
ab|holen	Wir	holen	mittags die Kinder	ab.
	Mittags	holen	wir die Kinder	ab.
W-Frage:	Wann	holst	du die Kinder	ab?
Perfekt:	Wir	haben	mittags die Kinder	abgeholt.

	Position 1	Position 2		Satzende
Ja/Nein-Frage:	Holst	du	mittags die Kinder	ab?
Imperativ:	Hol		bitte mittags die Kinder	ab!

genauso: **an**fangen (er/sie fängt an), **auf**hören (er/sie hört auf), **auf**räumen (er/sie räumt auf), **aus**gehen (er/sie geht aus), **ein**laden (er/sie lädt ein), **kennen**lernen (er/sie lernt kennen), **mit**bringen (er/sie bringt mit), **mit**kommen (er/sie kommt mit), **um**steigen (er/sie steigt um), **weg**fahren (er/sie fährt weg), **zurück**schicken (er/sie schickt zurück) ...

1.5 Modalverben

▶ *wollen* und *müssen* A1, E7, S.60; *können* A1, E8, S.65; *sollen* A1, E15, S.122; *dürfen* A1, E15, S.125

Infinitiv:	wollen	müssen	können	sollen	dürfen
ich	will	muss	kann	soll	darf
du	willst	musst	kannst	sollst	darfst
er/es/sie	will	muss	kann	soll	darf
wir	wollen	müssen	können	sollen	dürfen
ihr	wollt	müsst	könnt	sollt	dürft
sie/Sie	wollen	müssen	können	sollen	dürfen

	Position 2 Modalverb		Satzende Infinitiv
Er	will	für Franzi	kochen.
Sie	muss	heute	arbeiten.
Sie	kann	am Samstag	kommen.
Hier	darf	man nicht	rauchen.
Der Mann	soll	die nächste Straße links	fahren.

1.6 Reflexive Verben

▶ A2, E5, S.43

Er kämmt sich.

Er kämmt seine Kundin.

genauso: (sich) ansehen, (sich) anziehen, (sich) ärgern, (sich) ausziehen, (sich) rasieren, (sich) schminken, (sich) waschen ...

Ich beeile mich.
Wie fühlst du dich in deinem Alltag?
Rudi ärgert sich.

Wollen wir uns mal wieder treffen?
Ihr entschuldigt euch.
Die Kinder streiten sich.

genauso: sich erholen, sich freuen ...

1.7. Höfliche Bitte: *könnte-* ▶ **A2**, E 2, S. 18

Könnten Sie mir bitte helfen?
Könntest du mir helfen?
Könntet ihr eine Flasche Wein mitbringen?

1.8 Ratschläge geben: *sollte-* ▶ **A2**, E 12, S. 99

ich	sollte
du	solltest
er/es/sie	sollte
wir	sollten
ihr	solltet
sie/Sie	sollten

Du solltest eine Tablette nehmen.

Ihr solltet euch nicht streiten.

Sie sollten mehr Sport machen.

1.9 *würde- gern* + Infinitiv ▶ **A1**, E 16, S. 129

ich	würde
du	würdest
er/es/sie	würde
wir	würden
ihr	würdet
sie/Sie	würden

würde- + gern + *Infinitiv* ≈ möchten + *Infinitiv*

Ich würde gern ausgehen. ≈ Ich möchte ausgehen.

	Position 2		Satzende
Sandra	würde	gern lange	schlafen.
Im Urlaub	würden	wir gern einen Tauchkurs	machen.

1.10 Imperativ

Imperativ formell ▶ **A1**, E 12, S. 96

(Sie machen oft Sport.)	(Sie nehmen ab)	Nehmen Sie (doch) ab!
Machen Sie oft Sport!	(Sie vergessen)	Vergessen Sie das Lachen nicht!
	(Sie sind)	Seien Sie viel draußen!

Imperativ informell ▶ **A1**, E 12, S. 97

du:	(du gehst)	Geh (doch) ins Fitnessstudio!	(du bist)	Sei dich nicht faul!
	(du isst)	Iss viel Obst!	(du hast)	Hab keine Angst!
	(du nimmst ab)	Nimm (doch) ab!	(du schläfst)	Schlaf gut!
ihr:	(ihr geht)	Geht (doch) spazieren!	(ihr seid)	Seid viel draußen!
	(ihr esst)	Esst nicht zu viel Fett!	(ihr habt)	Habt Geduld!
	(ihr nehmt ab)	Nehmt (doch) ab!	(ihr schlaft)	Schlaft nicht zu lange!

2 Verben in der Vergangenheit

2.1 Präteritum von *sein* und *haben*

▶ Präteritum von *sein* **A1**, E 6, S. 51; von *haben* **A1**, E 8, S. 67

Infinitiv:	sein	haben
ich	war	hatte
du	warst	hattest
er/es/sie	war	hatte
wir	waren	hatten
ihr	wart	hattet
sie/Sie	waren	hatten

> Im Februar hatte ich Urlaub.

> Schön! Und wo warst du?

> Ich war in Wien und in Innsbruck.

2.2 Modalverben im Präteritum

▶ **A2**, E 8, S. 65

Infinitiv:	wollen	müssen	können	dürfen	sollen
ich	wollte	musste	konnte	durfte	sollte
du	wolltest	musstest	konntest	durftest	solltest
er/es/sie	wollte	musste	konnte	durfte	sollte
wir	wollten	mussten	konnten	durften	sollten
ihr	wolltet	musstet	konntet	durftet	solltet
sie/Sie	wollten	mussten	konnten	durften	sollten

	Position 2		Satzende
Ich	konnte	damals nicht mit dem Bus	fahren.
Ich	musste	zu Fuß zur Schule	gehen.

2.3 Präteritum von *kommen*, *geben* und *mögen*

▶ **A2**, E 11, S. 92

Infinitiv:		kommen	geben	mögen
Perfekt	er/es/sie	ist gekommen	hat gegeben	hat gemocht
Präteritum	er/es/sie	kam	gab	mochte

Es hat gebrannt und es gab viel Rauch. Deshalb kam die Polizei. Mein Vater mochte das gar nicht.

2.4 Perfekt

▶ Perfekt mit *haben* **A1**, E 10, S. 81; Perfekt mit *sein* **A1**, E 10, S. 82

		Position 2		Satzende
Perfekt *mit* haben	Ich	habe	keinen Kaffee	gekocht.
	Frau Schreiber	hat	auf meine Fragen	geantwortet.
	Am Donnerstag	haben	wir zusammen	gegessen.
Perfekt *mit* sein	Ich	bin	mit dem Flugzeug	geflogen.
	Nach vier Stunden	sind	wir in Dresden	angekommen.
	Helena	ist	zur Konferenz	gegangen.

Die meisten Verben bilden das Perfekt mit haben. *Bewegungsverben (gehen, fahren, fliegen, kommen, laufen, ankommen, ...) und einige andere Verben (passieren, bleiben, ...) bilden das Perfekt mit* sein.

Partizip II mit *ge-*

▶ **A1**, E 10, S. 81

regelmäßig	unregelmäßig
(hat) gemacht	(hat) gegessen
(hat) gearbeitet	(ist) geblieben
(hat) kennengelernt	(hat) angefangen

Partizip II ohne *ge-*

▶Verben auf *-ieren* **A1**, E 10, S. 81; untrennbare Verben **A2**, E 1, S. 11

Verben auf -ieren	regelmäßig	unregelmäßig
(hat) kopiert	(hat) bestellt	(hat) vergessen
(ist) passiert	(hat) erzählt	(ist) gefallen

Verben auf -ieren *und untrennbare Verben mit* be-, emp-, ent-, er-, ge-, ver- *bilden das Partizip II ohne* ge-.

3 Verben und Ergänzungen

3.1 Verben mit Akkusativ

▶ **A1**, E 4, S. 34

Brauchst du einen Computer?

Nein, ich brauche keinen Computer. Ich habe einen Laptop. Aber ich kaufe heute ein Smartphone.

genauso: mögen, sehen, lesen, suchen, …

3.2 Verben mit Dativ

▶ **A1**, E 14, S. 115

Die Bluse passt dir nicht. Sie ist zu groß. Aber der Rock steht dir gut!

Ja, der Rock gefällt mir auch. Aber er gehört mir leider nicht.

genauso: helfen, danken, …

3.3 Verben mit Dativ und Akkusativ

▶ **A1**, E 13, S. 109

	Person (Dativ)	Sache (Akkusativ)	
Ich zeige	dir	die Karte.	
Kannst du	mir	einen Tipp	geben?
Ich möchte	dir	etwas	schenken.
Ich bringe	meinem Vater	ein Buch	mit.

3.4 Verben mit Präpositionen

▶ **A2**, E 16, S. 129

mit Akkusativ	mit Dativ
Ich ärgere mich über den Lärm.	Ich träume von einer großen Reise.
Du freust dich auf das Wochenende.	Tina lädt alle Freunde zu ihrem Geburtstag ein.
Wir warten auf den Zug.	Der Akku gehört zu dem Laptop.

Eine Liste der Verben mit Präpositionen finden Sie auf Seite 194.

4 Artikel und Nomen

4.1 Artikelwörter

▶ definit und indefinit **A1**, E 3, S. 28; negativ **A1**, E 3, S. 29; Possessivartikel **A1**, E 6, S. 49

	maskulin		neutral		feminin		Plural	
definit	der	Mann	das	Kind	die	Frau	die	Freunde
indefinit	ein	Mann	ein	Kind	eine	Frau	–	Freunde
negativ	kein	Mann	kein	Kind	keine	Frau	keine	Freunde
Possessivartikel	mein	Mann	mein	Kind	meine	Frau	meine	Freunde

4.2 Singular und Plural

▶ **A1**, E 3, S. 28

Singular	Plural	Endung	Singular	Plural	Endung
der Stift	die Stifte	-e	die Brille	die Brillen	-n
der Stuhl	die Stühle	-ü-e	die Tür	die Türen	-en
das Bild	die Bilder	-er	das Handy	die Handys	-s
das Buch	die Bücher	-ü-er	die Freundin	die Freundinnen	-nen
der Computer	die Computer	-			

Lernen Sie neue Nomen immer mit Artikel und Plural!

4.3 Nominativ, Akkusativ, Dativ

▶ Nominativ **A1**, E 3, S. 26; Akkusativ **A1**, E 4, S. 33; Dativ **A1**, E 9, S. 74–75

Nominativ

	maskulin		neutral		feminin		Plural	
definit	der	Mann	das	Kind	die	Frau	die	Freunde
indefinit	ein	Mann	ein	Kind	eine	Frau	–	Freunde
negativ	kein	Mann	kein	Kind	keine	Frau	keine	Freunde

Akkusativ

	maskulin		neutral		feminin		Plural	
definit	den	Mann	das	Kind	die	Frau	die	Freunde
indefinit	einen	Mann	ein	Kind	eine	Frau	–	Freunde
negativ	keinen	Mann	kein	Kind	keine	Frau	keine	Freunde

Dativ

	maskulin		neutral		feminin		Plural	
definit	dem	Mann	dem	Kind	der	Frau	den	Freunden
indefinit	einem	Mann	einem	Kind	einer	Frau	–	Freunden
negativ	keinem	Mann	keinem	Kind	keiner	Frau	keinen	Freunden

4.4 Possessivartikel

▶ Nominativ und Akkusativ **A1**, E6, S.49; Dativ **A1**, E13, S.109

Nominativ

	maskulin/neutral		feminin		Plural	
ich	mein	Vater/Kind	meine	Mutter	meine	Freunde
du	dein	Vater/Kind	deine	Mutter	deine	Freunde
er/es	sein	Vater/Kind	seine	Mutter	seine	Freunde
sie	ihr	Vater/Kind	ihre	Mutter	ihre	Freunde
wir	unser	Vater/Kind	unsere	Mutter	unsere	Freunde
ihr	euer	Vater/Kind	eure	Mutter	eure	Freunde
sie/Sie	ihr/Ihr	Vater/Kind	ihre/Ihre	Mutter	ihre/Ihre	Freunde

Der Possessivartikel hat dieselben Endungen wie kein.

Akkusativ:
Ich mag meinen Vater.
Ich mag mein Kind.
Ich mag meine Mutter.
Ich mag meine Freunde.

Dativ:
Ich esse mit meinem Vater.
Ich esse mit meinem Kind.
Ich esse mit meiner Mutter.
Ich esse mit meinen Freunden.

4.5 *welch-/dies-*

▶ **A2**, E13, S.109

	maskulin	neutral	feminin	Plural
Nominativ	welcher Wein	welches Steak	welche Beilage	welche Getränke
	dieser Wein	dieses Steak	diese Beilage	diese Getränke
Akkusativ	welchen Wein	welches Steak	welche Beilage	welche Getränke
	diesen Wein	dieses Steak	diese Beilage	diese Getränke

Welcher Wein passt zu Fleisch?

Dieser Wein passt zu Fleisch.
Er kommt aus Frankreich.

Welchen Wein
empfehlen Sie zu Fisch?

Zu Fisch empfehle ich Ihnen
diesen Wein aus Italien.

4.6 Nullartikel

▶ **A1**, E7, S.58

Hast du   Zeit?
Dort gibt es   Joghurt.

*Nomen mit Nullartikel: Man kann es nicht zählen oder die Anzahl
ist nicht wichtig.*

4.7 Das Genitiv-s

▶ **A1**, E11, S.91

Das ist das Zimmer von Astrid. = Das ist Astrids Zimmer.
aber: Das ist das Zimmer von Klaus. = Das ist Klaus' Zimmer.

5 Pronomen

5.1 Personalpronomen im Nominativ, Akkusativ und Dativ

► Nominativ **A1**, E 3, S. 30; Akkusativ **A1**, E 6, S. 50; Dativ **A1**, E 13, S. 109

der → er   die → sie
das → es   die → sie (Plural)

Nominativ	Akkusativ	Dativ
ich	mich	mir
du	dich	dir
er	ihn	ihm
es	es	ihm
sie	sie	ihr
wir	uns	uns
ihr	euch	euch
sie/Sie	sie/Sie	ihnen/Ihnen

Habe ich sie schon einmal gesehen?

Ich mag ihn. Mag er mich auch?

Das Kleid steht Ihnen wirklich gut!

Wie heißen Sie?

Das Kleid steht ihr gar nicht. Es sieht schlimm aus ...

Danke. Es gefällt mir auch.

5.2 Reflexivpronomen

► **A2**, E 5, S. 43

ich	mich	wir	uns
du	dich	ihr	euch
er/es/sie	sich	sie/Sie	sich

5.3 Das Pronomen *man*

► **A1**, E 5, S. 46

In der Schweiz macht man gern Sport. = Alle / Die Schweizer machen gern Sport.
Man = *3. Person Singular.*: Hier liest man viel.

5.4 Das Pronomen *es*

► **A1**, E 14, S. 111

Es regnet. Aber morgen ist es sonnig.

5.5 Relativpronomen

► **A2**, E 14, S. 113/115; E 15, S. 125

	Nominativ	Akkusativ	Dativ
m	der	den	dem
n	das	das	dem
f	die	die	der
Pl.	die	die	denen

Relativpronomen haben fast immer die Form von definiten Artikeln.
Ausnahme ist im Dativ Plural denen.

der Parkplatz (er liegt neben dem Geschäft) = der Parkplatz, **der** neben dem Geschäft liegt
das Einkaufszentrum (es ist sehr groß) = das Einkaufszentrum, **das** sehr groß ist
die Boutique (sie hat nette Verkäufer) = die Boutique, **die** nette Verkäufer hat

6 Präpositionen

6.1 Lokale Präpositionen

Wo?	bei	Ja, wir arbeiten bei DesigNetz / beim Bäcker.	⊙
	in	Ich wohne in Köln. Ich war schon in Brasilien.	⊙
		⚠ Ich war schon in der Türkei / im Iran / in den USA.	
	gegenüber von	Die Bank ist gegenüber von der Buchhandlung	⊢▸◂⊣

bei + dem = beim; in + dem = im; gegenüber von + dem = gegenüber vom

Woher?	aus	Ich komme aus Frankfurt. Er kommt aus Deutschland.	
		⚠ Sie kommen aus dem Iran / der Türkei / den USA.	⊙→
		Ich gehe um acht aus dem Haus.	○→
	von	Ich komme um vier vom Deutschkurs.	

von + dem = vom

Wohin?	an ... vorbei	Sie gehen an der Bank vorbei.	
	bis zu	Fahren Sie bis zur Kreuzung.	
	durch	Sie sind durch das Tor gegangen.	
	gegen	Sie ist gegen den Baum gefahren.	
	nach	Sie fliegt heute nach Dresden / nach Deutschland.	
		⚠ Sie fliegt in die Türkei / in den Iran / in die USA.	
	zu	Um 8 Uhr gehe ich zum Arzt.	•→○

an + dem ... vorbei = am vorbei; (bis) zu + dem = (bis) zum;
(bis) zu + der = (bis) zur

6.2 Temporale Präpositionen

Wann?	an	Ich habe am 12. Mai Geburtstag. Am Mittwoch habe ich frei.	
		Am Abend gehe ich mit Tom ins Theater. ⚠ In der Nacht schlafen wir.	
	in	Im Juli habe ich keine Zeit. Wir fahren im Sommer weg.	
		Der Zug fährt in fünf Minuten ab.	
	um	Ich komme um acht Uhr.	
	von ... bis	Von halb acht bis acht Uhr frühstücke ich.	
	vor	Vor dem Test lerne ich.	vor nach
	nach	Nach dem Test feiere ich.	◂─┼─▸
	zwischen	Zwischen 18 und 19:30 Uhr mache ich Sport.	⊣ ⊢
Seit wann?	seit	Er lernt seit einem Monat Deutsch.	▸─⊣
Bis wann?	bis	Bis 2 Uhr / Montag / Mai habe ich frei.	─▸⊣
Ab wann?	ab	Ab 19 Uhr / Freitag / Juni bin ich zu Hause.	⊢─▸

6.3 Präpositionen: *als, aus* (Material), *für, mit, ohne*

	als	Ich arbeite als Ärztin.
	aus	Der Lampenschirm ist aus Glas.
	für	Wollen wir für Claudia kochen?
	mit	Ich nehme einen Kaffee mit Zucker. Fährst du oft mit dem Bus?
	ohne	Ich hätte gern einen Kaffee ohne Zucker.

6.4 Präpositionen mit Dativ: *aus, bei, mit, nach, seit, von, zu*

▶ **A1**, E 9, S. 75 (Ort), S. 76 (Zeit)

aus	Ich gehe um acht aus dem Haus.	
bei	Ich wohne bei meinem Freund.	bei + dem = beim
mit	Fährst du oft mit dem Bus?	von + dem = vom
nach	Nach dem Test feiere ich.	zu + dem = zum
seit	Er lernt seit einem Monat Deutsch.	zu + der = zur
von	Ich komme um vier von der Arbeit.	
zu	Um 8 Uhr gehe ich zum Arzt.	

6.5 Präpositionen mit Akkusativ: *durch, für, gegen, ohne*

▶ *für* **A1**, E 7, S. 60; *ohne* **A1**, E 7, S. 62; *durch* und *gegen* **A2**, E 1, S. 13

durch	Er fährt durch den Park.
für	Ich arbeite für dich.
gegen	Sie läuft gegen einen Mann.
ohne	Ich gehe ohne dich ins Kino.

6.6 Wechselpräpositionen: *an, auf, hinter, in, neben, über, unter, vor, zwischen*

▶ mit Dativ **A1**, E 11, S. 92; mit Akkusativ **A2**, E 7, S. 61

	Wo? (Dativ)	Wohin? (Akkusativ)
an	Das Bild hängt an der Wand.	Das Bild kommt an die Wand.
auf	Die Kiste ist auf dem Bett.	Die Kiste kommt auf das Bett.
hinter	Das Bild hängt hinter der Tür.	Das Bild kommt hinter die Tür.
in	Die Bücher sind im Arbeitszimmer.	Die Bücher kommen ins Arbeitszimmer.
neben	Der Schrank steht neben dem Bett.	Der Schrank kommt neben das Bett.
über	Die Lampe hängt über dem Tisch.	Die Lampe kommt über den Tisch.
unter	Der Tisch steht unter dem Fenster.	Der Tisch kommt unter das Fenster.
zwischen	Der Sessel steht zwischen der Tür und dem Schrank.	Der Sessel kommt zwischen die Tür und den Schrank.

an + dem = am   in + dem = im   an + das = ans   in + das = ins

7 Adjektive und Adverbien

7.1 Adjektive nach dem Nomen (prädikativ)

▶ **A1**, E 3, S. 30 und E 4, S. 36

Das Buch ist interessant. Aber ich finde, der Film ist langweilig.

7.2 Adjektive nach indefinitem und negativem Artikel

▶ **A2**, E 4, S. 35

		Nominativ			Akkusativ			Dativ	
m	ein	toller	Sänger	einen	tollen	Sänger	einem	tollen	Sänger
	kein	toller	Sänger	keinen	tollen	Sänger	keinem	tollen	Sänger
n	ein	gutes	Lied	ein	gutes	Lied	einem	guten	Lied
	kein	gutes	Lied	kein	gutes	Lied	keinem	guten	Lied
f	eine	große	Show	eine	große	Show	einer	großen	Show
	keine	große	Show	keine	große	Show	keiner	großen	Show
Pl.	–	neue	Filme	–	neue	Filme	–	neuen	Filmen
	keine	neuen	Filme	keine	neuen	Filme	keinen	neuen	Filmen

7.3 Adjektive nach definitem Artikel

▶ A2, E6, S.48

	Nominativ			Akkusativ			Dativ		
m	der	schwarze	Tisch	den	schwarzen	Tisch	dem	schwarzen	Tisch
n	das	grüne	Sofa	das	grüne	Sofa	dem	grünen	Sofa
f	die	kleine	Lampe	die	kleine	Lampe	der	kleinen	Lampe
Pl.	die	grünen	Stühle	die	grünen	Stühle	den	grünen	Stühlen

7.4 Adjektive mit *zu*

▶ A1, E11, S.91

Die Wohnung ist zu klein / zu dunkel / zu teuer.
40 Minuten mit der S-Bahn – das finde ich zu weit.

7.5 Komparativ und Superlativ

▶ A2, E3, S.29

		Komparativ	Superlativ
regelmäßig:	schön	schöner	am schönsten
	schnell	schneller	am schnellsten
	leicht	leichter	am leichtesten
mit Umlaut:	alt	älter	am ältesten
	groß	größer	am größten
	hoch	höher	am höchsten
unregelmäßig:	viel	mehr	am meisten
	gut	besser	am besten
	gern	lieber	am liebsten

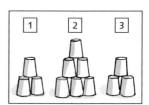

Pyramide 1 ist kleiner
als Pyramide 2.
Pyramide 1 ist
genauso hoch **wie**
Pyramide 3.

7.6 Adverbien der Häufigkeit

▶ A1, E5, S.44

Wie oft?

nie   selten   manchmal   oft   immer

🗩 Du rufst nie an, ich rufe immer an!
👍 Nein, manchmal rufe ich auch an.
🗩 Aber sehr selten.

8   Wortbildung

8.1 Berufe: maskulin und feminin

▶ A1, E2, S.16

Student   Studentin
Arzt   Ärztin
Kaufmann   Kauffrau

8.2 Komposita

▶ A1, E14, S.113

der Winter + der Mantel   der Sommer + das Kleid   der Regen + die Hose

der Wintermantel   das Sommerkleid   die Regenhose

8.3 Nomen auf *-heit, -keit, -ung*

▶ A2, E8, S.67

immer feminin: die Kindheit, die Süßigkeit, die Ausbildung

8.4 Nomen auf -chen und -lein

▶ A2, E 15, S. 126

der Hund	das Hündchen / das Hündlein	= der kleine Hund
das Herz	das Herzchen / das Herzlein	= das kleine Herz
die Karte	das Kärtchen / das Kärtlein	= die kleine Karte

Der Artikel ist immer das.

8.5 *zum* + Nomen (Infinitiv)

▶ A2, E 10, S. 83

| navigieren | zum Navigieren | Ich habe eine App zum Navigieren. |
| Zeitung lesen | zum Lesen von Zeitungen | Das ist eine App zum Lesen von Zeitungen. |

8.6 *etwas/nichts* + Nomen

▶ A2, E 13, S. 107

| klein | Ich möchte etwas Kleines. |
| scharf | Ich möchte nichts Scharfes. |

8.7 Adjektive mit -*un*

▶ A2, E 4, S. 33

sympathisch – unsympathisch, sportlich – unsportlich, interessant – uninteressant
aber: nett – nicht nett

Arno findet Lena sympathisch. Susi findet sie unsympathisch.
Mein Sohn ist sehr unsportlich. Er findet Fußball total uninteressant.

8.8 Adjektive auf -*los* und -*bar*

▶ A2, E 12, S. 97

bewusstlos	Er/Sie ist bewusstlos.	=	Er/Sie ist ohne Bewusstsein.
hilflos	Er/Sie ist hilflos.	=	Er/Sie ist ohne Hilfe.
erreichbar	Er/Sie ist erreichbar.	=	Man kann ihn/sie erreichen.
ansprechbar	Er/Sie ist ansprechbar.	=	Man kann ihn/sie ansprechen.

9 Ordinalzahlen

▶ A1, E 14, S. 107

Wann?	am	ersten/zweiten/dritten/vierten/.../siebten/...	Mai	(*Zahl* + -ten)
	am	zwanzigsten/einundzwanzigsten/...	Mai	(*ab 20: Zahl* + -sten)
Welcher Tag ist heute?	der	erste/zweite/dritte/vierte/.../siebte/...	Mai	(*Zahl* + -te)
	der	zwanzigste/einundzwanzigste/...	Mai	(*ab 20: Zahl* + -ste)

Wann ist dein Geburtstag?

Mein Geburtstag ist am neunten Mai.

Welches Datum ist heute?

Heute ist der vierte Mai.

Sätze

1 Aussagesätze

▶ **A1**, E1, S.11; E8, S.64; E9, S.75

	Position 2		Satzende
Ich	telefoniere.		
Er	heißt	Tom.	
Wir	suchen	einen USB-Stick.	
Heute Abend	gehen	wir	aus.
Tom	will	für Franzi	kochen.
Ich	bringe	ihm eine CD	mit.

2 Fragesätze

▶ **A1**, E1, S.11; E8, S.64; E9, S.75

2.1 W-Fragen

Position 1	Position 2		
Wie	heißen	Sie?	Hannah Schreiber.
Wer	bist	du?	Ich bin Mia.
Woher	kommen	Sie?	Ich komme aus Köln.
Wo	wohnst	du?	Ich wohne in Berlin.
Was	magst	du?	Ich mag Musik.
Wohin	sind	Sie gefahren?	Nach Dresden.
Wann	können	Sie kommen?	Um 7 Uhr.

2.2 Fragen mit *was für ein*

▶ **A2**, E4, S.32

	Nominativ	Akkusativ
m	Was für ein Film ist das?	Was für einen Film möchtest du sehen?
n	Was für ein Quiz ist das?	Was für ein Quiz magst du?
f	Was für eine Sendung ist das?	Was für eine Sendung möchtest du sehen?
Pl.	Was für – Serien laufen auf Pro7?	Was für – Serien magst du?

2.3 Fragen mit *wo(r)* + Präposition

▶ **A2**, E16, S.131

Wozu hast du ihn eingeladen?	Ich habe ihn zum Sommerfest eingeladen.
Wovon träumt deine Tochter?	Sie träumt von einer Weltreise.
Wofür interessiert sich Saskia?	Sie interessiert sich für klassische Musik.
Woran denkst du?	Ich denke an den Sommer.
Worüber musst du dich informieren?	Ich muss mich noch über die Preise informieren.
Worauf freut sich dein Sohn?	Er freut sich auf seinen Geburtstag.

Wenn die Präposition mit einem Vokal beginnt, ergänzt man ein r.

2.4 Ja-/Nein-Fragen

▶ **A1**, E4, S.20

Position 1	Position 2		
Magst	du	Vanilleeis?	Ja, sehr gern.
Hast	du	einen Ausflug gemacht?	Nein, ich war zu Hause.

2.5 Indirekte Fragen ▶ **A2**, E 10, S. 81

direkte Fragen: Wie viel Speicherplatz hat das Handy?
Gibt es das Handy auch in anderen Farben?

		Satzende (Verb)
Könnten Sie mir sagen,	wie viel Speicherplatz das Handy	hat?
Ich möchte noch wissen,	ob es das Handy auch in anderen Farben	gibt.

3 Ja – nein – doch ▶ **A1**, E 4, S. 35

🗩 Haben Sie Tablets?   🖒 Ja, wir haben Tablets.   🖒 Nein, wir haben leider keine Tablets.
🗩 Haben Sie keine Tablets?   🖒 Doch, wir haben Tablets.   🖒 Nein, wir haben keine Tablets.

4 Verneinung im Satz ▶ *kein* **A1**, E 3, S. 29; *nicht* **A1**, E 4, S. 32

kein Ich habe kein Handy.   nicht Ich gehe heute nicht ins Kino.
Hast du keine Lust?   Ich tanze nicht gern.
Ich durfte kein Eis essen.   Ich durfte nicht oft fernsehen.

5 Sätze verbinden

5.1 Konjunktionen *und, oder, aber* und *deshalb* ▶ **A2**, E 1, S. 14

Hauptsatz 1				Hauptsatz 2
Hier haben die Kaiser gewohnt	und	jetzt	wohnt	hier der Bundespräsident.
Sie können hier Museen besuchen	oder	Sie	gehen	in ein Konzert.
Im MQ kann man Kunst sehen,	aber	es	gibt	auch viele Cafés.

Hauptsatz 1			Hauptsatz 2
Das alles bietet das Palmenhaus,	deshalb	ist	das Kaffeehaus beliebt.

5.2 *zuerst – dann – danach* ▶ **A1**, E 11, S. 94

Zuerst habe ich in einer Dachwohnung gewohnt. Dann habe ich in einem Hochhaus gewohnt.
Danach habe ich in einem Bauernhaus gewohnt.

6 Nebensätze

6.1 *Warum?* Nebensätze mit *weil* ▶ **A2**, E 2, S. 17

Anna geht nach München. Ihr Freund lebt dort.
Anna geht nach München, weil ihr Freund dort lebt.

			Satzende (Verb)
Mario spricht etwas Deutsch,	weil	er schon Deutsch	gelernt hat.
Wir können oft sprechen,	weil	wir	skypen können.

6.2 Nebensätze mit *dass*

► **A2**, E 3, S. 27

Susi sagt: „Papageien sind intelligent.“
Susi sagt, dass Papageien intelligent sind.

			Satzende (Verb)
Susi findet,	dass	Turmspringen sehr elegant	aussieht.
Rudi sagt,	dass	er schon einen Sushi-Kurs	gemacht hat.

6.3 Nebensätze mit *wenn*

► **A2**, E 9, S. 75

Der Computer stürzt ab. Ich gehe nach Hause.
Wenn der Computer abstürzt, gehe ich nach Hause.

	Position 1 (Nebensatz) Satzende (Verb)	Position 2 (Verb)	
Wenn die Kollegin	rausgegangen ist,	hat	er sich gewundert.
Wenn Sie einen Termin	absagen müssen,	schreiben	Sie eine E-Mail.

Wenn-Sätze können auch am Ende stehen:
Ich gehe nach Hause, wenn der Computer abstürzt.

6.4 Nebensätze mit *als*

► **A2**, E 11, S. 93

Rudi war 15 Jahre alt. Er hat sich in Julia verliebt.
Rudi war 15 Jahre alt, als er sich in Julia verliebt hat.

		Satzende (Verb)
Es gab viel Rauch,	als das Feuer	gebrannt hat.
Die Eltern waren sehr böse,	als die Polizei Rudi	gebracht hat.

Als-Sätze stehen oft auch am Anfang:
Als Rudi sich in Julia verliebt hat, war er 15 Jahre alt.

7 Relativsätze

7.1 Relativsätze im Nominativ und Akkusativ

► *Nominativ* **A2**, E 14, S. 113; *Akkusativ* **A2**, E 14, S. 113

Nominativ:

Er möchte einen Parkplatz. Der Parkplatz liegt in der Nähe vom Geschäft.
Er möchte einen Parkplatz, der in der Nähe vom Geschäft liegt.

			Satzende (Verb)
Er braucht ein Geschäft,	das	lange	geöffnet hat.
Er möchte eine Verkäuferin,	die	schnell	arbeitet.
Er will Läden,	die	interessante Produkte	haben.

Akkusativ:

Ich suche den Anzug. Ich habe den Anzug gekauft.
Ich suche den Anzug, den ich gekauft habe.

			Satzende (Verb)
Ich trage das Kleid,	das	ich gestern	gesehen habe.
Ich mag die Boutique,	die	du mir	empfohlen hast.
Ich kaufe die Schuhe,	die	ich	anprobiert habe.

Der Relativsatz steht bei dem Bezugswort, manchmal in der Mitte von einem Satz.
Nominativ: Der Parkplatz, der in der Nähe vom Geschäft liegt, ist voller Autos.
Akkusativ: Der Anzug, den du gekauft hast, ist im Schrank.

7.2 Relativsätze mit Präpositionen

▶ **A2**, E 15, S. 125

Ich organisiere einen Ausflug. Bei dem Ausflug haben alle Spaß.
Ich organisiere einen Ausflug, bei dem alle Spaß haben.

			Satzende (Verb)
Mein Vater macht ein großes Fest,	zu dem	er viele Gäste	einlädt.
Meine Freundin plant die Hochzeit,	von der	sie immer	geträumt hat.
Sie hat keine Zeit für die Gäste,	mit denen	sie	feiert.

Unregelmäßige Verben

Infinitiv	3. Pers. Sg. Präsens	3. Pers. Sg. Perfekt
abfahren	er/sie fährt ab	er/sie ist abgefahren
abfliegen	er/sie fliegt ab	er/sie ist abgeflogen
abgeben	er/sie gibt ab	er/sie hat abgegeben
abnehmen	er/sie nimmt ab	er/sie hat abgenommen
abschließen	er/sie schließt ab	er/sie hat abgeschlossen
anbieten	er/sie bietet an	er/sie hat angeboten
anfangen	er/sie fängt an	er/sie hat angefangen
anhalten	er/sie hält an	er/sie hat angehalten
ankommen	er/sie kommt an	er/sie ist angekommen
anrufen	er/sie ruft an	er/sie hat angerufen
ansehen (sich)	er/sie sieht an	er/sie hat angesehen
anziehen (sich)	er/sie zieht an	er/sie hat angezogen
aufstehen	er/sie steht auf	er/sie ist aufgestanden
auftreten	er/sie tritt auf	er/sie ist aufgetreten
ausfallen	er/sie fällt aus	er/sie ist ausgefallen
ausgeben	er/sie gibt aus	er/sie hat ausgegeben
ausgehen	er/sie geht aus	er/sie ist ausgegangen
ausleihen	er/sie leiht aus	er/sie hat ausgeliehen
ausschlafen	er/sie schläft aus	er/sie hat ausgeschlafen
aussehen	er/sie sieht aus	er/sie hat ausgesehen
aussteigen	er/sie steigt aus	er/sie ist ausgestiegen
ausziehen (sich)	er/sie zieht aus	er/sie hat ausgezogen
backen	er/sie backt	er/sie hat gebacken
beginnen	er/sie beginnt	er/sie hat begonnen
behalten	er/sie behält	er/sie hat behalten
bekommen	er/sie bekommt	er/sie hat bekommen
beraten	er/sie berät	er/sie hat beraten
beschreiben	er/sie beschreibt	er/sie hat beschrieben
besprechen	er/sie bespricht	er/sie hat besprochen
bieten	er/sie bietet	er/sie hat geboten
bitten	er/sie bittet	er/sie hat gebeten
bleiben	er/sie bleibt	er/sie ist geblieben
braten	er/sie brät	er/sie hat gebraten
brennen	es brennt	es hat gebrannt
bringen	er/sie bringt	er/sie hat gebracht
denken	er/sie denkt	er/sie hat gedacht
einladen	er/sie lädt ein	er/sie hat eingeladen
einschlafen	er/sie schläft ein	er/sie ist eingeschlafen
einsteigen	er/sie steigt ein	er/sie ist eingestiegen
enthalten	er/sie enthält	er/sie hat enthalten
entscheiden	er/sie entscheidet	er/sie hat entschieden
entstehen	er/sie entsteht	er/sie ist entstanden
erkennen	er/sie erkennt	er/sie hat erkannt
essen	er/sie isst	er/sie hat gegessen
fahren	er/sie fährt	er/sie ist gefahren
fallen	er/sie fällt	er/sie ist gefallen
fernsehen	er/sie sieht fern	er/sie hat ferngesehen
finden	er/sie findet	er/sie hat gefunden

Infinitiv	3. Pers. Sg. Präsens	3. Pers. Sg. Perfekt
fliegen	er/sie fliegt	er/sie ist geflogen
freihaben	er/sie hat frei	er/sie hatte frei *(Präteritum)*
geben	er/sie gibt	er/sie hat gegeben
gefallen	er/sie gefällt	er/sie hat gefallen
gehen	er/sie geht	er/sie ist gegangen
gelten	er/sie gilt	er/sie hat gegolten
genießen	er/sie genießt	er/sie hat genossen
gewinnen	er/sie gewinnt	er/sie hat gewonnen
gießen	er/sie gießt	er/sie hat gegossen
haben	er/sie hat	er/sie hatte *(Präteritum)*
halten	er/sie hält	er/sie hat gehalten
hängen	er/sie hängt	er/sie hat gehangen
heißen	er/sie heißt	er/sie hat geheißen
helfen	er/sie hilft	er/sie hat geholfen
herunterladen	er/sie lädt herunter	er/sie hat heruntergeladen
kaputtgehen	er/sie geht kaputt	er/sie ist kaputtgegangen
kennen	er/sie kennt	er/sie hat gekannt
klingen	er/sie klingt	er/sie hat geklungen
kommen	er/sie kommt	er/sie ist gekommen
laufen	er/sie läuft	er/sie ist gelaufen
leidtun	er/sie tut leid	er/sie hat leidgetan
leihen	er/sie leiht	er/sie hat geliehen
lesen	er/sie liest	er/sie hat gelesen
liegen	er/sie liegt	er/sie hat gelegen
mitbringen	er/sie bringt mit	er/sie hat mitgebracht
mitkommen	er/sie kommt mit	er/sie ist mitgekommen
mitlaufen	er/sie läuft mit	er/sie ist mitgelaufen
mitnehmen	er/sie nimmt mit	er/sie hat mitgenommen
mögen	er/sie mag	er/sie hat gemocht
nehmen	er/sie nimmt	er/sie hat genommen
nennen	er/sie nennt	er/sie hat genannt
pfeifen	er/sie pfeift	er/sie hat gepfiffen
rausgehen	er/sie geht raus	er/sie ist rausgegangen
reiten	er/sie reitet	er/sie ist geritten
riechen	er/sie riecht	er/sie hat gerochen
scheinen	er/sie scheint	er/sie hat geschienen
schiefgehen	es geht schief	es ist schiefgegangen
schlafen	er/sie schläft	er/sie hat geschlafen
schlagen	er/sie schlägt	er/sie hat geschlagen
schließen	er/sie schließt	er/sie hat geschlossen
schneiden	er/sie schneidet	er/sie hat geschnitten
schreiben	er/sie schreibt	er/sie hat geschrieben
schreien	er/sie schreit	er/sie hat geschrien
schwimmen	er/sie schwimmt	er/sie ist geschwommen
sehen	er/sie sieht	er/sie hat gesehen
sein	er/sie ist	er/sie war *(Präteritum)*
singen	er/sie singt	er/sie hat gesungen
sitzen	er/sie sitzt	er/sie hat gesessen

Infinitiv	3. Pers. Sg. Präsens	3. Pers. Sg. Perfekt
spazieren gehen	er/sie geht spazieren	er/sie ist spazieren gegangen
sprechen	er/sie spricht	er/sie hat gesprochen
springen	er/sie springt	er/sie ist gesprungen
stattfinden	er/sie findet statt	er/sie hat stattgefunden
stehen	er/sie steht	er/sie hat gestanden
sterben	er/sie stirbt	er/sie ist gestorben
streiten (sich)	er/sie streitet	er/sie hat gestritten
stoßen (sich)	er/sie stößt	er/sie hat gestoßen
teilnehmen	er/sie nimmt teil	er/sie hat teilgenommen
tragen	er/sie trägt	er/sie hat getragen
treffen (sich)	er/sie trifft	er/sie hat getroffen
trinken	er/sie trinkt	er/sie hat getrunken
übernehmen	er/sie übernimmt	er/sie hat übernommen
umsteigen	er/sie steigt um	er/sie ist umgestiegen
umziehen	er/sie zieht um	er/sie ist umgezogen
unterhalten (sich)	er/sie unterhält	er/sie hat unterhalten
unternehmen	er/sie unternimmt	er/sie hat unternommen
unterschreiben	er/sie unterschreibt	er/sie hat unterschrieben
verbinden	er/sie verbindet	er/sie hat verbunden
verbrennen	er/sie verbrennt	er/sie hat verbrannt
vergessen	er/sie vergisst	er/sie hat vergessen
verhalten (sich)	er/sie verhält sich	er/sie hat sich verhalten
verlassen	er/sie verlässt	er/sie hat verlassen
verlieren	er/sie verliert	er/sie hat verloren
verschieben	er/sie verschiebt	er/sie hat verschoben
verschlafen	er/sie verschläft	er/sie hat verschlafen
verstehen	er/sie versteht	er/sie hat verstanden
vorlesen	er/sie liest vor	er/sie hat vorgelesen
vorschlagen	er/sie schlägt vor	er/sie hat vorgeschlagen
vorsprechen	er/sie spricht vor	er/sie hat vorgesprochen
vorbeikommen	er/sie kommt vorbei	er/sie ist vorbeigekommen
wachsen	er/sie wächst	er/sie ist gewachsen
waschen (sich)	er/sie wäscht	er/sie hat gewaschen
wegfahren	er/sie fährt weg	er/sie ist weggefahren
wegfliegen	er/sie fliegt weg	er/sie ist weggeflogen
weglaufen	er/sie läuft weg	er/sie ist weggelaufen
wegwerfen	er/sie wirft weg	er/sie hat weggeworfen
wehtun	er/sie tut weh	er/sie hat wehgetan
werden	er/sie wird	er/sie ist geworden
werfen	er/sie wirft	er/sie hat geworfen
widersprechen	er/sie widerspricht	er/sie hat widersprochen
wiederkommen	er/sie kommt wieder	er/sie ist wiedergekommen
wissen	er/sie weiß	er/sie hat gewusst
zurückkommen	er/sie kommt zurück	er/sie ist zurückgekommen
zurückliegen	er/sie liegt zurück	er/sie hat zurückgelegen
zusammenhalten	sie halten zusammen	sie haben zusammengehalten

Verben mit Präpositionen

Infinitiv	Beispielsatz
sich ärgern über (Akk.)	Er ärgert sich über den lauten Umzug.
denken an (Akk.)	Sie denkt an den Sommer.
einladen zu (Dat.)	Ich lade dich zu meiner Geburtstagsfeier ein.
sich freuen auf (Akk.)	Ich freue mich auf den Urlaub.
sich freuen über (Akk.)	Er freut sich über den günstigen Tarif.
gehören zu (Dat.)	Gute Laune gehört auch zu einer Party.
(sich) informieren über (Akk.)	Sie informiert sich über den Vertrag.
sich interessieren für (Akk.)	Ich interessiere mich für den neuen Film.
träumen von (Dat.)	Sie träumt von einem eigenen Haus.
warten auf (Akk.)	Er wartet auf den Krankenpfleger.

Notizen

Lösungen

1 Auf Reisen

1.1
1. Flugticket – 2. Gepäck – 3. Abflug –
4. Eintrittskarte – 5. Flughafen – 6. Ankunft –
7. Postkarte – 8. Reisepass
Lösungswort: Semesterferien

1.2
1. g – 2. a – 3. f – 4. e – 6. h – 7. c – 8. d

1.3
Beispiel: 1. Wir möchten einen Flug buchen. –
2. Ich muss den Rucksack packen. – 3. Marti hat den
Reisepass vergessen. – 4. Jetzt wollen wir die Stadt
besichtigen. – 5. Ein Freund hat uns ein Hotel
empfohlen. – 6. Wir haben keinen Sitzplatz
bekommen. – 7. Sie hat uns den Weg erklärt. –
8. Wir haben sie nach dem Weg gefragt.

1.4
1. *von* – nach – mit
2. am – um
3. im – in – von – bis
4. nach – in

1.5
a 5 – b 8 – c 2 – d 4 – e 3 – g 6 – h 7

1.6
Beispiel: Dort <u>haben</u> sie viele Sehenswürdigkeiten
<u>gesehen</u> und <u>haben</u> viel <u>fotografiert</u>. Dann <u>sind</u> sie zu
einer Freundin nach Paros <u>gefahren</u>. Dort <u>haben</u> sie oft
im Meer <u>gebadet</u>. Sie <u>sind</u> oft am Abend <u>ausgegangen</u>.
Sie <u>sind</u> auch einmal in den Bergen <u>gewandert</u>. In Linz
<u>sind</u> sie ins Konzert <u>gegangen</u>.

2.1

regelmäßige Verben	
(_)ge__(e)t	**__(e)t**
gebucht (buchen)	entschuldigt (entschuldigen)
gebadet (baden)	erklärt (erklären)
gepackt (packen)	passiert (passieren)
gesucht (suchen)	besichtigt (besichtigen)
kennengelernt (kennenlernen)	besucht (besuchen)
	diskutiert (diskutieren)

unregelmäßige Verben	
(_)ge__en	**__en**
gegessen (essen)	bekommen (bekommen)
gegangen (gehen)	vergessen (vergessen)
gefahren (fahren)	empfohlen (empfehlen)
	verstanden (verstehen)

2.2
passieren – gehen – fahren

2.3
1. haben ... gepackt
2. haben ... besichtigt
3. hat ... erklärt – haben ... verstanden –
   haben ... gesucht
4. haben ... besucht
5. hat ... gebucht
6. hat ... bekommen

2.4
1. einen Flug nach Rom im Internet buchen – 2. den
Koffer packen – 3. zum Flughafen fahren – 4. in Rom
ankommen, aber der Koffer nicht da sein – 5. zur
Information gehen und das Problem erklären – 6. nach
zwei Tagen die Sachen endlich bekommen

2.5
Beispiel: Dann hat sie ihren Koffer gepackt und ist zum
Flughafen gefahren. Sie ist in Rom angekommen, aber
ihr Koffer war nicht da. Dann ist sie zur Information
gegangen und hat das Problem erklärt. Nach zwei
Tagen hat sie ihre Sachen endlich bekommen.

3.1
1. richtig – 2. falsch – 3. richtig – 4. falsch

3.2
1. Haben Sie schon einmal den Reichstag in Berlin
besichtigt? – 2. Haben Sie schon einmal in der Schweiz
Urlaub gemacht? – 3. Haben Sie schon einmal einen
Koffer am Flughafen verloren? – 4. Haben Sie schon
einmal einen Geburtstag vergessen?

3.3
2. Ja, ich habe schon einmal ein Hotel im Internet
gebucht. / Nein, ich habe noch nie ein Hotel im Internet
gebucht. – 3. Ja, ich bin schon einmal in einem See
geschwommen. / Nein, ich bin noch nie in einem See
geschwommen. – 4. Ja, ich bin schon einmal mit
einem Motorrad gefahren. / Nein, ich bin noch nie mit
einem Motorrad gefahren. – 5. Ja, ich habe schon
einmal meinen Laptop verloren. / Nein, ich habe noch
nie meinen Laptop verloren. – 6. Ja, ich habe schon
einmal Käsefondue probiert. / Nein, ich habe noch nie
Käsefondue probiert.

4.1

2. die Bank, -en – 3. die Eisdiele, -n – 4. das Tor, -e –
5. die Buchhandlung, -en – 6. die Ampel, -n –
7. die Boutique, -n – 8. die Bushaltestelle, -n –
9. der Bahnhof, -ö-e

4.2

2.

4.3

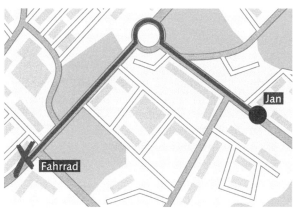

5.1

1. der – 2. den – 3. das – 4. der

5.2

2. durch das Tor – 3. gegenüber von der Post –
4. am Rathaus vorbei – 5. gegen einen Mann –
6. bis zum Park / bis zum Baum

7.1

1. a – 2. b – 3. c – 4. b

7.2

1. *In Wien gibt es viele Sehenswürdigkeiten, deshalb
kommen* jedes Jahr viele Touristen. – 2. Viele Touristen
wollen Spezialitäten aus Österreich probieren, deshalb
besuchen sie den Naschmarkt. – 3. Die Kaiserin Sisi
kennt jeder, deshalb ist das Sisi-Museum in der
Hofburg sehr beliebt. – 4. Die Touristen sitzen oder
liegen gern auf den Sofas im Museumsquartier, deshalb
findet man dort oft keinen Platz.

7.3

viele Sehenswürdigkeiten – eine Kirche – Es gibt ihn –
und er ist 137 – hoch – Das Haus ist bunt – sehr
interessant – wohnen auch Leute – 50 Wohnungen –
das ist ein Park – viele Restaurants und eine Disko

8.1

Wie ist die Stadt?	Was gibt es in der Stadt?	Was kann man dort machen?
ruhig interessant	genug Schulen und Arbeitsplätze, viele Freizeitangebote, viele Radwege	Sport in der Natur machen, Sehenswürdigkeiten besuchen, in der Fußgänger-zone shoppen

8.2

Beispiel: Ich heiße Petra und ich wohne in Köln. Die
Stadt ist sehr groß und laut. Es gibt eine Universität
und es gibt viele interessante Freizeitangebote. Deshalb
wohne ich sehr gern hier. Köln hat viele Radwege,
deshalb kann man viel Sport machen. Das Zentrum ist
sehr schön und in der Fußgängerzone sind immer viele
Touristen. Sie besichtigen die Sehenswürdigkeiten.

Alles klar?

1

ist ... gefahren – sind ... geblieben – haben ... besichtigt –
haben ... besucht – hat ... gefallen

2

1. b – 2. a – 3. b – 4. a

3

1. *deshalb* kann man hier gut leben –
2. *deshalb* besuchen viele Touristen die Stadt –
3. *deshalb* ist die Stadt für Studenten sehr interessant

2 Ziele und Wünsche

1.1

Smartphone – chatten – chatte – skypen – skype –
schicken – E-Mail – Computer – telefonieren

1.2

1. c – 2. a – 3. b

1.3

1. falsch – 2. falsch – 3. richtig – 4. richtig – 5. falsch –
6. falsch – 7. falsch – 8. richtig – 9. falsch

1.4

Beispiel: Sie ist mit ihrem Mann nach Deutschland
gekommen. Er hat eine Stelle als Arzt in München
bekommen, aber sie sucht noch eine Arbeit.
Am liebsten will sie als Programmiererin arbeiten.
Deshalb lernt sie Deutsch für die Arbeit. Sie sieht ihre
Familie nicht oft, deshalb chattet und skypt sie viel mit
ihren Eltern.

2.1

2. weil sie Musik in Köln studiert. – 3. weil seine Frau
eine Stelle in Stuttgart bekommen hat. – 4. weil sie
einen Sprachkurs machen möchte. – 5. weil seine
Freundin aus Deutschland kommt.

2.2

1. d – 2. e – 3. b – 4. c – 5. a

2.3

2. Die Eltern können oft kommen, weil die Flüge
günstig sind. – 3. Er will nach Japan auswandern, weil
das schon immer sein Traum war. – 4. Sie sucht eine
Arbeit, weil sie ihre Stelle verloren hat. – 5. Die Eltern
sind nicht so glücklich, weil ihre Tochter ins Ausland
gehen möchte.

2.4

2. Herr Bianchini geht heute nicht zur Arbeit, weil er Kopfschmerzen hat. – 3. Marianne will jetzt nicht spazieren gehen, weil es regnet. – 4. Meine Freundin antwortet nicht, weil ihr Handy kaputt ist. – 6. Kim und Mitja sind so müde, weil sie gestern lange auf der Party geblieben sind. – 7. Herr Thimm findet die Buchhandlung nicht, weil er den Zettel mit der Adresse vergessen hat. – 8. Frau Kovac kann nicht mit dem Auto fahren, weil sie ihren Autoschlüssel verloren hat.

3.1

1. d – 2. a – 3. b – 4. c

3.2

1. b – 2. c – 3. a

4.1

Beispiel: 1. *Entschuldigung, könnten Sie mir* einen Stift geben, bitte? – 2. Entschuldigung, könntet ihr die Flasche holen? – 3. Entschuldigung, könntest du mir die Handynummer sagen? – 4. Entschuldigung, könnten Sie ein Taxi rufen, bitte?

5.1

Beispiel: Guten Tag, mein Name ist <u>Patrick Adamo</u>. Ich möchte einen Deutschkurs machen. – Ich arbeite am Tag, deshalb möchte ich einen Abendkurs machen. – Tut mir leid, um 9 Uhr kann ich nicht. Ich arbeite bis <u>17</u> Uhr, kann ich danach kommen? – Ja gern, ich heiße <u>Patrick Adamo</u>. – Natürlich, ich buchstabiere: <u>P-A-T-R-I-C-K-A-D-A-M-O</u>. – Ich danke auch. Auf Wiederhören.

6

1. c – 2. b – 3. b – 4. c – 5. a

7.2

Technik an der Universität studiert – Praktikum in Deutschland machen – Ich habe in der Schule Deutsch gelernt – kann ich auch nicht mehr so gut – höre auch manchmal Radio auf Deutsch oder sehe Filme – viel verstehen – noch einen Kurs machen – ohne Fehler sprechen

8.1

a 5 – b 6 – c X – d 2

8.2

2. Der „Intensivkurs Italienisch" beginnt am elften Juli (11.7.) um 10 Uhr. – 3. Der Kurs „Fotografieren in den Sommerferien" dauert fünf Tage, jeden Tag vier Stunden. / ... dauert vom neunundzwanzigsten Juli (29.7.) bis zum dritten August (2.8.) – 4. Der „Schnell-kurs Italienisch für Anfänger" findet zweimal pro Woche statt. – 5. Den „Tanzabend" gibt es neun Wochen. – 6. Der „Tanzabend" dauert am Sonntag zwei Stunden. / Der „Tanzabend" dauert am Sonntag von 18 Uhr bis 20 Uhr.

8.3

1. b – 2. c – 3. b – 4. c – 5. a

Alles klar?

1

1. Abunya möchte nach Österreich gehen, weil ihr Freund Österreicher ist. – 2. Hüsein hat sein Heimat-land verlassen, weil seine Chancen in Deutschland besser sind. – 3. Irina besucht ihre Eltern oft in der Heimat, weil die Fahrt mit dem Bus nicht so teuer ist. – 4. Shuo chattet viel, weil er den Kontakt zu seinen Freunden in der Heimat nicht verlieren will.

2

1. b – 2. a – 3. a – 4. a

3

1. Können Sie mir einen Kurs empfehlen? / Haben Sie auch Kurse in der Woche? / Haben Sie auch Intensiv-kurse? – 2. Gibt es auch Kurse am Nachmittag? – 3. Muss ich einen Einstufungstest machen? – 4. Wie viel kostet der Intensivkurs?

4

1. Ich lerne seit sieben Monaten Deutsch. – 2. Ich habe einen Sprachkurs an der Volkshochschule gemacht. – 3. Ich brauche Deutsch für den Beruf. – 4. Ja, ich will/möchte die A2-Prüfung auf Deutsch machen.

3 Hoch, höher, am höchsten

1.1

1. Gitarre spielen – 2. Märchen vorlesen – 3. Haustiere haben – 4. (ins Wasser) springen/Turmspringen – 5. Tischtennis spielen – 6. Briefmarken sammeln

1.2

schwimmen – wandern – laufen – segeln – telefonieren – shoppen – lesen – tauchen – ausgehen

1.3

1. laufen – 2. lesen – 3. treffen – 4. sehen – 5. spielen – 6. fahren – 7. tanzen – 8. machen/treiben – 9. gehen

2.1

3. *dass* Klettern sehr gefährlich ist. – 4. Sie findet, dass Klettern aber total viel Spaß macht. – 5. PeterPan findet, dass Angeln wirklich langweilig ist. – 6. Er sagt, dass man sehr lange warten muss. – 7. Claudi23 sagt, dass sie Tangotanzen ausprobieren möchte. – 8. Sie findet, dass das sehr elegant ist. – 9. Lars sagt, dass er früher oft Gitarre gespielt hat. – 10. Er sagt, dass er heute leider keine Zeit mehr hat. – 11. Eda sagt, dass sie Chatten blöd findet. – 12. Sie denkt, dass skypen viel besser ist.

2.2

☺	☹	☺/☹
interessant	langweilig	*komisch*
cool	blöd	gefährlich
spannend	anstrengend	verrückt

2.3

Beispiel: Ich finde, dass Kochen interessant ist. Ich finde, dass Briefmarkensammeln sehr langweilig ist. Ich denke, dass Ausgehen cool ist. Ich finde, dass Sport sehr anstrengend ist. Ich finde, dass Wandern sehr interessant ist.

3.1

Beispiel: 1. *Sie hat gesagt, dass* Gitarrespielen viel Spaß macht. Sie hat gesagt, dass man alleine oder in einer Gruppe spielen kann. Sie hat erzählt, dass sie einmal pro Woche Unterricht hat. Sie hat gesagt, dass sie in der Freizeit zusammen mit Freunden spielt. Sie hat gesagt, dass sie manchmal auch Konzerte geben. Sie hat erzählt, dass sie letzte Woche bei einer Schulfeier gespielt haben. Sie hat gesagt, dass sie vielleicht später berühmt werden. –
2. *Herr Meyer hat gesagt, dass er sehr gern* kocht, am liebsten mit Freunden. Er hat gesagt, dass sie schon viele Sachen ausprobiert haben. Er hat erzählt, dass sie immer bei einem Freund zu Hause kochen. Er hat gesagt, dass das Spaß macht. Er hat gesagt, dass sie meistens einmal pro Woche kochen. Er hat gesagt, dass sie zuerst kochen und dann zusammen essen. Er hat auch erzählt, dass sie nach dem Essen noch zusammenbleiben, reden und ein Glas Wein oder Bier trinken. Er hat gesagt, dass das gemütlich ist.

3.2

1. Was ist dein/Ihr Hobby? – 2. Wie oft spielst du / spielen Sie Tischtennis? – 3. Wo spielst du / spielen Sie Tischtennis? – 4. Mit wem spielst du / spielen Sie Tischtennis? – 5. Warum gefällt dir/Ihnen Tischtennis-spielen? / Was gefällt dir/Ihnen gut? – 6. Was gefällt dir/Ihnen nicht so gut? / Was findest du / finden Sie nicht so gut?

4.1

Beispiel: Sein Hobby ist Klettern. Er klettert dreimal pro Woche im Kletterkurs und im Sommer in den Bergen. Er klettert mit seiner Freundin. Ihm gefällt gut, dass er draußen in der Natur klettern kann. Er findet, dass Klettern sehr anstrengend ist, weil am nächsten Tag oft die Arme wehtun.

4.3

a – b – g – d – c – h

4.4

Beispiel: Am Montag geht Barbara immer schwimmen. Dienstags macht sie nichts. Mittwochs kocht sie mit Freunden. Donnerstags geht sie klettern und freitags geht sie Tango tanzen. Am Samstag fährt sie morgens immer Fahrrad.

5

falsch: 1. sechs – 2. in den Ferien – 3. heute – 4. 70 – 5. seine Enkel

6.1

1. interessanter – schöner – am schönsten – langweiliger – am interessantesten
2. älter – größer – am ältesten – am größten
3. höher – am höchsten

6.2

chatte ich viel – am liebsten spiele ich draußen Fußball – ich finde Fußball gut – kann besser – am besten – Und ich tanze gern – mein Lieblingshobby ist – kann ich am besten kochen

6.3

passt nicht: – 2. lieber – 3. besser – 4. am besten – 5. besser – 6. am liebsten – 7. am liebsten – 8. lieber

6.4

Beispiel: 1. *Niklas und Tobias* springen am höchsten.
2. Das Tablet ist genauso günstig wie das Smartphone. Das Tablet und das Smartphone sind günstiger als der Laptop. Sie sind am günstigsten. – 3. Karen wandert genauso weit wie Hanna. Karen und Hanna wandern weiter als Ingrid und Peter. Sie wandern am weitesten. – 4. Das Auto fährt schneller als die Straßenbahn und das Fahrrad. Es fährt am schnellsten. Die Straßenbahn fährt genauso schnell wie das Fahrrad.– 5. Lia schläft genauso lange wie Pia. Sie schlafen beide länger als Mia. Lia und Pia schlafen am längsten.

7.1

1. *Okay, wir* können am Wochenende schwimmen gehen – 2. Ich kann heute leider nicht klettern – 3. Wir können leider nicht mitkommen

7.2

1. *Sie* kann sehr lange die Luft anhalten. – 2. Florian kann noch nicht allein Fahrrad fahren. – 3. Yi-Weng kann schon ein bisschen Geige spielen.

7.3

Beispiel: Ich kann am besten auf Deutsch lesen. Ich kann am schönsten tanzen. Ich kann am meisten essen.

8.1

Wettbewerb – Sieger – Teilnehmer – Gedichte – hat ... stattgefunden – kämpft – schlagen

8.2

1. Der Slam-Wettbewerb findet im Stadttheater statt. – 2. Der Slam-Wettbewerb findet immer am ersten Sonntag im Monat statt. – 3. Der Wettbewerb fängt um 19:00 Uhr an. – 4. Die Eintrittskarten kosten fünf Euro. Für Kinder sind sie kostenlos.

9

1. falsch – 2. richtig – 3. falsch – 4. falsch

Und in Ihrer Sprache?

Was? Ski fahren – *Wann?* im Winter, am Wochenende – *Wo?* in den Bergen – *Mit wem?* allein und mit Freunden – ☺ nach dem Skifahren zusammen ins Restaurant gehen – ☹ sehr teuer

Alles klar?

1

1. *Linus sagt, dass* er gern klettert und wandert. –
2. *Linus findet,* dass Tischtennisspielen Spaß macht. –
3. Linus findet, dass Briefmarkensammeln langweilig ist. –
4. Linus sagt, dass er gern Märchen vorliest.

2

Das will ich auch einmal ausprobieren – *So ein* Quatsch! – Ich finde, dass Kopf-Tischtennis verrückt ist – *Kopf-Tischtennis – das ist nichts für mich*

3

Beispiel: 1. Sabine ist genauso groß wie Adile. Peter ist größer als Sabine und Adile, aber Oliver ist am größten. –
2. Oliver wandert lieber als Max. Er wandert genauso gern wie Hong. Aber Lina wandert am liebsten. –
3. Pavel springt genauso weit wie Merle. Sie springen weiter als Tina. Roman springt am weitesten. –
4. Mahmut liest mehr als Waltraud. Er liest genauso viel wie Rudi. Sara liest am meisten.

4 Ein toller Fernsehabend

1.1

2. „Wer wird Millionär" kommt um Viertel nach acht auf RTL. – 3. „Herr der Ringe" kommt um zehn nach zwei auf SAT.1. – 4. Das „heute-journal" kommt um Viertel vor zehn im Zweiten. – 5. „007" kommt um halb elf auf ProSieben. – 6. Heute kommt „Tatort" um Viertel nach acht im Ersten. – 7. Heute kommt/ kommen „Die Simpsons" um zwanzig vor sieben auf ProSieben. – 8. Heute kommt die „SPORTreportage" um zehn nach fünf im Zweiten.

2.1

2. die Nachrichten – 3. der Liebesfilm – 4. der Animationsfilm – 5. die Dokumentation – 6. der Actionfilm – 7. der Krimi – 8. die Sportsendung

2.2

eine – einen – was für einen – einen – was für – ein – Was für ein

3

1. Olli – 2. TV-Muffel – 3. Krimi-Fan – 4. Mona F.

4.1

1. falsch – 2. billig – 3. schlecht – 4. klein – 5. lang – 6. leise – 7. neu – 8. gesund – 9. schnell – 10. spät

4.2

2. Nein, ich finde Basketball im Fernsehen uninteressant. – 3. Nein, ich finde Justin Bieber unsympathisch. – 4. Nein, ich finde Lady Gaga nicht hübsch. – 5. Nein, ich finde Chips ungesund. – 6. Nein, ich finde Krimis für Kinder ungefährlich. – 7. Nein, ich finde Dokumentationen nicht langweilig.

5.1

1. hat ... stattgefunden – 2. sind ... aufgetreten – 3. hat ... gewählt – 4. hat ... gewonnen – 5. hat ... moderiert – 6. haben ... erlebt

5.2

2. auftreten – 3. wählen – 4. gewinnen – 5. moderieren – 6. erleben

5.3

Kleider – Schuhe – Augen – Haare – Shoppen – Musik machen – 2014

5.4

Sängerin – Schauspielerin – lustig – verrückt und intelligent – 2008 bis 2013 – besonders erfolgreich – spricht sie – hat sie 2011 – moderiert – verheiratet – eine Tochter und zwei Söhne

6.1

2. f – 3. h – 4. c – 5. b – 6. a – 7. d – 8. g

6.2

Nominativ: **m**: deutscher – **n**: tolles – **f**: interessante
Akkusativ: **n**: spannendes – **f**: lustige – **Pl.**: deutsche
Dativ: **m**: kleinen – **f**: großen – **Pl.**: deutschen

6.3

1. gute – 2. erfolgreicher – 3. deutschsprachiges – 4. internationale – 5. tolles – 6. wunderbare – 7. wichtigen – 8. neue – 9. verrückten – 10. schönen – 11. ersten – 12. jungen

6.4

a: 2. anderes – 3. verrücktes – 4. cooles – 5. verrückten – 6. neuer
b: 1. coole – 2. neue – 3. gute
c: 1. erfolgreiche – 2. junge – 3. deutschen – 4. kurzes
d: 1. hübsches – 2. sympathisches – 3. cooles – 4. spannenden
e: 1. sympathische – 2. nette – 3. neue – 4. guter – 5. tolle – 6. kurzes – 7. wunderbaren
f: 1. neue – 2. junge – 3. laute – 4. kleinen – 5. großen – 6. ersten

6.5

2. e – 3. X – 4. a – 5. c – 6. f

7.1

Wer: Nachrichtenmoderatorin Judith Rakers („Tagesschau"); *Beruf/Karriere:* Studentin bei Zeitungen und beim Radio – heute erfolgreich – viele Sendungen; *Sendungen:* Talkshow „3 nach 9" mit Giovanni di Lorenzo – „ESC" in Düsseldorf mit Stefan Raab und Anke Engelke; *Familie:* verheiratet; *Hobbys:* Karaoke – essen

7.2

Beispiel: Sie moderiert seit 2005 die „Tagesschau". Als Studentin hat sie schon bei Zeitungen und beim Radio gearbeitet. Heute hat sie viele Sendungen, zum Beispiel die Talkshow „3 nach 9" mit Giovanni di Lorenzo.

2011 hat sie mit Stefan Raab und Anke Engelke auch den „ESC" in Düsseldorf moderiert. Judith Rakers ist verheiratet, sie mag Karaoke und sie isst gern.

8.1

In der Schweiz sieht man weniger fern als in Deutschland. *In Deutschland* sieht man am meisten fern. *In Österreich* sieht man länger fern als in der Schweiz.

8.2

1. J – 2. I – 3. L

8.3

1. falsch – 2. richtig – 3. falsch – 4. falsch

8.4

Beispiel: 1. *Jonas sieht lieber im Internet fern, weil* das praktisch ist. / *weil* er das praktisch findet. – 2. Leonie sieht lieber Videos auf YouTube, weil das Programm für junge Leute ist. – 3. Ina sieht lieber Nachrichten von *LeFloid*, weil sie nicht so langweilig sind.

Alles klar?

1

1. Am Donnerstag kommt um Viertel nach acht auf RTL „Wer wird Millionär?". – 2. Am Montag kommt um 18:00 Uhr das „Quizduell" im Ersten. – 3. Die „Tagesschau" kommt täglich um 20:00 Uhr im Ersten. – 4. Die „Champions-League" ist eine Sportsendung.

2.1

1. b – 2. d – 3. a – 4. c

2.2

Beispiel: 1. Meine Lieblingssendung ist / heißt „Wer wird Millionär?". Das ist ein Quiz. – 2. Actionfilme finde ich blöd. / Ich finde, dass Actionfilme sehr spannend sind. – 3. Ich sehe oft Nachrichten, fast jeden Tag. – 4. Ich mag keine Sportsendungen und keine Serien. / Sportsendungen und Serien gefallen mir nicht.

3

Beispiel: LeFloid heißt richtig Florian Mundt. Er ist ein deutscher YouTuber, Videoblogger und Student. Für seine Arbeit hat er schon viele Preise bekommen. Im Juli 2015 hat er ein Interview mit Angela Merkel gemacht. Montags und donnerstags hat er ein Programm auf YouTube.

5 Alltag oder Wahnsinn?

1.1

2. Mit einer App kann man Fahrpläne lesen. – 3. Mit einer App kann man sich über das Wetter informieren. – 4. Man kann mit einer App den Alltag organisieren und Zeit sparen. – 5. Man kann mit einer App eine Reise planen. – 6. Mit einer App kann man eine Apotheke in der Nähe finden.

1.2

1. c – 2. d – 3. b – 4. a

1.3

1. zwischen – bis – ab
2. Bis – bis

1.4

1. Bis wann hast du / haben Sie am Sonntag geschlafen? –
2. Ab wann bist du / sind Sie im Urlaub? –
3. Wann bist du / sind Sie morgen zu Hause?

1.5

2. Der Bus fährt ab sechs Uhr. – 3. Ich arbeite heute bis 17 Uhr. – 4. Ich habe ab Montag Urlaub. – 5. Ich trainiere zwischen 20 und 23 Uhr im Fitnessstudio. – 6. Ich brauche die Informationen bis morgen.

2.1

2. Sabine Müller zieht ihren Sohn an, dann zieht sie sich an. – 3. Sabine Müller kämmt sich, dann kämmt sie ihren Sohn. – 4. Sabine Müller sieht ihren Sohn an, dann sieht sie sich (im Spiegel) an.

2.2

euch – mich – dich – uns – sich – sich – euch

2.3

a 5 – b 7 – c 8 – d 2 – e 1 – f 3 – g 6 – h 4

2.4

2. Sie trinkt um 6:20 Uhr / um 20 nach sechs Tee. –
3. Um 6:35 / um fünf nach halb sieben liest sie Zeitung und frühstückt. –
4. Sie wäscht sich um sieben Uhr. –
5. Um 7:15 Uhr / um Viertel nach Sieben zieht sie sich an. –
6. Um 7:30 Uhr / um halb acht kämmt sie sich. –
7. Sie geht um 7:55 Uhr / um fünf vor acht aus dem Haus. –
8. Um acht Uhr nimmt sie die U-Bahn.

2.5

2. Um zwanzig nach sechs hat sie Tee getrunken. –
3. Um fünf nach halb sieben hat sie Zeitung gelesen und gefrühstückt. –
4. Um sieben Uhr hat sie sich gewaschen. –
5. Um Viertel nach sieben hat sie sich angezogen. –
6. Um halb acht hat sie sich gekämmt. –
7. Um fünf vor acht ist sie aus dem Haus gegangen. –
8. Um acht Uhr hat sie die U-Bahn genommen.

3.1

2. Nein, ich habe mich noch nicht rasiert. – 3. Nein, ich habe mich noch nicht gekämmt. – 4. Nein, ich habe mich noch nicht gewaschen. – 5. Nein, ich habe mich noch nicht geschminkt. – 6. Nein, ich bin noch nicht aufgestanden.

3.3

2.

3.4

a 4 – b 3 – c 2 – d 1

4.1
1. haben – kommen
2. kochen – machen
3. bringen – vorlesen
4. waschen – aufhängen

4.2
b

4.3
Beispiel: 1. Sascha findet, dass die Arbeit sehr anstrengend ist. Aber die Bar ist cool. – 2. Sascha arbeitet von 21 Uhr bis fünf Uhr morgens. – 3. Vor der Arbeit hilft er Paul bei seinen Hausaufgaben und er isst zusammen mit seiner Familie. – 4. Sascha schläft von sechs Uhr bis halb eins. – 5. Sascha und Julia streiten sich manchmal, weil Sascha selten zu Hause ist und Julia fast nie sieht.

5.1
1. a – 2. b – 3. b – 4. a – 5. b – 6. a

5.2
1. c – 2. e – 3. a – 4. b – 5. d

5.3
1. freust … dich – 2. streitet … euch – 3. ärgerst … dich – 4. uns beeilen – 5. fühlst … dich

5.4
2. *Wir* streiten uns immer, weil wir beide gern diskutieren. – 3. *Ich* ärgere mich, weil wir uns immer streiten. – 4. *Wir* müssen uns beeilen, weil die U-Bahn in zehn Minuten kommt. – 5. *Ich* fühle mich schlecht, weil ich viel Stress habe.

6.1
passt nicht: 2

6.2
1. a – 2. a – 3. b – 4. b – 5. b

7.1
passt nicht: 1. das Hallenbad – 2. der Spiegel – 3. die Wäsche

7.2
oft sehr anstrengend – für mich eine gute Erholung – gibt es ein schönes Hotel – kann ich baden – trainieren – mich gut entspannen – gehe gern schwimmen – im Winter – am liebsten allein

7.3
1. b – 2. X (*passt nicht*) – 3. c – 4. a

7.4
1. c – 2. a – 3. e – 4. d – 5. b

7.5
Text a: 5. b
Text b: 1. c – 2. a – 3. e
Text c: 4. d

7.6
passt nicht:
1. furchtbar – dunkel – Stress – nicht – schlimme
2. sympathisch – sehr – immer – günstig – gefreut

7.8
1.

7.9
1. ja – 2. ja – 3. nein – 4. nein – 5. ja – 6. ja

Alles klar?

1
1. *Mit einer App kann man* den Alltag organisieren und Zeit sparen. – 2. Mit einer App kann man eine Reise planen. – 3. Man kann mit einer App Fahrpläne lesen. – 4. Mit einer App kann man sich über das Wetter informieren. – 5. Man kann mit einer App eine Apotheke in der Nähe finden.

2
1. Ich stehe zwischen halb sieben und sieben / zwischen 6:30 Uhr und 7:00 Uhr auf. – 2. Zwischen Viertel vor sieben und fünf nach sieben / Zwischen 6:45 Uhr und 7:05 Uhr wasche ich mich. – 3. Bis Viertel nach sieben / Bis 7:15 Uhr ziehe ich mich an. – 4. Ab Viertel nach sieben / Ab 7:15 Uhr frühstücke ich. – 5. Ab halb sieben / Ab 6:30 beeile ich mich.

3
Beispiel: 1. Ich finde das blöd. / Da fühle ich mich schlecht. / Das ärgert mich. / 2. Ich finde das blöd. / Das ärgert mich. / Ich bin sauer.

4
Beispiel: 1. *Wir hatten* eine wunderbare Zeit hier. – 2. Wir haben uns sehr gut erholt. – 3. Das Hotel ist schön und sehr günstig. – 4. Der Fitnessbereich ist klasse. – 5. Die Ruheräume haben uns sehr gut gefallen und der Service war toll. – 6. Wir kommen bestimmt wieder.

6 Die schwarzen oder die bunten Stühle?

1.1
1. falsch – 2. richtig – 3. falsch – 4. falsch – 5. richtig

1.2
Nominativ: m: kleiner – n: langes
Akkusativ: m: großen – n: kleines – f: helle
Dativ: n: kleinen – Pl.: unbequemen

1.3
gut<u>en</u> – gemütlich<u>e</u> – klein<u>en</u> – klein<u>en</u> – groß<u>en</u> – schön<u>en</u> – groß<u>es</u> – alt<u>en</u> – klein<u>es</u> – groß<u>en</u> – neu<u>er</u> – alt<u>en</u> – bequem<u>es</u> – alt<u>en</u> – eigen<u>es</u> – eigen<u>e</u>

1.4

das *Regal*, -e – die *Tasche*, -n – das *Telefon*, -e – der *Stift*, -e – das *Heft*, -e – der *Schreibtischstuhl*, -ü-e – der *Papierkorb*, -ö-e

1.5

2. Das altmodische Telefon kostet 25 Euro. – 3. Die weiße Schreibtischlampe kostet 39 Euro. – 4. Die blauen Hefte kosten 4,99 Euro. – 5. Der rote Papierkorb kostet 19,90 Euro. – 6. Das kleine Bücher-regal kostet 239 Euro. – 7. Die gelbe Tasche kostet 175 Euro. – 8. Die bunten Stifte kosten 7,90 Euro.

1.7

Beispiel: 2. Ich finde das altmodische Telefon schön. – 3. Ich finde die weiße Schreibtischlampe altmodisch. – 4. Ich finde die blauen Hefte praktisch. – 5. Ich finde den roten Papierkorb hässlich. – 6. Ich finde das kleine Bücherregal schön. – 7. Ich finde die gelbe Tasche teuer. – 8. Ich finde die bunten Stifte günstig.

1.9

Beispiel: 1. …, aber auf Bild 2 steht er zwischen den Büchern in dem kleinen Regal. – 2. Auf Bild 1 liegt die blaue Jacke auf dem grünen Stuhl, aber auf Bild 2 liegt sie auf der roten/großen Lampe. – 3. Auf Bild 1 steht der schwarze Fernseher auf dem grünen Tisch, aber auf Bild 2 steht er in dem großen Regal. – 4. Auf Bild 1 liegt der bunte Teppich unter dem blauen Stuhl, aber auf Bild 2 liegt er unter dem gelben Tisch. – 5. Auf Bild 1 steht die große Pflanze neben der roten/großen Lampe, aber auf Bild 2 steht sie neben dem blauen Stuhl. – 6. Auf Bild 1 stehen die kleinen Bilder in dem großen Regal, aber auf Bild 2 stehen sie auf dem gelben Tisch. – 7. Auf Bild 1 hängt die weiße Gardine vor dem kleinen Fenster, aber auf Bild 2 hängt sie vor dem großen Fenster. – 8. Auf Bild 1 steht die weiße Lampe auf dem gelben Tisch, aber auf Bild 2 steht die weiße Lampe auf dem grünen Tisch.

2.1

Beispiel: Ich habe ein großes Bett, einen schwarzen Stuhl, eine blaue Lampe, eine kleine Pflanze, eine weiße Gardine, einen günstigen Fernseher, ein modernes Sofa und einen grünen Teppich.

2.2

Beispiel: Das große Bett ist altmodisch. Ich möchte das große Bett wegwerfen. – Die blaue Lampe ist schön. Ich möchte die blaue Lampe nicht wegwerfen. – Das moderne Sofa ist praktisch. Ich möchte das moderne Sofa nicht wegwerfen. – Der grüne Teppich ist hässlich. Ich möchte den grünen Teppich wegwerfen.

3.1

1. e – 2. d – 3. b – 4. a – 5. c

4.1

Nominativ:
m: der blaue Anzug – ein blauer Anzug – kein blauer Anzug
n: das grüne Kleid – ein grünes Kleid – kein grünes Kleid
f: die rote Bluse – eine rote Bluse – keine rote Bluse
Pl.: die gelben Schuhe – gelbe Schuhe – keine gelben Schuhe
Akkusativ:
m: den blauen Anzug – einen blauen Anzug – keinen blauen Anzug
n: das grüne Kleid – ein grünes Kleid – kein grünes Kleid
f: die rote Bluse – eine rote Bluse – keine rote Bluse
Pl.: die gelben Schuhe – gelbe Schuhe – keine gelben Schuhe
Dativ:
m: dem blauen Anzug – einem blauen Anzug – keinem blauen Anzug
n: dem grünen Kleid – einem grünen Kleid – keinem grünen Kleid
f: der roten Bluse – einer roten Bluse – keiner roten Bluse
Pl.: den gelben Schuhen – gelben Schuhen – keinen gelben Schuhen

4.2

Der graue Anzug? das weiß ich nicht. Hier ist kein grauer Anzug. – Das grüne Kleid? Das weiß ich nicht. Hier ist kein grünes Kleid. – Die rote Bluse? Das weiß ich nicht. Hier ist keine rote Bluse. – Die gelben Schuhe? Das weiß ich nicht. Hier sind keine gelben Schuhe.

4.3

Der graue Anzug? Nein, ich sehe keinen grauen Anzug. – Das grüne Kleid? Nein, ich sehe kein grünes Kleid. – Die rote Bluse? Nein, ich sehe keine rote Bluse. – Die gelben Schuhe? Nein, ich sehe keine gelben Schuhe.

5.1

1. groß – klein
2. hoch
3. schwer – leicht
4. teuer – günstig – billig
5. rot – grün – blau
6. Glas – Keramik – Stoff – Metall

5.2

2. Der Tisch ist aus Glas (und Metall). – 3. Die Teller sind aus Keramik. – 4. Der Lampenschirm ist aus Stoff. – 5. Die Stühle sind aus Metall.

5.3

Gestern habe ich eine besondere Lampe gekauft. Der schwarze Fuß ist aus Metall. Der gelbe Lampenschirm ist aus Stoff. Die Lampe macht ein sehr warmes Licht. Leider war die Lampe nicht billig. Sie hat 495 Euro gekostet.

5.4

Laptop 1: 690 Euro – 1,2 kg – (ein dunkles) Rot – interessant

Laptop 2: 479 Euro – *1,1 kg* – schwarz – normal/langweilig

5.5

Beispiel: Laptop 1 ist teurer als Laptop 2. Laptop 2 ist leichter als Laptop 1. (Das Design von) Laptop 1 ist interessanter als (das Design von) Laptop 2.

5.6

Guten Tag, mein Name ist ..., ich möchte einen Laptop bestellen. – Das ist die 235809 DX. – Nein, am Ende 09, nicht 90. Also 235809 DX. – Aha, was kostet der jetzt? – Oh, das ist gut. Wann kommt der Laptop? – Mein Familienname ist ..., mein Vorname ist ... Ich wohne in ... – Danke schön. Auf Wiederhören.

5.8

235809 DX – Laptop – rot – 1 – 649

6.1

1. d – 2. c – 3. b – 4. a

6.2

1. Ein Artikel fehlt. – 2. Die Farbe ist falsch. – 3. Der Artikel ist kaputt. – 4. Ich habe falsch bestellt.

6.3

Beispiel: 1. Herr Diemer hat seine Regenschuhe reklamiert, weil sie kaputt waren. Frau Schuhmann hat Kleidung reklamiert, weil sie falsche Sachen bekommen hat.

6.4

1. falsch – 2. richtig – 3. falsch – 4. falsch – 5. richtig – 6. richtig

7.1

1. b – 2. b – 3. c – 4. a – 5. c – 6. b

7.2

Beispiel:

Lieber Mike,

danke für deine E-Mail. Ich habe mich sehr gefreut. Ich bin gerade in Hamburg bei meiner Oma. Das ist auch sehr nett. Sie hat viel Zeit und zeigt mir die Stadt. Upcycling klingt sehr interessant. Ich kenne das auch ein bisschen. Zum Beispiel kann man aus alten Plastiktüten schöne Taschen oder Schmuck machen. Ich finde, dass das eine tolle Sache ist. Heute gibt es so viel Müll, deshalb ist es wichtig, dass wir umweltbewusst sind.

Wann kommst du wieder nach Leipzig? Wir können doch mal zusammen shoppen gehen. In Leipzig gibt es auch viele interessante Geschäfte. Hast du Lust?

Liebe Grüße

Lena

Und in Ihrer Sprache?

Beispiel:

Was? am 31.10. ein Sofa bestellt, Sofa da;

Termin? am 25.11. zwischen 10 und 15 Uhr liefern: okay – oder lieber Termin im Dezember? anrufen!;

Telefon? 02634-643190

Alles klar?

1

Beispiel: 1. Den schwarzen Stuhl finde ich modern, aber der gelbe Stuhl ist altmodisch. – 2. Die rote Lampe finde ich hässlich, aber die blaue Lampe finde ich elegant. – 3. Das blaue Sofa finde ich schöner als das braune Sofa.

2

1. a – 2. b – 3. b – 4. b

3

Jacke – blau – 1 – 44,90

4

Beispiel: Guten Tag, mein Name ist ... Ich habe ein Problem. Ich habe einen Spiegel bei Ihnen gekauft. Er ist leider kaputt. Deshalb möchte ich ihn reklamieren. – *Guten Tag, mein Name ist ... Ich habe ein Problem. Ich habe* bei Ihnen eine grüne Tasche bestellt, aber ich habe eine gelbe Tasche bekommen. Ich möchte die Tasche reklamieren, weil sie die falsche Farbe hat.

7 Wohin kommt das Sofa?

1.1

1. Maxglan liegt westlich von der Altstadt. – 2. *richtig* – 3. Der Zoo liegt südlich vom Zentrum. – 4. Die Ferienregion Salzkammergut liegt östlich von Salzburg.

1.2

passt nicht: im Norden – südlich – im Westen – im Osten

1.3

2. Die Altstadt liegt im Zentrum von Salzburg.
3. Der Dom liegt im Süden von der Altstadt.
4. Der Flughafen liegt im Westen von Maxglan.

2.1

zentral – Altbauwohnung – Mieten – günstiger – auf dem Land – verkehrsgünstig – in der Nähe von – bequem

2.2

Alex aus Kanada: B – *Li aus China:* A – *Pavel aus Polen:* D

3.1

1. Heizung – 2. Strom – 3. Vermieter – 4. Mieter – 5. Nebenkosten – 6. Quadratmeter – 7. Erdgeschoss – 8. Obergeschoss

3.2

Wohnung 1: 78 m² – 2 Zimmer – 956 € – 70 € – 17:30 Uhr – Beethovenstraße 71, 1.OG

Wohnung 2: 98 m² – 3 Zimmer – 1280 € – 0 € – 19:15 Uhr – Heilbrunner Allee 19, EG

5.1

2. in – 3. vor – 4. auf – 5. neben – 6. an – 7. über – 8. unter – 9. zwischen

5.2

1. *Die Fahrräder stehen zwischen der Kiste und* dem Sessel. – 2. Das Spielzeug liegt in der Kiste. – 3. Die Kiste steht vor/unter dem Fenster. – 4. Der Tisch steht (rechts) neben der Kiste. – 5. Die Kaffeemaschine steht unter dem Tisch. – 6. Die Stühle liegen vor/neben dem Tisch. – 7. Das Bild hängt hinter dem Sofa an der Wand. – 8. Der Computer liegt auf dem Sessel. – 9. Die Bücher liegen unter dem Sofa. – 10. Der Fernseher liegt auf dem Sofa.

6.1

ins – auf den – ins – auf das – auf das – in die – in den – in den – in den – ins – über das – zwischen die – an die

6.2

2. Auf dem Küchentisch? Aber der Computer kommt auf den Schreibtisch! – 3. Neben der Kaffeemaschine? Aber die Lampe kommt neben die Pflanze! – 4. Zwischen den Regalen? Aber das Sofa kommt zwischen die Fenster! – 5. Im Schlafzimmer? Aber die Kiste mit den Büchern kommt ins Arbeitszimmer!

6.3

1. *Der Computer* liegt auf dem Sessel, aber er kommt auf den Schreibtisch. – 2. Die Kaffeemaschine steht unter dem Tisch, aber sie kommt ins Regal. – 3. Die Katzenbox steht neben dem Sofa, aber sie kommt in den Schrank. – 4. Die Schlüssel liegen auf dem Tisch, aber sie kommen an die Wand.

7.1

a

7.2

1. a – 2. c – 3. b – 4. c – 5. c

8.1

8.2

2. Der schwarze Sessel kommt ins Wohnzimmer an die Wand zwischen den Balkon und die Küche. – 3. Der große Schrank kommt ins Schlafzimmer links neben die Tür. – 4. Der kleine Schrank kommt ins Kinderzimmer zwischen das Bett und das Fenster. – 5. Die große Lampe kommt ins Arbeitszimmer neben den Schreibtisch vor das Fenster.

9.1

1. Einweihungsparty – 2. besorgen – 3. Bauarbeiten – 4. Haustier – 5. verschenke – 6. vorbeikommen

9.2

1. b – g – d – a
2. c – e – f

9.3

kostenlos – Ich reise für zwei Monate – in meiner Wohnung – 89 Quadratmeter/m² groß – die Nebenkosten bezahlen – Strom – Wasser – Heizung – ein Haustier – Er ist sehr süß – gießen Sie auch meine Pflanzen – rufen Sie mich an: 0176 5254337

Alles klar?

1

1. b – 2. a – 3. d – 4. f – 5. c – 6. e

2

Beispiel: 1. *Die Wohnung* liegt ruhig. – 2. Ich wohne nördlich vom Zentrum. – 3. Die Miete ist sehr günstig. – 4. Meine Wohnung liegt in der Nähe vom Bahnhof.

3

Beispiel: 1. Ist die Wohnung im Ostend noch frei? – 2. Wie hoch ist die Miete? – 3. Wie hoch sind die Nebenkosten? – 4. Wann kann ich die Wohnung besichtigen? – 5. Wo ist/liegt die Wohnung?

4

2. Der Sessel kommt ins Wohnzimmer zwischen die Tür und das Fenster. – 3. Die Bücher kommen ins Arbeitszimmer unter den Schreibtisch. – 4. Das Spielzeug kommt ins Kinderzimmer auf das Regal. – 5. Der Spiegel kommt ins Bad an die Wand. – 6. Die Fahrräder kommen in den Keller neben den Schrank.

8 Lebenslinien

1.1

2. Unterricht – 3. Klasse – 4. hat ... geliehen – 5. streng – 6. haben ... unterhalten 7. Böse – 8. Hof

1.2

Thomas: 2 – *Ben:* 1

1.3

Thomas: 1. – 2. – 3. – 5. – 7. – 9.
Ben: 2. – 4. – 6. – 7. – 8.

2.1

Könnt – darfst/kannst – darf/kann – musst – können – können

2.2

wollen: du wolltest – er/es/sie wollte – wir wollten – sie/Sie wollten
müssen: ich musste – du musstest – wir mussten – ihr musstet – sie/Sie mussten
können: du konntest – er/es/sie konnte – wir konnten – ihr konntet
dürfen: ich durfte – er/es/sie durfte – wir durften –

ihr durftet – *sie/Sie* durften
sollen: *du* solltest – *er/es/sie* sollte – *ihr* solltet – *sie/Sie* sollten

2.3
1. Wir durften – 2. Wir mussten – 3. Wir mussten – 4. Wir durften – 5. Wir mussten – 6. Wir durften

2.4
wollte – konnte – wollte – musste – wollte – mussten – durften/konnten – mussten – konnte – Durftet/Konntet – durften/konnten – musste

3.1 + 3.2
2. Ja, ich durfte einen eigenen Fernseher haben. / Nein, ich durfte keinen eigenen Fernseher haben. – 3. Ja, ich durfte abends Freunde treffen. / Nein, ich durfte abends keine Freunde treffen. – 4. Ja, ich durfte ein Handy haben. / Nein, ich durfte kein Handy haben. – 5. Ja, ich musste im Winter eine Mütze tragen. / Nein, ich musste im Winter keine Mütze tragen. – 6. Ja, ich musste in der ersten Klasse Hausaufgaben machen. / Nein, ich musste in der ersten Klasse keine Hausaufgaben machen.

4.1
1. in den Kindergarten gehen – 2. zur Grundschule gehen – 3. zur Realschule gehen – 4. aufs Gymnasium gehen – 5. *das Abitur machen* – 6. an der Universität studieren

4.2
1. Schüler – 2. geboren – 3. Ausbildung – 4. Studium – 5. Note – 6. Klasse – 7. Zeugnis – 8. Erfolg – 9. wechseln
Lösung: Klassenfahrt

4.3
a 2 – b 1

4.4
Marina Meierfeld: 1986 – 2004 – Ausbildung – Fotografin
Katja Brunner: 1973 – 1991 – Deutsch – Sport – Lehrerin / Tanzlehrerin

5
2. die Wohnung – 3. die Bestellung – 4. die Einladung – 5. die Hoffnung – 6. die Heizung. – 8. die Gesundheit – 9. die Krankheit – 10. die Kindheit

6.1
Beispiel: Von 1993 bis 1997 ist Birgitta zur Grundschule gegangen, danach hat sie von 1997 bis 2002 die Realschule besucht. 2002 hatte sie nicht so gute Noten. Dann hat sie von 2002 bis 2004 eine Ausbildung zur Sachbearbeiterin gemacht. Von 2004 bis 2009 hat sie an der Universität Kunst studiert. 2011 hat sie eine Stelle in einem Museum bekommen und heute organisiert sie Ausstellungen.

6.2
zur Grundschule gegangen – von 1997 bis 2002 – nicht so gute Noten – nicht studieren – eine Ausbildung zur Sachbearbeiterin mache – das Abitur gemacht – an die Universität gegangen – habe ich Kunst studiert – arbeite ich in einem Museum

7
1. c – 2. b – 3. b – 4. c – 5. a

8.1
geboren – Brüder – Abitur – Studium – Ausbildung – Arbeit – Fernsehserien – Erfolg – verheiratet – umgezogen

8.2
Beispiel: Til Schweiger ist ein großer erfolgreicher Schauspieler und Filmemacher. Er ist am 19.12.1963 in Freiburg geboren und hat zwei Brüder. Seine Eltern sind beide Lehrer. Sein Abitur hat er an der Herderschule Gießen gemacht. Dann hat er Deutsch und Medizin studiert, aber er hat keinen Abschluss gemacht. 1986 hat er eine Ausbildung zum Schauspieler angefangen und 1989 hat er am Theater in Bonn gearbeitet. Danach hat er in vielen Fernsehserien gespielt und erste Kinofilme gemacht. 2003 hatte er viel Erfolg mit dem Hollywood-Film *Tomb Raider* (mit Angelina Jolie). Seit 2007 macht er fast jedes Jahr einen Film und seit 2011 hat er einen Stern auf dem *Boulevard der Stars* in Berlin. Von 1995 bis 2014 war er mit Dana Schweiger verheiratet. Er hat vier Kinder. Drei sind Schauspieler. Bis 2004 hat er in den USA gelebt, dann ist er nach Hamburg umgezogen.

Alles klar?

1
1. War dein/Ihr Schulweg sehr lang? – 2. Musstet ihr / Mussten Sie viele Hausaufgaben machen? – 3. War deine/Ihre erste Lehrerin streng? – 4. Durftest du / Durften Sie bei Regen draußen spielen? – 5. Musstest du / Mussten Sie viel im Haushalt helfen? – 6. Hattet ihr / Hatten Sie Computer in der Schule?

2.1
a 2 – b 3 – c 1 – d 5 – e 8 – f 6 – g 4 – h 7

2.2
1. d – 2. a – 3. b – 4. h – 5. g – 6. f

3
1. + 2. Unglaublich! / Das ist nicht wahr! / Wie bitte? / Das kann doch nicht sein! / Wirklich?

9 Die lieben Kollegen

1.1
2. ansprechen – 3. machen – 4. fertig machen –
5. beantworten – 6. fahren – 7. arbeiten –
8. nehmen – 9. arbeiten – 10. gründen

1.2
Beispiel: 2. Ich spreche die Kollegin an. – 3. Mein
Computer macht Probleme. – 4. Ich muss bis morgen
eine wichtige Arbeit fertig machen. – 5. Ich beantworte
morgens immer zuerst meine E-Mails. – 6. Ich fahre
nicht gern mit dem Aufzug. – 7. Ich muss den ganzen
Tag am Computer arbeiten. – 8. Ich nehme oft die
Treppe. – 9. Meine Kollegin arbeitet nicht gern im
Team. – 10. Ich möchte eine eigene Firma gründen.

1.3
a 3 – b 1 – c 2 – d 4

1.4
1. richtig – 2. falsch – 3. falsch – 4. richtig –
5. falsch – 6. richtig

1.5
Beispiel: 1. *Frau Walton vergisst immer wieder die Namen
von den Kollegen, weil es* zu viele neue Gesichter sind. –
2. Sie spricht die Kollegin nicht an, weil es ihr unangenehm ist. – 3. Sie möchte die Kollegen nicht so viel
fragen, weil sie sie nicht bei der Arbeit stören will. –
4. Sie konnte der Kollegin helfen, weil sie das Problem
kennt. / weil sie weiß, dass man den Strom ausmachen
muss.

2.1
Wenn der Computer abstürzt, ärgere ich mich. – ..., rufe
ich den IT-Support an. – ..., gehe ich nach Hause. –
..., benutze ich mein Tablet. – ..., bitte ich einen
Kollegen um Hilfe. – ..., mache ich eine Pause.

2.2
2. Wenn ich mehr Gehalt möchte, spreche ich mit
   meiner Chefin.
3. Wenn du ein Problem hast, bittest du die Kollegen
   um Hilfe.
4. Wenn man einen Namen vergisst, ist die Situation
   peinlich.
5. Wenn der Bus Verspätung hat, rufe ich in der Firma
   an.

2.3
1. *Wenn ich morgens ins Büro komme,* trinke ich einen
Kaffee. – 2. Wenn eine Kollegin lange krank ist,
schicken wir ihr Blumen. – 3. Wenn ein Kollege im
Büro Geburtstag feiert, kauft er Kuchen für alle. –
4. Wenn der Aufzug kaputt ist, nehme ich die Treppe.

3.1
3.

3.2
1. *über* ein Problem spricht. – 2. schlecht geschlafen
hat. – 3. sie anspricht. – 4. von ihren Problemen
erzählt.

3.3
1. f – 2. e – 3. a – 4. d – 5. b – 6. c

4.1
1. lese ich Zeitung. – 2. mache ich viele Fotos. –
3. gehe ich zur Polizei. – 4. sehe ich fern. –
5. ärgere ich mich.

4.2
ist mein Computer abgestürzt – den IT-Support angerufen – hat geantwortet – in den 8./achten Stock –
unser Aufzug war kaputt – Kaffee getrunken – hat mir
geholfen – normal funktioniert – wenn ich allein bin

5.1
7. – 6. – 4. – 1. – 2. – 5. – 3.

5.2
1. leite ... weiter – 2. öffnen – 3. ausdrucken –
4. lösche – 5. speichern – 6. schließen

6.1
1. einschalten – 2. weiterleiten – 3. helfen –
4. gehen – 5. telefonieren

6.2
*Beispiel: Heute Vormittag hat Frau Erkner zuerst den
Computer eingeschaltet. Dann hat sie eine E-Mail
gesendet. Später ist sie zu einer Besprechung gegan-
gen. Am Nachmittag hat sie einer Kollegin geholfen.
Dann hat sie alle Ordner geschlossen und ist nach
Hause gegangen.*

7.1
über einen Termin sprechen / die neuen Möbel
vorstellen / zurückrufen oder E-Mail schreiben –
23.11. – 14:00–18:00 Uhr – *Technomobil* – *Lukas
Wyler* – 03376 349701 – 225

7.2
Sehr geehrter – dass Sie angerufen haben – entschuldigen Sie – absagen – einen Termin – Termin
anbieten – passt – geben ... Bescheid – stattfinden –
Mit freundlichen Grüßen

7.3
1. richtig – 2. falsch – 3. richtig – 4. falsch

7.5
1. b – 2. a – 3. a – 4. b

7.6
Zusagen: Der Termin passt mir sehr gut. – Ich komme
am 11.8. um 9 Uhr freue mich auf ein interessantes
Gespräch.

Absagen: Ich würde gerne kommen, aber ich bin seit letzter Woche krank. – Bitte entschuldigen Sie, dass ich den Termin morgen absagen muss. – Können wir unseren Termin auf nächste Woche verschieben?

7.7

Zusage:

Sehr geehrte Frau Lange,
der Termin passt mir sehr gut. Ich komme am 11. August um 9 Uhr zu Ihnen und ich freue mich auf ein interessantes Gespräch.
Mit freundlichen Grüßen
...

Absage:

Sehr geehrter Herr Meier,
ich habe ein Problem. Bitte entschuldigen Sie, dass ich den Termin morgen absagen muss. Ich würde gern kommen, aber ich bin seit letzter Woche krank. Können wir unseren Termin auf nächste Woche verschieben?
Mit freundlichen Grüßen
...

7.8

Beispiel:

Sehr geehrter Herr Schmidt,
bitte entschuldigen Sie, dass ich den Termin morgen absagen muss. Ich bin krank und kann deshalb leider morgen nicht zur Arbeit kommen. Können wir den Termin auf nächste Woche verschieben? Passt Ihnen Mittwoch um 10:30 Uhr?
Mit freundlichen Grüßen
...

8.1

1. Herr Vellis – 2. Frau Peters

8.2

1. *Frau Peters:* eine abwechslungsreiche Arbeit, nette Kollegen, ein gutes Gehalt
2. *Herr Vellis:* die Sicherheit, eine abwechslungsreiche Arbeit

Und in Ihrer Sprache?
1

... Herrn Kapp Ihren Laptop geben? ... geben Sie ihm schnell Bescheid ...

Alles klar?

1

Beispiel: 1. *Zuerst* schaltet Klaus Witke den Computer ein. – 2. *Dann* trinkt er in der Küche einen Kaffee. – 3. *Danach* arbeitet er am Computer. – 4. *Später* geht er zu einer Besprechung.

2

Wenn der Computer abstürzt – Wenn ich eine Information brauche – Wenn eine Kollegin laut telefoniert – Wenn ein Kollege immer Probleme macht

3

Beispiel:
Sehr geehrte Frau Siebel,
ich möchte Sie gern in der nächsten Woche treffen und zu Ihnen in die Firma Lingoline kommen. Ich kann Ihnen folgende Termine vorschlagen: am Montag oder Donnerstag, von 10 bis 13 Uhr. Ich hoffe, dass Ihnen die Termine passen. Geben Sie mir bitte bis morgen Bescheid.
Mit freundlichen Grüßen

4

1. falsch – 2. richtig – 3. falsch – 4. richtig

10 Mein Smartphone & ich

1.1

1. *das Display* – 2. die Kamera – 3. der Speicherplatz – 4. der Preis ohne Vertrag – 5. der Tarif – 6. die Dauer Vertrag

1.2

2. Das Lonu hat viel Speicherplatz, das flox hat mehr, aber das WYRA hat am meisten Speicherplatz. – 3. Die Kamera von dem / vom Lonu ist gut, die von dem / vom flox ist besser, aber am besten ist die Kamera von dem / vom WYRA. – 4. Der Preis von Lonu ist teuer, der von dem / vom flox ist teurer, aber am teuersten ist der Preis von dem / vom WYRA. – 5. Das Display von dem / vom Lonu ist groß, das von dem / vom flox ist größer, aber am größten ist das Display von dem / vom WYRA. – 6. Der Vertrag von dem / vom Lonu dauert lange, der von dem / vom flox dauert länger, aber am längsten dauert der Vertrag von dem / vom WYRA.

1.3

Beispiel: 1. *Zu Petra Krause passt* WYRA, *weil* sie eine günstige Flatrate, ein großes Display und viel Speicherplatz braucht. – 2. *Am besten passt zu Finn Becker* flox, weil er ein günstiges und gutes Smartphone möchte. Flox hat außerdem eine gute Kamera und genug Speicherplatz.

1.4

Ich möchte wissen, ob das Handy eine gute Kamera hat. – Super! Könnten Sie mir sagen, welche Tarife es gibt? – Wissen Sie, wie viel ich mit der Basic-Flatrate surfen kann? – Das ist nicht viel. Gibt es auch einen anderen Tarif? – Toll! Was kostet dieser Tarif? – Aha. Ich möchte noch wissen, ob man das Handy ohne Vertrag kaufen kann. – Okay, vielen Dank für Ihre Hilfe.

2.1

1. *Ich möchte wissen,* ob das Handy *eine gute Kamera* hat. – 2. *Könnten Sie mir sagen,* welche *Tarife es* gibt? – 3. *Ich möchte noch wissen,* ob man das Handy ohne *Vertrag* kaufen kann. – 4. *Wissen Sie,* wie viel ich mit der *Basic-Flatrate* surfen kann?

2.2

1. wie viel − 2. ob − 3. ob − 4. wie lange −
5. welche − 6. ob − 7. was / wie viel − 8. wo

2.3

2. Wissen Sie, ob es dieses Tablet auch in Weiß gibt? −
3. Könnten Sie mir sagen, wie viel Speicherplatz das
Smartphone hat? − 4. Wissen Sie, ob ich mit dieser
Flatrate auch im Internet surfen kann? − 5. Könnten
Sie mir sagen, welchen Tarif Sie empfehlen? − 6. Ich
möchte wissen, ob die Kamera auch eine Videofunktion
hat.

2.4

1. weiß, weiß − 2. Weißt − 3. wissen − 4. Wisst −
5. wissen

3.1

1. e − 2. f − 3. d − 4. c − 5. b − 6. a

3.2

1. richtig − 2. falsch − 3. falsch − 4. falsch −
5. richtig − 6. richtig

4.1

c − b − f − h − d − i

4.2

Frau Wang bucht Flüge. − Sie chattet. − Sie telefoniert. − Sie telefoniert. − Sie zeichnet ihre Ideen.

4.3

Das Tablet nutzt man zum Skypen. − Das Tablet nutzt
man zum Surfen. − Das Tablet nutzt man zum
Shoppen. − Das Tablet nutzt man zum Organisieren
von Aufgaben. − Das Tablet nutzt man zum Spielen von
Computerspielen. − Das Tablet nutzt man zum Foto-
grafieren. − Das Tablet nutzt man zum Finden von
Fahrplänen. − Das Tablet nutzt man zum Navigieren. −
Das Tablet nutzt man zum Planen von Terminen.

4.4

2. James braucht Stiefel zum Wandern. − 3. Er braucht
eine Kreditkarte zum Bezahlen. − 4. Er braucht eine
Badehose zum Schwimmen. − 5. Er braucht einen
Reisepass zum Reisen. − 6. Er braucht eine Kamera
zum Fotografieren von Sehenswürdigkeiten. −
7. Er braucht eine Brille zum Lesen von Büchern. −
8. Er braucht einen Kuli zum Schreiben von Postkarten.

5.1

lerne ich mit meinem Handy − zum Lernen von
Fremdsprachen gekauft − interessant und abwechslungsreich − dauert fünfundvierzig/45 Minuten −
sinnvoll nutzen − viele neue Wörter lernen − ich sehe
sie auf dem Display − sie ins Handy sagen − Sie
haben sich gewundert

5.2

Beispiel: Die App „Da-bin-ich" nutze ich zum Navigieren. − „Skizzen-Profi" nutze ich zum Zeichnen. −
Ich nutze die App „Aktuelles24" zum Lesen von Nachrichten. − Ich nutze außerdem die App „i-Kalender"
zum Organisieren von Terminen.

6.1

falsch: 1. das Buch − 2. nutzlos − 3. das Internet −
4. vergessen − 5. bieten

6.2

1. E-Books − 2. Bücher

6.3

1. falsch − 2. falsch − 3. richtig − 4. richtig −
5. falsch − 6. richtig − 7. falsch − 8. richtig

6.4

a 7 − b 5 − c 4 − d 2 − e 1 − f 3 − g 8 − h 6

6.5

Beispiel 1: Ich finde, Alina *hat Recht, weil* man bei
Büchern keine Technik braucht. *Ich glaube nicht, dass*
das Buch stirbt. *Meiner Meinung nach* ändert sich die
digitale Entwicklung zu schnell und man muss immer
neue E-Book-Reader kaufen. *Ich bin nicht sicher, ob* die
Menschen in 10 Jahren noch E-Book-Reader nutzen.
Aber ich bin sicher, dass viele Menschen dann noch
Bücher im Schrank stehen haben.

Beispiel 2: Ich finde, Daniel *hat Recht,* weil E-Books
praktischer sind als Bücher und Platz sparen. *Ich glaube,*
dass das Buch stirbt. *Meiner Meinung nach* sind E-Books
auch umweltfreundlicher als Bücher. *Ich bin nicht sicher,*
ob es in 100 Jahren noch Bücher gibt. *Aber ich bin sicher,*
dass immer mehr Menschen digital lesen.

7.1

2.

7.2

hat − und − gefragt − sie − Smartphones −
Alltag − der − hören − Menschen − Musik −
ihren − häufiger − sie − Smartphones − Spielen −
von − und − nutzen − Smartphone − Lesen −
Zeitungen − surfen − Internet

Alles klar?

1.1

1. richtig − 2. falsch − 3. richtig − 4. falsch

1.2

2. Megapixel die Kamera hat − 3. der Akku hält −
4. das Smartphone 32 GB Speicherplatz hat −
5. groß das Display ist

2

2g: *Foto-Profi* ist eine App zum Fotografieren.
3f: *Zeichne-Pro* ist eine App zum Zeichnen.
4a: *Aktuelles24* ist eine App zum Lesen von Zeitungen.
5c: *Ticket* ist eine App zum Buchen von Flügen.
6b: *i-Kalender* ist eine App zum Organisieren von Terminen.
7e: *Musikload* ist eine App zum Herunterladen von Musik.

3

Beispiel: 1a *Ich finde, du* hast Recht. E-Books sind nicht so gut wie Bücher. / Bücher sind besser als E-Books. – 1b Ich bin nicht sicher, ob E-Books nicht so gut wie Bücher sind. / ob Bücher besser als E-Books sind. – 2a Ich finde nicht, dass man Stadtpläne aus Papier nicht mehr braucht. – 2b Glaubst du wirklich, dass man Stadtpläne aus Papier nicht mehr braucht? – 3a Das stimmt nicht. Tablets sind nicht besser zum Lesen als Smartphones. / Smartphones sind besser zum Lesen als Tablets. – 3b Ja, ich stimme dir zu. Tablets sind besser zum Lesen als Smartphones.

11 Freunde tun gut

1.1
1. die Liebe – 2. das Unglück – 3. der Spaß – 4. das Glück

1.2
1. c – 2. c – 3. a

1.3
1. frühstücken – 2. sprechen – 3. sein – 4. zuverlässig – 5. sagen – 6. denken – 7. Spaß ... haben – 8. Chor – 9. helfen – 10. fahren – 11. telefonieren – 12. treffen
Lösungswort: Freundschaft

1.4
1. *Martina Schmidt* stimmt zu
2. *Ursula Weyer* stimmt nicht zu

1.5
Martina Schmidt: 1 – 3
Ursula Weyer: 2 – 4 – 5

2.1
1. lieb/gut – 2. mutig – 3. dünn – 4. intelligent/klug – 5. stark – 6. kurze *Haare*

2.2
Adjektive: lieb – böse – gefährlich – groß – stark – mutig – neugierig – intelligent – graue – große – groß – leise – lang – praktisch
Tier: 3.

2.3
junge – großen – nette – netten – sportlicher – gemütlichen – spannende – neugieriger – langweiligen – süße

2.4
Beispiel: Hallo, ich bin ein junger, kluger Student aus China. Ich interessiere mich für Fremdsprachen und andere Länder. Ich spreche gut Deutsch und möchte mehr über das Leben in Deutschland wissen. Ich bin sehr neugierig und suche eine sympathische E-Mail-Partnerin oder einen sympathischen E-Mail-Partner aus Deutschland. Ich bin gemütlich und nicht sehr sportlich: Ich höre gern Musik, lese Bücher oder gehe mit meinem Hund spazieren. Er ist sehr lieb, mutig und stark, aber manchmal ein bisschen dumm. Wenn du einen E-Mail-Freund aus China haben möchtest, dann sei nicht ängstlich und schreib mir!

3.1
Hofburg – Palmenhaus – Burggarten – Staatsoper – Kärntner Straße – Dom am Stephansplatz

3.2
1. die Sehenswürdigkeiten ansehen – 2. beste Freundin aus der Kindheit – 3. waren den ganzen Tag – 4. noch tanzen

3.3
1. richtig – 2. falsch – 3. richtig – 4. falsch – 5. richtig – 6. richtig – 7. falsch – 8. falsch – 9. richtig

3.4
2. Jutta kennt Lola aus dem Kindergarten. – 4. Lola ist geschieden und lebt zusammen mit ihrem Sohn. – 7. Alles war sehr teuer, aber Jutta hat eine Bluse im Sonderangebot gekauft. – 8. Sie ist mit der U-Bahn ins Hotel gefahren.

3.5
1. mochte – 2. war – 3. gab – 4. mochte – 5. kam

3.6
Beispiel: Jutta war in Wien und wollte die Hofburg besichtigen. Dort hat sie Lola getroffen. Beide haben früher in einem Haus gewohnt. Sie waren lange beste Freundinnen. Sie haben zusammen Kaffee getrunken und sind in der Stadt spazieren gegangen. Sie haben sich die Stadt angesehen und sind shoppen gegangen. Im Hotel hat Jutta kurz geschlafen. Abends waren sie noch tanzen.

4.1
falsch: 1. altmodisch gefunden – 2. Tanzschule – 3. nach einigen Jahren

4.2
2. *haben seine Eltern* ihn in die Tanzschule geschickt. – 3. *war* er sehr nervös. – 4. hat sie ihm gesagt – 5. hat er Liselotte in ein Rock'n'Roll-Café eingeladen. – 6. durfte Liselotte nicht mehr tanzen. – 7. haben sie sich verliebt.

4.3

2. Als wir in die Schule <u>gekommen</u> <u>sind</u>, <u>haben</u> wir in der gleichen Bank <u>gesessen</u>. – 3. Als ich mich <u>verliebt</u> <u>habe</u>, <u>hat</u> sich mein bester Freund <u>gefreut</u>. – 4. Als er auch eine Freundin <u>gefunden</u> <u>hat</u>, <u>haben</u> wir viel zu viert <u>gemacht</u>. – 5. Als meine Eltern und ich <u>umgezogen</u> <u>sind</u>, <u>haben</u> wir leider den Kontakt <u>verloren</u>.

4.4

2. Wir <u>haben</u> in der gleichen Bank <u>gesessen</u>, als wir in die Schule <u>gekommen</u> <u>sind</u>. – 3. Mein bester Freund <u>hat</u> <u>sich</u> <u>gefreut</u>, als ich mich <u>verliebt</u> <u>habe</u>. – 4. Wir <u>haben</u> viel zu viert <u>gemacht</u>, als er auch eine Freundin <u>gefunden</u> <u>hat</u>. – 5. Wir <u>haben</u> leider den Kontakt <u>verloren</u>, als meine Eltern und ich <u>umgezogen</u> <u>sind</u>.

4.5

1. *Als das Mädchen den Hund gesehen hat, hatte sie* Angst. – 2. Als das Glas kaputtgegangen ist, habe ich mich geärgert. – 3. Als es plötzlich geregnet hat, hat sie ein Taxi genommen. – 4. Als sie auf dem Berg angekommen sind, waren sie müde. – 5. Als er bezahlen wollte, hatte er kein Geld.

5.1

2. Ich habe lesen gelernt, als ich … Jahre alt war. – 3. Ich bin in die Schule gekommen, als ich … Jahre alt war. – 4. Ich habe mit der Schule aufgehört, als ich … Jahre alt war. – 5. Ich habe meine erste Reise gemacht, als ich … Jahre alt war. – 6. Ich habe mich das erste Mal verliebt, als ich … Jahre alt war.

5.2

4/vier Jahre alt war – im gleichen Kindergarten – zusammen gespielt – wir in der Schule waren – die Hausaufgaben zusammen gemacht – und ich war gut in Deutsch – habe ich mich sehr geärgert – Aber wir haben dann lange nichts mehr – Vor 2/zwei Jahren – im Urlaub – viel erzählt – wieder meine beste Freundin

5.3

Beispiel: Als ich im Gymnasium war, habe ich meine beste Freundin Anna kennengelernt. Wir haben zusammen im Chor gesungen und hatten sehr viel Spaß. Ich mag sie sehr, weil sie lustig und nett ist.

7.1

Eva da Silva – Gertrud Winkler

7.2

1. nein – 2. ja – 3. ja – 4. nein – 5. nein

Und in Ihrer Sprache?

1

– vor mehr als neun Jahren; beim Chatten im Internetportal
– Gertrud Winkler 91; Eva da Silva 89
– Gertrud Winkler: Wohnheim in Siegburg, bei Bonn; Eva da Silva: Salvador de Bahia
– Gertrud Winkler: singt im Chor, chattet gern; Eva da Silva: chattet gern

Alles klar?

1

1. c – 2. d – 3. a – 4. b

2

Beispiele für Zustimmen: Ja genau, das finde ich auch. / Stimmt, das sehe ich auch so.
Beispiele für Widersprechen: Nein, das stimmt meiner Meinung nach nicht. Das sehe ich anders.

3

Figur	so sieht sie aus	so ist sie
Biene Maja	Sie ist eine kleine Biene. Sie ist gelb und schwarz und hat blonde Haare. Sie hat ein lustiges Gesicht mit einer kleinen Nase.	Sie ist klug und sehr neugierig. Sie kommt oft in gefährliche Situationen. Sie ist nett und hat einen sehr guten Freund, Willi.
Obelix	Er ist groß und stark und hat einen dicken Bauch. Seine Hose ist blau und weiß. Er hat rote Haare und einen roten Bart. Er hat ein nettes Gesicht mit einer großen Nase.	Er denkt manchmal ein bisschen langsam. Er isst sehr gern Wildschwein. Er ist sehr hilfsbereit und sein bester Freund ist Asterix.
Asterix	Er hat blonde Haare und einen blonden Bart. Er ist sehr klein.	Er ist sehr schnell und klug. Wenn er das magische Getränk trinkt, kann er gegen jeden kämpfen. Er liebt Abenteuer.

4

Beispiel: Als Klaus 12 Jahre alt war, hat er Peter im Gymnasium kennengelernt. Sie mochten sich sofort und sie waren zusammen im Sportverein. Sie haben oft gemeinsam Filme gesehen. Mit 17 Jahren waren Klaus und Peter in das gleiche Mädchen verliebt und haben sich gestritten. Die beiden Freunde hatten dann 15 Jahre keinen Kontakt mehr. Letztes Jahr haben sie sich plötzlich wieder getroffen. Heute sind sie wieder beste Freunde.

12 Eins – eins – zwei

1.1

1. c – 2. d – 3. a – 4. b – 5. e

1.2

1. *Die Frau schneidet Gemüse und* verletzt sich an der Hand. – 2. Die Verletzung blutet stark. – 3. Sie fährt mit dem Taxi ins Krankenhaus. – 4. Im Krankenhaus wartet sie in der Notaufnahme. – 5. Sie spricht mit einem Arzt.

2.1

3.

2.2

1. c – 2. b – 3. e – 4. d – 5. a

1. *Der kleine Junge ist vom Fahrrad* gefallen/gestürzt und hat sich am Bein verletzt. – 2. *Die drei Personen am Vormittag* hatten einen Autounfall. – 3. *Bei der Familie hat das* Haus gebrannt. – 4. *Die Patientin am Nachmittag* war gestürzt und hatte eine Kopfverletzung. – 5. *Der junge Mann hat* sich in den Finger geschnitten.

2.3

Gespräch 1: Hallo, hallo? Hier spricht Karl Gruber. Mein Kollege braucht Hilfe! – Die Büronummer ist: 040 23463421. – In der Firma, Meininger Straße 55. Wir sind im 3. Stock. – Mein Kollege ist plötzlich gefallen und jetzt ist er bewusstlos.

Gespräch 2: Hallo, mein Name ist Angelika Schmitz. Hier ist etwas passiert. – Äh ja, meine Nummer: 0157 89795126. – Ich bin auf der Autobahn. Auf der A1, kurz vor Bremen, bei Kilometer 86. – Hier gab es einen Autounfall. Es gibt zwei Verletzte. Sie bluten.

2.5

1. ansprechbar – 2. erfolglos – 3. erreichbar – 4. hilflos – 5. essbar – 6. bewusstlos – 7. grundlos – 8. waschbar

3.1

1. Gesundheitskarte – 2. Schmerztabletten – 3. Schmerzen – 4. Gehirn – 5. Gehirnerschütterung – 6. Gesundheit – 7. Apotheke – 8. Geburtsdatum – 9. Allergie – 10. Rezept – 11. Operation – 12. Krankenkasse

3.2

1. *Sie hat* Schnupfen. – 2. Er hat Husten. – 3. Sie hat starke Bauchschmerzen. – 4. Er hat eine Grippe. – 5. Sie hat sich geschnitten. – 6. Er hat Schmerzen in der Brust.

3.3

fehlt – Husten/Schnupfen – Schnupfen/Husten – Tee – Hals – Arme/Beine – Beine/Arme – müde – Grippe – Rezept – Tabletten – im Bett – besser – gute Besserung

3.4

1. a – 2. b – 3. c – 4. a

4.1

sollte – solltest – sollte – sollten – solltet – sollten

4.2

1. *Gehen Sie jeden Tag spazieren und* tragen Sie die richtige Kleidung! – 2. Essen Sie viel frisches Obst und Gemüse! – 3. Trinken Sie viel Tee. – 4. Duschen Sie warm und kalt. – 5. Machen Sie Sport! – 6. Schlafen Sie genug!

4.3

1. *Sie sollten jeden Tag spazieren gehen, und* Sie sollten die richtige Kleidung tragen. – 2. Sie sollten viel frisches Obst und Gemüse essen. – 3. Sie sollten viel Tee trinken. – 4. Sie sollten warm und kalt duschen. – 5. Sie sollten Sport machen. – 6. Sie sollten genug schlafen.

4.4

Meine Mutter sagt – ich sollte endlich – lernen – ich mehr Gemüse essen sollte – wir sollen die Lehrer ärgern – mag meine Lehrer eigentlich ganz gern – dass ich mehr lernen sollte – sollte die Hausaufgaben machen – ich sollte viel mehr spielen

5.1

1. d – 2. Antwort fehlt – 3. c – 4. a – 5. b

5.2

1. *Wenn man viel arbeitet und schlecht schläft, sollte man etwas Gutes für sich tun.* Man sollte nicht mehr als neun Stunden arbeiten. Man sollte Sport machen, spazieren gehen oder Freunde treffen. Man sollte sich entspannen. – 2. Wenn man sich mit 14 Jahren zu dünn findet, sollte man ganz normal und gesund essen. Und man sollte sich nicht ärgern, wenn Freundinnen oder Freunde lachen. – 3. Wenn eine Kollegin plötzlich anders ist, sollte man unbedingt offen sprechen. Man sollte sie zum Kaffee oder Wein nach der Arbeit einladen. Man sollte sagen, dass man mit ihr reden muss. Man sollte nicht streiten und ganz ruhig fragen, was passiert ist. Man sollte sich nicht ärgern. – 4. Wenn man Probleme mit dem 16-jährigen Sohn hat, sollte man akzeptieren, dass er mit 16 Jahren kein kleines Kind mehr ist. Man sollte einen „Gesprächstermin" machen. Man sollte sein Lieblingsessen kochen und ihn fragen, was für ihn am wichtigsten ist. Man sollte Regeln mit ihm machen.

5.3

Beispiel: Lieber Lars, ich finde auch, dass man mit 16 Jahren kein kleines Kind mehr ist. Aber man muss in Deutschland bis 22 Uhr zu Hause sein, wenn man jünger als 18 Jahre ist. Sie sollten manchmal im Haushalt helfen. Sie sollten ruhig mit Ihren Eltern reden und nicht streiten. Machen Sie zusammen eine Liste und schreiben Sie: Was ist wichtig für Sie und was für Ihre Eltern.

6.1

2.

6.2

1. falsch – 2. richtig – 3. richtig – 4. falsch –
5. falsch – 6. richtig – 7. richtig

Alles klar?

1

1. *Die Frau hat* sich am Kopf gestoßen. – 2. Die Frau
ist bewusstlos. – 3. Es gab einen Autounfall. / Ein
Autounfall ist passiert. – 4. Der Mann hat sich in den
Finger geschnitten. – 5. Das Haus brennt. / Es brennt
in einem Haus. – 6. Der Mann ist gestürzt/gefallen.

2

Beispiel: 2. Ich bin in der Firma AZ, Seestraße 4 in Ulm
im 2. Stock. – 3. Mein Kollege hat Schmerzen in der
Brust. Er ist plötzlich gefallen. – 4. Ich sehe keine
Verletzungen, aber er ist bewusstlos.

3

1. b – 2. a – 3. b – 4. a

4

1. Meine Freunde sollten weniger arbeiten. – 2. Wir
sollten / Ihr solltet Sport machen. – 3. Sie sollten die
112 anrufen. – 4. Sie sollte heiße Milch trinken.

13 Hat es geschmeckt?

1.1

Nomen: das Gericht, -e – die Spezialität, -en –
das Gewürz, -e – die Nuss, -ü-e – der Snack, -s –
die Zutat, -en – die Suppe, -en – die Küche, -en
Adjektive: scharf – vegetarisch – authentisch –
frisch – traditionell – leicht – lecker – bio

1.2

1. Was ist Street Food? – 2. Exotische Snacks –
3. Leckeres aus Asien – 4. Pasta und mehr –
5. Wie zu Hause

1.3

1. richtig – 2. falsch – 3. richtig – 4. falsch –
5. falsch

2.1

bitter: Bier, Espresso, Kaffee, Gewürze – *frisch:* Salat,
Bananen, Obst, Gemüse, Äpfel, Paprika – *salzig:*
Bratwurst, Chips – *sauer:* Joghurt – *scharf:* Gewür-
ze – *süß:* Torte, Pralinen, Marmelade, Kakao, Zucker,
Schokolade, Lebkuchen, Eis, Kuchen

2.2

2. Wenn Thomas Mittag isst, isst er gern etwas Frisches. –
3. Wenn Thomas Kaffee trinkt, isst er gern etwas Süßes. –
4. Wenn Thomas frühstückt, isst er nichts Saures. –
5. Wenn Thomas Bier trinkt, isst er nichts Scharfes. –
6. Wenn Thomas Sport macht, isst er nichts Bitteres.

2.4

nichts Altmodisches – nichts Großes – etwas
Elegantes – etwas Feines – nichts Teures –
etwas Günstiges

3.1

1. d – 2. c – 3. b – 4. a

3.2

Kennst du ein gutes Restaurant im Stadtzentrum? –
Wie ist das Curry? – Ich mag nichts Scharfes. Kannst
du etwas anderes empfehlen? – Ich esse kein Huhn.
Gibt es etwas Vegetarisches? – Das klingt lecker! Was
kann man als Nachtisch essen? – Das Eis würde ich
auch gern einmal probieren. – Ja, gern! Das ist eine
gute Idee.

3.4

liegt direkt in der Altstadt – aromatische vegetarische
Suppen – aus frischen Zutaten – einige scharfe oder
milde Gerichte mit vielen Gewürzen – etwas Süßes als
Nachtisch – klein und gemütlich – Kaffee und
Kuchen oder ein Hauptgericht

3.5

Beispiel: Wenn Sie ein gutes Restaurant suchen,
empfehle ich den Rathauskeller. Dort kann man leckere
deutsche Gerichte essen. Ich empfehle den Fisch oder
auch die Gerichte mit Fleisch. Das Steak esse ich am
liebsten. Die Weine kommen aus Deutschland oder aus
der ganzen Welt und schmecken auch sehr gut. Das
Restaurant ist ruhig und gemütlich. Sie können jeden
Tag von 10 bis 23Uhr dort essen.

4.1

passt nicht: 1. Serviette – 2. Öl – 3. vegan –
4. Zucker – 5. Abendessen

4.2

1. Suppen und Vorspeisen – 2. Tomatensalat –
3. *Hauptgerichte* – 4. Hühnchen – 5. Beilagen und
Gemüse – 6. Pommes frites – 7. Nachtisch –
8. Obstsalat mit Sahne

5.1

1. Dieser Tee. Der ...tee schmeckt mir am besten. –
2. Diese Torte. Die ...torte schmeckt mir am besten. –
3. Dieses Eis. Das ...eis schmeckt mir am besten.

5.2

1. Ich möchte diesen Tee, bitte. Den ...tee. –
2. Ich möchte diese Torte, bitte. Die ...torte. –
3. Ich möchte dieses Eis, bitte. Das ...eis.

5.3

1. *welches* – Dieses – 2. Dieser – diesen – Welchen –
3. welchen – dieser – Welchen – diesen – diesen –
4. Welche – Diese

5.4

1. a – 2. a – 3. b – 4. a – 5. b

5.5

a: *1*, 3, 7, 8 – b: 2, 5, 10, 11 – c: 4, 6, 9, 12

5.6

a

Kellner: Haben Sie schon gewählt?

Gast: Ich nehme den Fisch mit Kartoffeln und Salat.
        Welchen Wein empfehlen Sie dazu?

Kellner: Ich empfehle Ihnen einen Weißwein.

b

Kellner: Schmeckt es Ihnen?

Gast: Hmm, eigentlich nicht. Der Salat ist viel zu salzig.

Kellner: Das tut mir leid. Sie bekommen einen neuen.

Gast: Vielen Dank. Das ist sehr nett.

c

Gast: Zahlen, bitte!

Kellner: Sofort! Hier, die Rechnung.

Gast: Die Rechnung ist falsch. Ich hatte keinen Kuchen.

Kellner: Sie haben Recht. Das ist falsch. Entschuldigung.

6.1

3.

6.2

1. falsch – 2. richtig – 3. falsch – 4. richtig –
5. richtig – 6. falsch

6.3

1. Käsefondue – 2. Älplermagronen – 3. Rösti –
4. Raclette

6.4

1. Käsefondue – 2. Älplermagronen und Rösti –
3. Rösti – 4. Apfelmus

Und in Ihrer Sprache?

1

Suppe: Tomatensuppe mit etwas Sahne, bio
Hauptgericht: Fisch, Forelle frisch vom Markt mit
grünen Bohnen und Kartoffelpüree
vegetarisches Gericht: Reis mit Gemüse, mit scharfen
Gewürzen
Nachtisch: Nusstorte mit Eis oder Sahne

Alles klar?

1.1

2b: Pietro isst nachmittags gern Bananen. – 3e: Mario
isst keine Nüsse. – 4c: Ina isst keinen Fisch. –
5d: Tom isst gern Tomaten. – 6f: Olga isst gern Steak.

1.2

Beispiel: 1. Morgens esse ich nichts Saures. – 2. Mittags
esse ich gern etwas Frisches. – 3. Nachmittags esse ich
gern etwas Süßes. – 4. Abends esse ich nichts Salziges.

2

a 5 – b 2 – c 1 – d 3 – e 4

3

1. Ich nehme das Steak mit Pommes und Champignons. – 2. Die Suppe ist zu kalt. – 3. Ja, die Rechnung
ist falsch. Ich hatte keinen Nachtisch.

14 Einkaufswelt

1

1. Größe – 2. Einkaufszentrum – 3. Einkaufstüte –
4. anprobieren – 5. Kasse – 6. Parkhaus –
7. beraten – 8. beobachten – 9. Boutique

2.1

2. brauche ... Zeit – 3. gehe ... shoppen – 4. beschreibt
das Verhalten – 5. sinnlose Dinge

2.2

falsch: 1. nicht zu – 2. Recht hat

2.3

1. falsch – 2. richtig – 3. richtig – 4. falsch

2.4

Beispiel:

Sehr geehrter Herr Schuster,

ich finde, Sie haben nicht Recht. Viele Frauen sind
Käufer, weil sie wenig Zeit haben und schnell einkaufen
müssen. Und viele Männer sind Shopper: Vielleicht
nicht in einer Boutique, aber in Baumärkten oder
Elektromärkten. Es gibt auch viele Menschen, die in ein
Einkaufszentrum gehen und dort Menschen beobach-
ten. Diese Menschen kaufen meistens nichts.
Mit freundlichen Grüßen
...

3.1

2. c – 3. a – 4. g – 5. f – 6. h – 7. b – 8. d

3.2

2c: Ich suche eine <u>Buchhandlung</u>, <u>die</u> auch Bücher auf
Englisch hat.

3a: Ich möchte ein <u>Einkaufszentrum</u>, <u>das</u> abends lange
geöffnet hat.

4g: Ich mag keine <u>Geschäfte</u>, <u>die</u> unfreundliche
Verkäufer haben.

5f: Ich liebe <u>Boutiquen</u>, <u>die</u> elegante Mode anbieten.

6h: Ich brauche eine <u>Verkäuferin</u>, <u>die</u> gut beraten kann.

7b: Ich habe schon viele <u>Verkäufer</u> getroffen, <u>die</u> keine
Zeit für die Kunden hatten.

8d: Ich fahre nicht gerne zu einem <u>Supermarkt</u>, <u>der</u>
nicht genug Parkplätze hat.

3.3

Beispiel: 1. *Ich möchte ein Einkaufszentrum, das* viele
Parkplätze hat. – 2. Ich brauche einen Verkäufer, der
mich persönlich berät und freundlich ist. – 3. Ich mag
keine Geschäfte, die wenige Verkäufer haben und teuer
sind. – 4. Ich suche immer eine Verkäuferin, die Zeit
für mich hat.

3.4

Beispiel: 1. *Ein Optiker / Eine Optikerin ist eine Person, die Kunden berät und* Brillen verkauft und repariert. – 2. *Ein Kellner / eine Kellnerin ist ein Mensch, der* im Café oder Restaurant das Essen und die Getränke bringt.– 3. Ein Gast ist ein Mensch, der in einem Café oder Restaurant sitzt und etwas isst oder trinkt. – 4. Ein Verkäufer / eine Verkäuferin ist eine Person, die in einem Geschäft arbeitet und Dinge verkauft. – 5. Ein Kunde / eine Kundin ist eine Person, die in einem Geschäft etwas kauft. – 6. Eine Reinigungskraft ist ein Mensch, der im Einkaufszentrum putzt.

4.1

falsch: 1. Spielzeug – 2. 7 bis 14 Uhr – 3. jeden Sonntag – 4. Herrenschuhe – 5. Parfüms

4.2

das ich immer wieder gern besuche – Ich habe dort viele Lieblingsgeschäfte – shoppen – Kleidung, Kosmetik, Taschen und Uhren – Spielzeug für die Kinder – Wichtig ist für mich – dass – gute Cafés und Restaurants gibt – die Leute beobachte

4.3

1. die Apotheke – 2. die Buchhandlung – 3. das Schreibwarengeschäft – 4. die Bäckerei – 5. die Drogerie – 6. der Spielzeugladen – 7. die Weinhandlung – 8. der Elektromarkt – 9. das Schuhgeschäft

4.4

Beispiel: Wenn ich einen Drucker, einen E-Book-Reader, ein Ladekabel oder einen Fotoapparat suche, gehe ich in einen Elektromarkt. – Wenn ich Papier, eine Schere oder eine Zeitschrift brauche, gehe ich in ein Schreib-warengeschäft. – Wenn ich eine Sonnencreme, ein Parfüm, eine Seife oder einen Lippenstift brauche, gehe ich in eine Drogerie. – Wenn ich eine Sonnenbrille, ein Jackett, eine Krawatte oder ein Hemd suche, gehe ich in eine Boutique. – Wenn ich Gewürze oder einen Kamillentee brauche, gehe ich in einen Supermarkt. – Wenn ich ein Kinderbuch suche, gehe ich in eine Buchhandlung. – Wenn ich Schmerztabletten brauche, gehe ich in eine Apotheke.

4.6

1. a – 2. c – 3. c – 4. b

5.1

eine Drogerie gesehen – gibt ... keine Drogerie – hat ... Cremes – meinen Bio-Kamillentee kaufen – Bringst ... eine Packung Schmerztabletten mit – habe Zahnschmerzen – kenne ... einen ... Zahnarzt – mag keine Ärzte

5.2

a 1 – b 5 – c 4 – d 3 – e 8 – f 2 – g 7 – h 6

5.3

Buchhandlung, die – Buch, das – Comics, die ... die – Eiscafé, das – *Typ, den* ... *der* – Buchhandlung, die – Geschäft ..., das
das Buch, das Geschäft, das Eiscafé: das – das
die Buchhandlung: die – die
die Comics: die – die

5.4

1. *Wie findest du das Parfüm, das ich* dir empfohlen habe? – 2. *Wie gefällt dir die Krawatte, die du anprobiert hast?* – 3. *Willst du den Drucker kaufen, den du gestern im Elektromarkt gesehen hast?* – 4. *Hast du die Zeitschriften mitgebracht, die ich für meine Arbeit brauche?* – 5. *Hast du den Schlüssel gefunden, den du gestern verloren hast?*

5.5

2. Der Fotoapparat, den ich gestern gesehen habe, ist sehr preiswert. – 3. Hast du das Buch, das ich dir empfohlen habe, schon gelesen? – 4. Der Rotwein, der dir so gut schmeckt, liegt im Kühlschrank. – 5. Die Pizza, die du mir gestern mitgebracht hast, war wirklich super. – 6. Heute kommen meine Freunde Adisa und Sindo, die ich vor drei Jahren im Senegal kennengelernt habe, für eine Woche zu mir nach Hamburg.

5.6

1. M. Keller – 2. G. Baierle – 3. W. Müller

5.7

1. falsch – 2. richtig – 3. falsch – 4. richtig – 5. richtig – 6. falsch

6.1

1. a – 2. b – 3. c – 4. b

6.2

Beispiel: Ich gehe gern shoppen, aber nicht so oft. Wenn ich etwas brauche, gehe ich in ein Einkaufszentrum, weil es dort viele Geschäfte gibt. Ich gehe gern morgens shoppen, weil noch nicht viele Menschen unterwegs sind. Nach dem Shoppen gehe ich gern in ein Café, trinke einen Kaffee und beobachte andere Menschen beim Einkaufen.

Und in Ihrer Sprache?

1

Was: eine Tasse Tee; man kann aus 50 verschiedenen Teesorten auswählen
Wo: Café im 3. Stock, links neben dem Aufzug

Alles klar?

1

2d: Beim Shopppen gebe ich manchmal sinnlos Geld aus. – 3e: Ich probiere gern im Geschäft eine Hose an. – 4c: Wenn ich bezahlen möchte, gehe ich zur Kasse. – 5a: Herr Schuster hat das Verhalten von Menschen beim Einkaufen gut beschrieben.

2.1

EG: links 3 – *rechts* 4
1. *Stock: oben* 2 – *rechts* 1

2.2

2. Herrenhosen und Hemden kann man in der Herrenboutique im Erdgeschoss rechts neben dem Schreibwarengeschäft kaufen. – 3. Spielzeug kann man im Spielzeugladen im ersten Stock rechts gegenüber dem Schuhgeschäft kaufen. – 4. Sonnencreme kann man in der Drogerie im Erdgeschoß links neben der Bäckerei kaufen. – 5. Eine Uhr kann man im Uhrengeschäft im ersten Stock links gegenüber der Boutique für Frauen kaufen.

3

1. *Kannst du mir eine Drogerie empfehlen, die* gute Cremes hat? – 2. *Kannst du mir eine Boutique mit Verkäufern empfehlen, die* gut beraten? – 3. *Kannst du mir ein Café empfehlen, das* guten Kaffee anbietet? – 4. *Kennst du einen Elektromarkt, der* gute Fotoapparate hat?

4

Beispiel: Die Bahnhofstraße ist eine bekannte Einkaufsstraße im Zentrum von Zürich. Sie ist 1,4 km lang. Sie hat viele teure Boutiquen und Uhrengeschäfte. Dort gibt es auch viele Banken.

15 Partylaune

1.1

1. f – 2. e – 3. a – 4. b – 5. c – 6. d

1.2

Einladung 1: g – i – e – f – b
Ihr Lieben,
ich bin jetzt schon seit 45 Jahren auf der Welt. Das möchte ich mit euch am 24. April ab 15 Uhr bei mir zu Hause feiern. Bitte sagt bis zum 15. April Bescheid, ob ihr kommt.
Liebe Grüße
Miriam

Einladung 2: c – a – d – j – h
Wir sind umgezogen! Deshalb möchten wir mit euch in unserer neuen Wohnung feiern! Besucht uns am 14. Juni um 19 Uhr in der Brandstraße 3. Wir freuen uns auf euch! Sia und Tim

1.3

Liebe – Glückwunsch – freuen – wünschen – Gute – Leben – Grüße

2.1

a 2 – b 3 – c 1

2.2

1b: von ... bis – 2d: am – 3a: um – 4c: am, ab

2.3

2.

2.4

1. *Ganz herzlichen Glückwunsch zu deinem Erfolg!* = *Wir gratulieren dir* ganz herzlich zu deinem Erfolg. – 2. = Leider können wir nicht dabei sein. – 3. = Soll ich etwas mitbringen? – 4. = Klar, ich feiere mit dir! / Ich komme natürlich gern zu deiner Party!

2.5

a 4 – b 1 – c 2 – d 3

2.7

Beispiel: Hallo, Andreas! Ich gratuliere dir zu deiner neuen Stelle. Vielen Dank für die Einladung. Ich komme gern zu deiner Feier! Ich kann erst ab 21 Uhr kommen, weil ich zum Sprachkurs gehen muss. Soll ich etwas mitbringen? LG

3.1

1. machen – 2. feiern – 3. gehen – 4. grillen – 5. spielen – 6. besichtigen

3.2

1. a – 2. c – 3. f – 4. e – 5. b – 6. d

3.3

2. Geh doch mit Freunden ins Kino! – 3. Back doch mit der Familie! – 4. Mach doch nichts! – 5. Grill doch mit Freunden im Garten! – 6. Feier doch mit Freunden in einer Kneipe!

4.1

1. Ausflüge – 2. Band – 3. dekorieren – 4. gratulieren – 5. Party – 6. einladen – 7. Besteck – 8. buchen – 9. Geschirr – 10. Musikanlage – 11. Kneipe – 12. Gast
Lösungswort: Überraschung

4.2

3.

4.4

1. – 3. – 6. – 7. – 8. – 9.
Sie haben schon den DJ gebucht. *Sie müssen noch* die Getränke bestellen. Die Freundinnen haben auch schon die Musikanlage gemietet. Sie müssen aber noch am Samstag die Tische dekorieren. Sie müssen auch noch das Essen organisieren. Aber sie haben schon die Gäste eingeladen und den Raum reserviert. Sie haben auch das Besteck und das Geschirr schon bestellt.

4.4

eine Party/Überraschungsparty machen – können zusammen grillen – (zusammen) Bowling spielen

5.1

2., 4.

5.2

a Punkt 4 – b Punkt 6 – c Punkt 3 – d Punkt 5 – e Punkt 2 – f Punkt 1

5.3

seit *einem* – mit *vielen* – von *meinem* – aus *einer* – zu *meiner*

5.4

1. b – 2. d – 3. a – 4. c

5.5

2. Kennst du den netten <u>Mann</u>, mit dem ich bei deinem Geburtstag getanzt habe?

3. Meine Tochter plant gerade die <u>Hochzeitsfeier</u>, von der sie immer geträumt hat.

4. Wer waren die <u>Freunde</u>, bei denen du deinen Geburtstag gefeiert hast?

5. Das <u>Restaurant</u>, in dem wir gegessen haben, hat eine sehr gute Speisekarte.

5.6

2. denen – 3. dem – 4. der – 5. der – 6. dem

5.7

2. in dem ich noch nie war – 3. von denen ich schon viel gehört habe – 4. von der alle immer reden – 5. mit dem ich gestern telefoniert habe – 6. zu dem ich fahren muss

5.8

an dem ich immer ein Gartenfest mache – mit denen ich gern etwas in meiner Freizeit mache – Ich buche auch immer einen DJ – zu der man kommen muss – können sie natürlich zu Hause bleiben

6.1

Hochzeit – Braut – Bräutigam – Standesamt – Brautpaare – Ringe – Brautstrauß

6.2

3.

6.3

Ute Kleist + Ralf Heller: 1 – 3 – 4 – 7
Sonja Thiele + Tom Lanke: 2 – 5 – 6 – 8

6.4

2. die Karte – 3. das Spiel – 4. die Stadt – 5. der Kopf – 6. der Mann

6.5

Beispiel: Mein Freund und ich möchten unsere Hochzeit in einem warmen Land am Meer mit wenigen Freunden feiern. Wir wollen lieber in einem Standesamt als in einer Kirche heiraten. Ich möchte ein weißes Hochzeitskleid tragen und einen Brautstrauß möchte ich auch gern haben. Die Ringe sollen silber sein.

Und in Ihrer Sprache?

1

Was: Geburtstag, mit Kaffee und Kuchen
Wo: im Garten, Weberstr. 19
Wann: 16 Uhr

Alles klar?

1.1

Beispiel:
Hallo, ihr Lieben!
Ich möchte euch zum Sommerfest bei mir im Garten einladen. Ich feiere am 15. Juli ab 16 Uhr. Sagt mir bitte bis 10. Juli Bescheid, ob ihr kommt. Bitte bringt Getränke mit. Und vergesst die gute Laune nicht! Ich freue mich auf euch!
Eure …

1.2

Beispiel:
Liebe Clara,
ganz herzlichen Glückwunsch zur Geburt von deiner Tochter. Ich wünsche euch alles Gute und eine schöne Zeit mit eurer Frieda.
Liebe Grüße
…

2

1. ich komme auf jeden Fall zu deiner Party – 2. Ich würde sehr gern kommen – 3. aber ein bisschen später – 4. Ich kann aber leider nicht kommen

3.1

2. Hast du schon die Einladungen geschrieben? – 3. Hast du schon das Geschirr bestellt? – 4. Hast du schon den Tisch gedeckt? – 5. Hast du schon die Tische / den Raum dekoriert?

3.2

1. mit dem du immer so zufrieden bist – 2. von der du mir erzählt hast – 3. bei der du das Essen und die Getränke bestellst

16 Kulturwelten

1.1

1. die Band – 2. der Straßenkünstler – 3. das Zirkuszelt – 4. die Sängerin – 5. die Zuschauer / das Publikum – 6. die Bühne – 7. die Akrobatin – 8. der Infostand – 9. der Umzug – 10. das Kostüm

1.2

2. d – 3. j – 4. g – 5. a – 6. b – 7. i – 8. e – 9. f – 10. c

1.3

Beispiel: 2d: Der Straßenkünstler jongliert mit Feuer. – 3j: Die Zuschauer zahlen Eintritt. – 4g: Die Musiker laufen im Umzug mit. – 5a: Das Publikum wirft / Die Zuschauer werfen Geld in den Hut. – 6b: Der Clown trägt ein Kostüm. – 7i: Die Sängerin singt auf der Bühne. – 8e: Das Publikum hat / Die Zuschauer haben Spaß. – 9f: Der Mann informiert sich über das Programm. – 10c: Viele Menschen wollen eine Vorführung besuchen.

1.4

1. *im*, zwischen den – 2. in das – 3. vor dem, neben dem – 4. über die – 5. unter der – 6. auf die – 7. neben der – 8. auf dem

1.5

1. c – 2. c – 3. b – 4. b

1.6

Was?	Wann?	Wo?	Eintritt
Straßenkunst-Festival	von Samstag um 9 Uhr bis Sonntag um 21 Uhr	Altstadt von Dortmund	Tickets für 10 Euro
Blues-Konzert	Freitag um 20 Uhr Treffen um 19 Uhr	Konzerthalle	18 Euro
Samba-Umzug	Sonntag um 15 Uhr Treffen um 14:45 Uhr	am Bahnhof	

1.7

Das Straßenkunst-Festival beginnt am Samstag um 9 Uhr und endet am Sonntag um 21 Uhr. Es findet in der Altstadt von Dortmund statt. Die Tickets kosten 10 Euro.
Das Blues-Konzert ist am Freitag um 20 Uhr in der Konzerthalle an. Sophie und Anne treffen sich um 19 Uhr vor der Konzerthalle. Ein Ticket kostet 18 Euro. Der Samba-Umzug fängt am Sonntag um 15 Uhr am Bahnhof an. Die Künstlerinnen und Künstler treffen sich um 14:45 Uhr am Bahnhof.

2.1

1. Was macht man als Festival-Managerin? – 2. Was ist für ein gutes Festival wichtig? – 3. Organisieren Sie alles selbst? – 4. Was gefällt Ihnen an Ihrer Arbeit am besten?

2.2

1. falsch – 2. falsch – 3. richtig – 4. richtig

2.3

1. c – 2. d – 3. e – 4. b – 5. a

2.4

2. Sie freut sich jeden Tag auf ihre Arbeit. – 3. Sie lädt Künstlerinnen und Künstler zu den Straßenkunstfestivals ein. – 4. Frau Hübner träumt von einem internationalen Lese-Festival. – 5. Sie ärgert sich über schlechtes Wetter.

2.5

zu – über – an – auf – auf

2.6

Beispiel: 1. *Susan lädt Linda zum* Frühstück ein. – 2. Lena informiert sich über die Medikamente/Tabletten. – 3. Maike freut sich auf den Urlaub / das Meer / den Strand. – 4. Alex ärgert sich über den Stau / den Verkehr. – 5. Eberhard interessiert sich für Briefmarken. – 6. Tom denkt an den Autounfall. – 7. Merle freut sich über die Geburtstagstorte / den Geburtstagskuchen. – 8. Hans träumt von viel Geld.

3.1

1. klassische Musik – 2. genießen – 3. Eintritt – 4. Eintrittskarten – 5. interessant – 6. Spaß – 7. Bühnen – 8. informieren – 9. auftreten – 10. zelten – 11. Wohnwagen – 12. bequemer – 13. Sonne – 14. Wetter – 15. Kleidung

3.2

2.

3.3

Beispiel: 1. *Man sollte früh die Eintrittskarten kaufen, weil* viele Musikfestivals sehr beliebt sind und die Eintrittskarten schnell weg sind. – 2. Man sollte mit Freunden zu einem Festival fahren, die gute Laune haben. – 3. Im Programm auf der Internetseite kann man sich über die Bands informieren. – 4. Man kann auf dem Festival zelten, im Wohnwagen schlafen, ein Hotelzimmer mieten oder in einer Jugendherberge schlafen. – 5. Die richtige Kleidung ist wichtig, weil das Wetter bei Open-Air-Festivals leider nicht immer gut ist.

3.4

Ich höre sehr gern *Live*-Musik – findet jedes Jahr im Juli statt. Der Eintritt ist sehr günstig – treten kostenlos auf – es gibt auch internationale Künstler – Das ist eine österreichische Band – Das Festival war sehr schön – die Musik war toll – es war kalt und nass

3.5

Beispiel: 1. *Karin und zwei Freundinnen haben ein* Pop-Festival besucht. – 2. An einem Wochenende im Juni haben sie zwei Tage lang viel Musik gehört und getanzt. – 3. Karin hat den Auftritt von ihrer Lieblingsband *Blütentau* gesehen. – 4. Sie hat / Sie haben im Zelt geschlafen. – 5. Sie hat / Sie haben sich über das gute Wetter gefreut.

4.1

1. c – 2. d – 3. e – 4. a – 5. b

4.2

2. Sie informieren sich über die Ticketpreise. – 3. Er träumt von einem großen Haus. – 4. Ich interessiere mich für Jazz-Musik. – 5. Wir freuen uns über das neue Spielzeug. – 6. Sie ärgert sich über das schlechte Essen. – 7. Wir warten auf den Bus zum Festival. – 8. Ich denke an meine Familie.

4.3

2. sich freuen über: worüber → Worüber freust du dich? – 3. denken an: woran → Woran denkst du? – 4. sich ärgern über: worüber → Worüber ärgerst du dich? – 5. träumen von: wovon → Wovon träumst du? – 6. sich interessieren für: wofür → Wofür interessierst du dich? 7. warten auf: worauf → Worauf wartest du? – 8. sich informieren über: worüber → Worüber informierst du dich?

4.5

1. *Wie bitte? Worauf freust du dich?* – 2. Wie bitte? Worüber freust du dich? – 3. Wie bitte? Woran denkst du? – 4. Wie bitte? Worüber ärgerst du dich? – 5. Wie bitte? Wovon träumst du? – 6. Wie bitte? Wofür interessierst du dich? – 7. Wie bitte? Worauf wartest du? – 8. Wie bitte? Worüber informierst du dich?

6.1

Bayern – feiern; Bild – Schild; breit – weit; dann – wann; denken – schenken; Eis – heiß; Ende – Hände; fragen – tragen; Herz – März; Idee – See; immer – Zimmer; Kuss – muss; lachen – machen; leise – Reise; Ort – Wort; Raum – Traum; richtig – wichtig

6.2

Ein Mann steht an seinem Herd
und träumt dabei von einem Pferd.
Wie gern möchte er jetzt reiten,
doch wer würde ihn begleiten?
Also bleibt er lieber zu Haus,
kocht weiter und bekommt Applaus
für seine leckere Gemüsesuppe.

Und in Ihrer Sprache?

1

Wo? in Neustadt – *Wann?* vom 28. bis 30. Mai – *Umzug?* am Freitag um 18 Uhr – *Eintritt?* kostenlos – *Essen und Trinken?* leckere Spezialitäten und Bierzelt im Stadtpark – *Programm?* am Bahnhof, an der Touristeninformation und online auf der Webseite/Internetseite

Alles klar?

1

1. Das Festival findet vom 19. bis 21. Juni 2017 im Stadion in Hannover statt. – 2. Bands und DJs aus 14 Ländern nehmen teil. – 3. Der Eintritt ist frei/kostenlos. Aber man soll/kann Hutgeld geben.

2

zum / zu dem – für die – über/auf den – auf den – über die – auf den

3

Beispiel: Tom Reiler mag Popmusik. Seine Lieblingssängerin ist Madonna. Er geht gern in Konzerte, aber die Oper mag er nicht. Er spielt Gitarre in seiner eigenen Band.

Hörtexte

Hier finden Sie alle Hörtexte, die nicht oder nicht komplett in den Einheiten abgedruckt sind.

1 Auf Reisen

1.5

🗨 Hartmann.

👍 Hallo, Sandra, ich bin's, Florian.

🗨 Hallo! Bist du schon aus dem Urlaub zurück? Wie war denn die Reise?

👍 Na ja, wir haben drei Tage bis nach Athen gebraucht – mit dem Auto dauert es lange.

🗨 Und was habt ihr in Athen gemacht?

👍 Wir sind vier Tage in Athen geblieben und haben die Stadt mit ihren Sehenswürdigkeiten besichtigt. Du weißt schon, die Akropolis, ein paar Kirchen und Museen ... Und ich habe sehr viele Fotos gemacht.

🗨 Das glaube ich. Und dann? Ihr hattet doch drei Wochen Urlaub!

👍 Nach fünf Tagen sind wir dann mit dem Schiff auf die Insel Paros gefahren. Dort wohnt eine Freundin von mir – Ariadne. Wir haben sie besucht und haben dort auch gewohnt.

🗨 Gibt es auf Paros viele Sehenswürdigkeiten?

👍 Na ja, nicht so viele. Wir waren jeden Tag am Strand und sind schwimmen gegangen. Der Strand dort ist super! Und abends sind wir mit Ariadne in die Disko oder in eine Bar gegangen. Wir haben viele Leute kennengelernt – aus den Niederlanden, aus Russland und – klar – auch viele Griechen.

🗨 Da habt ihr nicht viel geschlafen, oder?

👍 Doch, wir haben dann immer am Vormittag geschlafen. Am letzten Wochenende waren wir auch in den Bergen – ganz toll! Und dann sind wir wieder nach Bremen zurückgefahren.

🗨 Und seid ihr auch wieder direkt zurückgefahren? Also drei Tage im Auto ohne Pause?

👍 Nein. Wir haben einen Tag Pause in Linz gemacht und haben dort ein Konzert besucht.

🗨 Und am Montag musst du wieder arbeiten?

👍 Ja, leider. Das ist immer....

4.2

🗨 Jan Schmidt.

👍 Hallo, Jan! Hier ist Verena. Wir haben uns lange nicht gehört. Wie geht es dir?

🗨 Hallo, Verena, mir geht's super. Ich besuche gerade Marcel in Neustadt in der Schweiz.

👍 Oh, klasse! Und, wie gefällt dir Neustadt? Was hast du gemacht?

🗨 Es ist sehr schön hier. Ich habe jetzt nur ein kleines Problem.

👍 Ein Problem?

🗨 Ja, ich suche mein Fahrrad. Ich war gestern mit dem Fahrrad im Zentrum. Dann hat es aber geregnet und ich bin mit dem Bus zurück zu Marcels Wohnung gefahren. Das Fahrrad steht noch im Zentrum. Aber wo?

👍 Oh je! Du weißt nicht, wo das Fahrrad steht?

🗨 Nein, leider nicht. Das habe ich vergessen. Tja, jetzt muss ich es suchen.

👍 Dann erzähl mal: Wo warst du gestern? Wie bist du gefahren?

4.3

👍 Dann erzähl mal: Wo warst du gestern? Wie bist du gefahren?

🗨 Also von Marcels Haus bin ich zuerst zum Stadttor gefahren. Das ist gegenüber vom Bahnhof. Ich habe das Tor fotografiert und bin fast gegen eine Ampel gefahren. Danach bin ich durch das Stadttor bis zum Park gefahren. Gegenüber vom Park gibt es eine Eisdiele, dort habe ich ein Eis gegessen. Dann bin ich nach links gefahren und weiter geradeaus durch den Park. Ich bin auch an einer Bank vorbeigefahren. Das weiß ich noch.

👍 Okay, und dann?

🗨 Dann war ich noch ein bisschen shoppen: Zuerst in einer Buchhandlung, dann in einer Boutique. Ich habe mir zwei Hosen gekauft. Dann bin ich aus dem Geschäft gekommen und es hat geregnet und ich habe den Bus zu Marcels Haus genommen. Mensch, jetzt weiß ich es wieder: Das Fahrrad steht vor der Boutique, gegenüber von der Bushaltestelle. Ja, da muss es stehen. Da habe ich ...

6.2

Dann müssen Sie eine Verlustanzeige machen. Wir müssen zuerst ein Formular ausfüllen. – Wann und wo haben Sie den Schlüssel verloren? – Sagen Sie mir bitte Ihren Namen, Ihre Adresse und Ihre Telefonnummer. – Gut, dann müssen Sie hier das Formular unterschreiben. – Hier unten bitte. Gut, wir rufen Sie an, wenn wir Ihren Schlüssel finden.

7.3

Wien hat viele Sehenswürdigkeiten, zum Beispiel den Stephansdom im Zentrum. Der Stephansdom ist eine Kirche. Es gibt ihn seit 1147 und er ist 137 Meter hoch. Dann gibt es auch das Hundertwasserhaus. Der Architekt war Friedensreich Hundertwasser. Das Haus ist bunt und sehr interessant. Aber in dem Haus wohnen auch Leute. Es gibt dort 50 Wohnungen. Auch der Wiener Prater – das ist ein Park – ist sehr bekannt. Das Riesenrad kennt jeder. Hier gibt es viele Karussells, viele Restaurants und eine Disko.

8.1

Ich heiße Clara und ich wohne in Wiener Neustadt. Die Stadt ist nicht groß und auch nicht klein, sie ist ruhig, aber sie ist auch interessant. Es gibt genug Schulen und Arbeitsplätze und viele Freizeitangebote. Deshalb wohne ich sehr gern hier. Ich mag auch die Natur sehr gern. Wiener Neustadt hat viele Radwege und man braucht nur 15 Minuten, dann ist man in der Natur.

Deshalb kann man viel Sport machen und man muss nicht ins Fitnessstudio gehen. Touristen kommen auch nach Wiener Neustadt: Sie besuchen die Sehenswürdigkeiten oder sie gehen in der Fußgängerzone shoppen.

2 Ziele und Wünsche

1.2 + 1.3

⌂ Willkommen zu Migration im 21. Jahrhundert. Welche Wünsche und Hoffnungen haben Sie? Das fragen wir heute im Studio Herrn Schweikert, Frau Simonis und Herrn Wang. Herr Schweikert, Sie möchten nach Schweden auswandern. Warum?

⌃ Ich bin Arzt und arbeite jetzt in Hamburg. Aber die Arbeit gefällt mir hier nicht. Ich muss lange arbeiten und bekomme nicht sehr viel Geld. Ich möchte gerne nach Schweden gehen, weil die Chancen für Ärzte dort viel besser sind. Die Arbeit als Arzt ist dort nicht so schwer und man bekommt auch mehr Geld. Natürlich muss ich dann auch Schwedisch lernen, weil die Sprache für Ärzte sehr wichtig ist. Aber das ist kein Problem für mich, ich lerne gerne Sprachen. Ich mache jetzt schon einen Kurs. Der Lehrer ist sehr nett und es macht Spaß.

⌂ Frau Simonis, Sie gehen nach Brasilien, haben Sie mir gesagt.

⌂ Ja, ich gehe zu meinem Mann nach Brasilien. Er ist Brasilianer und hat hier in Deutschland studiert. Wir haben uns an der Uni kennengelernt, weil wir beide Architektur studiert haben. Er ist schon fertig und hat in Brasilien eine gute Stelle bekommen. Deshalb ist er sofort nach Brasilien zurückgegangen. Ich muss noch eine Prüfung machen, deshalb muss ich noch bis August hier bleiben. Das ist nicht einfach. Aber mein Mann und ich, wir skypen viel – manchmal zwei oder drei Stunden – besonders am Wochenende. In Brasilien will ich zuerst ein Praktikum bei einem Architektur-Büro machen. Ich möchte ja auch die Sprache lernen.

⌂ Herr Wang, Sie sind aus China nach Deutschland gekommen. Sie sprechen sehr gut Deutsch. Was machen Sie in Deutschland?

⌂ Ich bin Musikstudent, ich spiele Geige. Ich habe erst in Shanghai studiert und jetzt studiere ich an der Musikhochschule in München. Ich bin sehr zufrieden hier in Deutschland, im Land von Bach und Beethoven. Das war immer mein Traum. Hier sind auch die Chancen für Musiker besser. Es gibt hier in Deutschland viele Orchester, vielleicht finde ich später eine Stelle. Deutsch habe ich schon in der Schule in China gelernt, deshalb habe ich jetzt keine Probleme. Aber ich denke oft an meine Familie und Freunde in China, dann bin ich ein bisschen traurig. Wir können nur chatten und skypen. Meine Eltern waren noch nie in Deutschland. Ich hoffe, sie können mich bald auch einmal besuchen.

4.2

1. Entschuldigung, könnten Sie mir einen Stift geben, bitte?
2. Entschuldigung, könntet ihr die Flasche holen?
3. Entschuldigung, könntest du mir die Handynummer sagen?
4. Entschuldigung, könnten Sie ein Taxi rufen, bitte?

7.2

Ich bin Studentin und habe in Portugal Technik an der Universität studiert. Ich möchte gern ein Praktikum in Deutschland machen, weil es dort viele Firmen für Umwelttechnik gibt. Ich habe in der Schule Deutsch gelernt, aber ich habe viele Wörter vergessen und die Grammatik kann ich auch nicht mehr so gut. Aber ich habe viel allein wiederholt. Ich höre auch manchmal Radio auf Deutsch oder sehe Filme auf Deutsch. Jetzt kann ich schon viel verstehen, aber ich möchte auch noch einen Kurs machen, weil ich Deutsch ohne Fehler sprechen und schreiben möchte.

8.3

⌂ Guten Tag, mein Name ist Lauris Rimkus. Ich möchte einen Kurs machen, ich möchte fotografieren lernen.

⌂ Guten Tag, Herr Rimkus, bitte nehmen Sie Platz.

⌂ Danke.

⌂ Sie möchten einen Fotokurs bei uns machen? Ja, das ist möglich. Wir haben verschiedene Kurse in unserem Programm. Sind Sie Anfänger?

⌂ Na ja, ich habe natürlich schon viel fotografiert, im Urlaub und so, aber ich habe noch nie einen Kurs gemacht. Ich habe mir ein Buch gekauft, aber ich habe nur sehr wenig gelesen. Es war sehr schwer, ich habe fast nichts verstanden, deshalb möchte ich lieber einen Kurs machen.

⌂ Ja, in einem Kurs mit einem Lehrer kann man viel leichter lernen. Unsere Kurse sind auch nicht sehr groß, manchmal nur sechs bis acht Teilnehmer, maximal sind es zwölf Teilnehmer. Der Kursleiter hat also viel Zeit und kann viel erklären. Aber Sie brauchen eine Kamera.

⌂ Das ist kein Problem, ich habe eine. Und wann finden die Fotokurse statt?

⌂ Wir haben Intensivkurse am Wochenende, das sind dann am Samstag sechs Stunden und am Sonntag noch einmal sechs Stunden.

⌂ Nein, am Wochenende kann ich nicht, da muss ich meistens arbeiten. Haben Sie auch einen Kurs in der Woche?

⌂ Ja, es gibt auch einen Kurs in der Woche. Der ist immer am Mittwoch von 16 bis 18 Uhr.

⌂ Das geht. Was kostet der Kurs?

⌂ Moment ... der Kurs kostet 62 Euro.

⌂ Hm, das ist nicht so billig.

⌂ Ja, aber es sind auch sechs Termine und die Gruppe ist klein.

⌂ Das stimmt, dann ist es günstig. Wann beginnt der Kurs?

☝ Am 27.07. beginnt der nächste Kurs oder dann wieder im September, am 09.09.

🗨 Nein, nein, ich möchte lieber jetzt anfangen. Das ist der nächste Mittwoch, oder?

☝ Ja, genau, nächste Woche. Bitte sagen Sie mir noch einmal Ihren Namen ...

Alles klar?

2

1. Sie möchten mit Frau Müller sprechen? Gerne. Einen Moment, ich verbinde.

2. Sprachinstitut Rose, mein Name ist Mittermeier, was kann ich für Sie tun?

3. Es tut mir leid, bei Frau Schmitt ist besetzt. Ich kann Ihnen die Durchwahl geben.

4. Guten Tag, Müller mein Name, ich möchte bitte mit Frau Tanner sprechen.

3 Hoch, höher, am höchsten

1.4

Wollen wir am Wochenende Volleyball spielen? – Wir können auch Klettern gehen. – Und was ist mit Kopf-Tischtennis? – Ich habe auch schon einmal Tango getanzt! Das war schön! Tango tanzen, was meinst du?

4.3

☝ Weißt du, ich würde so gerne etwas Neues machen. Ich habe nur noch keine Idee. Barbara, ich habe gehört, dass du ganz viele Hobbys hast.

🗨 Ja, das stimmt. Bei mir ist fast jeden Tag was los. Montags gehe ich abends immer schwimmen. Das ist gut für meinen Rücken und da kann ich entspannen.

☝ Ich schwimme nicht so gerne. Stimmt es, dass du dienstags immer klettern gehst?

🗨 Nein, nicht dienstags. Ich gehe donnerstags klettern. Der Kurs am Dienstag ist schon voll. Aber donnerstags sind noch Plätze frei. Komm doch mit!

☝ Gute Idee, dann komm ich nächste Woche einfach mal mit. Und hast du auch noch andere Hobbys?

🗨 Klar, Tangotanzen zum Beispiel. Ich mag sehr gern argentinische Musik. Ich gehe jeden Freitag mit meinen Kollegen Tango tanzen. Danach gehen wir immer in ein argentinisches Restaurant. Das ist ein guter Start ins Wochenende.

☝ Wow, du bist ja richtig aktiv. Ich gehe nur einmal im Monat wandern. Früher habe ich auch Volleyball gespielt. Aber jetzt habe ich leider keine Zeit mehr. Aber du! An drei Tagen in der Woche machst du etwas.

🗨 Nicht nur an drei Tagen. Dienstags mache ich nichts, da habe ich frei, aber mittwochs treffe ich regelmäßig ein paar Freunde. Wir kochen zusammen, weil wir alle gerne essen. Und samstags fahre ich morgens immer ein paar Stunden mit dem Fahrrad. Peter, tut mir leid, ich muss los, mein Tango-Kurs fängt gleich an. Dann bis nächste Woche beim Klettern. Du kommst doch mit, oder?

☝ Na klar, bis nächste Woche. Tschüs.

🗨 Tschüs, bis dann.

5

☝ Und nun, liebe Sportsfreunde, hören Sie etwas über einen interessanten Sport: Das Becherstapeln. Dieser Sport kommt aus den USA. Man muss zwölf Becher stapeln – so schnell wie möglich. Man stapelt dreimal: zweimal drei Becher und einmal sechs Becher. Und der oder die Schnellste gewinnt. Unsere Reporterin Heide Müller war für Sie bei den deutschen Meisterschaften im Becherstapeln und hat mit ein paar Sportlern und Sportlerinnen gesprochen. Hören Sie nun ihre Reportage.

🗨 Hallo! Ja, ich bin hier bei den deutschen Meisterschaften im Becherstapeln und neben mir steht Tina. Hallo, Tina! Du bist elf Jahre alt und schon zum dritten Mal mit deinem Team bei der deutschen Meisterschaft. Wie oft trainiert ihr?

☝ Wir üben zweimal pro Woche in der Schule. In den Ferien trainieren wir nicht.

🗨 Was gefällt dir am Becherstapeln?

☝ Becherstapeln ist cool. Man muss sehr schnell sein und unser Team ist oft am schnellsten. Aber heute waren die anderen Teams leider besser. Na ja, wir sind ja beim nächsten Mal wieder dabei.

🗨 Danke, Tina und viel Spaß noch. Neben mir steht jetzt Ralf. Hallo, Ralf, warum hast du das Hobby Becherstapeln?

☝ Nun ja, der Sport ist toll. Ich bin ja schon etwas älter, bald werde ich 65 und Becherstapeln kann ich auch noch mit 70. Das Becherstapeln macht fit. Es trainiert die Reaktion und Koordination. Die Wettbewerbe machen viel Spaß und man trifft viele nette Leute. Es ist auch toll, dass hier auch so viele Kinder und junge Leute sind. Meine Enkelkinder haben jetzt auch mit diesem Hobby angefangen und üben zu Hause in der Küche. Oh Entschuldigung, ich muss los, ich bin gleich dran.

🗨 Vielen Dank, Ralf. Ja, liebe Hörerinnen und Hörer, das war's für heute von den deutschen Meisterschaften im Becherstapeln. Und damit zurück ins Studio ...

6.2

☝ In meiner Freizeit chatte ich viel und spiele gern Computerspiele. Aber am liebsten spiele ich draußen Fußball. Kannst du auch Fußball spielen?

🗨 Na ja, ich finde Fußball gut, aber ich kann besser Volleyball spielen, und am besten kann ich klettern.

☝ Ich klettere auch. Und ich tanze gern und oft. Aber mein Lieblingshobby ist Kochen. Am liebsten koche ich Nudeln. Die kann ich am besten kochen.

8.2

Und hier noch ein Veranstaltungshinweis für unsere Kulturfreunde. Im Theater findet immer am ersten Sonntag im Monat ein Slam-Wettbewerb statt. Gedichte und Lieder im Wechsel. Spaß und Unterhaltung garantiert. Wer gewinnt? Das sagt das Publikum. Für jeden Poeten und jeden Sänger kann man Punkte geben. Und die Person mit den meisten Punkten gewinnt. Und wo findet der Slam statt? Im Stadttheater gegenüber vom Rathaus. Wann? Wie schon gesagt: immer am ersten Sonntag im Monat. Pünktlich um 19:00 Uhr geht es los. Wie viel kostet der Eintritt? Eigentlich ganz günstig, nur fünf Euro und für Kinder kostenlos. Also, nichts wie hin zur Literatur- und Musikshow im Stadttheater. Am nächsten Sonntag um sieben ist es wieder so weit. Viel Spaß!

Und in Ihrer Sprache?

👍 ... und Marc, was machst du gern in der Freizeit? Hast du Hobbys?

💬 Ja, ich fahre sehr gern Ski. Das ist total cool. Im Winter bin ich jedes Wochenende in den Bergen. Manchmal fahre ich allein und manchmal mit Freunden. Das macht viel Spaß. Und nach dem Skifahren kann man noch zusammen in ein Restaurant gehen und etwas essen und trinken. Das gefällt mir sehr. Aber es ist schade, dass Skifahren so teuer ist. Das finde ich nicht so gut. Das ...

4 Ein toller Fernsehabend

1.2

1. Wann und wo kommt die „Lindenstraße"? – Aha, die „Lindenstraße" kommt um zehn vor sieben im Ersten. Danke.
2. Wann und wo kommt „Wer wird Millionär?"? – Also um Viertel nach acht auf RTL. Das muss ich sehen!
3. Wann und wo kommt „Herr der Ringe"? – „Herr der Ringe" kommt um zehn nach zwei auf SAT.1? Okay.
4. Wann und wo kommt das „heute-journal"? – Um Viertel vor zehn im Zweiten ... Hm, das ist spät.
5. Wann und wo kommt „007"? – „007" kommt also um halb elf auf ProSieben. Super!

4.5

Siehst du gern fern? – Was für Sendungen siehst du regelmäßig? – Hast du eine Lieblingssendung? – Und was für andere Sendungen siehst du gern? – Was für Sendungen gefallen dir nicht? – Was für Sendungen gibt es in deinem Land?

5.3

Halli hallo, ihr Lieben da vor den Radios, es ist wieder Zeit für einen neuen Star. Heute stellen wir euch Conchita Wurst vor. Bestimmt kennt ihr alle Conchita Wurst. Doch wer ist sie wirklich? Conchita Wurst heißt eigentlich Thomas Neuwirth. Er ist ein österreichischer Sänger. Seit 2011 tritt er als Conchita Wurst auf. Conchita trägt bei ihren Shows oft elegante Kleidung:

zum Beispiel lange Kleider und hohe Schuhe. Sie hat braune Augen, lange braune Haare und einen dunklen Bart. Conchita spricht gern und viel. Ihre Hobbys sind Shoppen, Musik machen und Interviews geben. Mit ihrem Song *Rise like a Phoenix* hat sie 2014 den Eurovision Song Contest in Kopenhagen gewonnen. So, ihr Lieben, nun habe ich genug erzählt, jetzt wollen wir endlich auch einen Song von ihr hören und hier ist er, der neue Song von Conchita Wurst ...

5.4

Anke Engelke ist eine deutsche Moderatorin, Sängerin, Schauspielerin und Komikerin. Sie kommt aus Kanada, aber sie lebt in Köln. Anke Engelke ist lustig, verrückt und intelligent. Von 2008 bis 2013 war sie mit ihrer Sendung „Ladykracher" auf SAT.1 besonders erfolgreich. Seit 2007 spricht sie die Stimme von Marge Simpson aus der Serie „Die Simpsons" auf Deutsch. Mit Stefan Raab und Judith Rakers hat sie 2011 den ESC moderiert. Anke Engelke war zweimal verheiratet und hat eine Tochter und zwei Söhne.

8.2 + 8.3 + 8.4

💬 Hallo, liebe Hörerinnen und Hörer, heute wollen wir in unserer Sendung junge Leute fragen, was sie über das Fernsehen denken. Neben mir steht Jonas. Jonas du bist 22 Jahre alt, wie oft siehst du in der Woche fern?

👍 Ich sehe selten fern. Ich bin viel draußen oder bei Freunden und nicht so oft zu Hause. Deshalb surfe ich lieber im Internet. Das finde ich praktischer, und man kann auch fernsehen, auch später. In der Mediathek finde ich alles.

💬 Leonie, du bist noch Schülerin, wie viele Stunden siehst du pro Tag fern?

👍 Fast gar nicht, ich sehe lieber Videos auf YouTube. Das Programm ist viel besser und die Leute sind jünger. Fernsehen ist doch für alte Leute. Ich finde *Die Lochis* klasse. Das sind zwei Brüder. Die beiden gehen noch zur Schule und machen coole Videos auf YouTube.

💬 Und du Ina? Schaust du auch *Die Lochis* auf YouTube?

👍 Nee, *Die Lochis* nicht, aber Nachrichten von LeFloid. Das ist auch ein YouTuber. Er hat sehr viele YouTube-Programme. Montags und donnerstags gibt es immer neue Nachrichten und Interviews. Die sind nicht so langweilig wie die Nachrichten im Fernsehen. Das ist viel besser und lustiger.

💬 Danke euch! Nun noch eine letzte Frage: Glaubt ihr, dass man in 20 Jahren noch fernsieht?

👍 👍 👍 Nein!

💬 Das war eine klare Antwort. Und das war's dann für heute aus meiner Sendung und weiter geht's mit dem aktuellen Song von Lena ...

5 Alltag oder Wahnsinn?

1.6
1. Wann machen Sie Mittagspause? – Ach so, zwischen eins und halb zwei.
2. Ab wann fährt der Bus? – Oh, ab sechs Uhr. Das ist früh.
3. Bis wann arbeiten Sie heute? – Ach so, bis 17 Uhr. Das ist gut.
4. Ab wann haben Sie Urlaub? – Oh, ab Montag. Super!
5. Wann trainieren Sie im Fitnessstudio? – Was? Zwischen 20 und 23 Uhr? So spät?
6. Bis wann brauchen Sie die Informationen? – Oh, schon bis morgen ...

2.3
▢ Hi, Simone. Wie war dein Tag?
▢ Oh, spannend. Ich habe heute Morgen etwas ausprobiert. Ich habe genau aufgeschrieben, wann ich was gemacht habe.
▢ Aha. Und?
▢ Also, ich bin um sechs Uhr aufgestanden. Dann habe ich Tee getrunken, das war um 6:20 Uhr. Um 6:35 Uhr habe ich Zeitung gelesen und gefrühstückt. Und um sieben Uhr habe ich mich gewaschen. Dann habe ich mich angezogen. Das war um ... warte hier: Um Viertel nach sieben habe ich mich angezogen. Und um halb acht habe ich mich gekämmt und geschminkt. Und um fünf vor acht bin ich aus dem Haus gegangen und dann habe ich genau um acht Uhr die U-Bahn genommen.
▢ Und jetzt?
▢ Jetzt weiß ich genau, wie viel Zeit ich brauche. Das ist doch toll, oder?
▢ Na ja ...

3.3 + 3.4 + 3.5
Hallo, hier ist Katharina Wieland. – Oh, Isabell, schön, dass du anrufst. Danke. Mir geht es gut. Und dir? – Schön, ich hatte heute einen sehr ruhigen Tag. Der Morgen hat schon super angefangen. Ich habe bis acht Uhr ausgeschlafen. Die Mädchen haben bei einer Freundin geschlafen und Thomas ist beruflich in Freiburg. – Ja, ganz allein! Ich habe natürlich gearbeitet, aber den Morgen hatte ich für mich. Ein Traum! Es war so ruhig. Ich hatte das Bad für mich allein. Ich habe Zeitung gelesen und in Ruhe gefrühstückt. – Nein, ich habe meistens keine Zeit. Ich mache das Frühstück für die Mädchen, aber ich trinke selbst nur einen Kaffee. Aber, weißt du was? Ich freue mich sehr, dass sie heute Abend alle wieder nach Hause kommen. Dann ist es morgens wieder hektisch, aber das mag ich ja auch. So, jetzt erzähl du mal ...

5.1
1. Weißt du, gestern. Also ... Das war echt blöd von mir. Es tut mir leid ... Entschuldigung!

2. Mann! Ich bin echt sauer! Warum kommt er jedes Mal zu spät? Kann er nicht ein Mal pünktlich sein? Das ärgert mich! Ich finde das echt blöd. Mann ... Wirklich ...
3. ▢ Hallo!
   ▢ Ja, hallo! Wie schön.
   ▢ Toll, dass wir uns sehen. Du siehst ja gut aus.
   ▢ Danke. Du auch.
4. ▢ Kannst du bitte auch mal etwas im Haushalt machen?! Wie die Wohnung schon wieder aussieht! Warum muss ich hier immer alles allein machen: die Kinder, die Wäsche, das Essen ...
   ▢ Wie bitte? Warum sagst du das? Ich mache sehr viel im Haus. Ich helfe dir sehr oft bei ...
   ▢ Was heißt „helfen"? Das ist genauso deine Aufgabe! Wieso bin ich immer mit dem ganzen Stress allein?! Ach, weißt du was, ich hab keine Lust mehr!
5. Wow, wie toll! Schön, dass du anrufst. Ich freu mich! Wie geht's dir?
6. Oh, Mann. Schon zehn vor acht. Ich muss los ... Oh je, ich bin schon viel zu spät ... Bis heute Abend.

5.5
Was ist los? Hast du Stress? – Warum? War der Morgen wieder hektisch? – Schon wieder? Das hast du letzte Woche auch schon erzählt.

7.2
Mein Alltag ist oft sehr anstrengend. Deshalb ist Wellness für mich eine gute Erholung. In der Nähe gibt es ein schönes Hotel mit einem großen Wellnessbereich, einem Hallenbad und einem Fitnessraum. Dort kann ich baden, trainieren und ich kann mich gut entspannen. Ich liebe die Sauna und gehe gern schwimmen, vor allem im Winter. Ich gehe am liebsten allein ins Wellnesshotel.

7.8 + 7.9
▢ Guten Abend, liebe Zuhörer. Hier ist Marlene Wupper. Ich begrüße Sie zu unserer heutigen Sendung „Modernes Leben". Mein Gast im Studio ist Simon Walter. Herr Walter ist Chef vom Reisebüro Neue Welten, und er verkauft seit zehn Jahren Wellnessreisen. Guten Abend, Herr Walter.
▢ Hallo, Frau Wupper.
▢ Sie haben jedes Jahr mehr Kunden. Warum sind Wellnessreisen so beliebt?
▢ Viele Menschen haben eine anstrengende Arbeit und viel Stress. Und sie wollen auch in der Freizeit immer etwas Tolles machen. Ich glaube, im Alltag gibt es heute einfach zu wenig Ruhe.
▢ Wohin gehen denn die Reisen, die man bei Ihnen buchen kann?
▢ Oh, wir haben viele tolle Reisen in Europa im Angebot – vor allem in Südeuropa – und in den letzten Jahren sind auch Orte in Asien – Thailand,

Japan und Bali – dazugekommen. Aber es gibt auch Reisen nach Deutschland, Österreich und in die Schweiz. Da ist für jeden etwas dabei.

💬 Gibt es ein Land, das für Ihre Kunden besonders attraktiv ist?

👍 Im Moment sind unsere Yoga-Reisen in die Türkei besonders beliebt. Aber auch unsere Wellness-reisen nach Thailand sind für viele Kunden sehr interessant.

💬 Yoga, Pilates, Tai-Chi – wie wichtig ist Ihren Kunden das Sportangebot?

👍 Früher war Wellness vor allem Sauna und Massagen. Heute wollen viele Menschen im Urlaub auch sportlich aktiv sein. Sie wollen gesund leben und essen.

💬 Und was ist für Sie ein perfekter Wellnessurlaub?

👍 Ich mache seit vielen Jahren Yoga. Bei Yoga-Reisen kann ich mich am besten erholen. Ich war im letzten Jahr zwei Wochen mit einem tollen Yoga-Lehrer in Griechenland. Ich hatte zwei Yoga-Kurse am Tag, gutes Essen und Massagen am Strand – besser kann es nicht sein.

💬 Danke für das Gespräch, Herr Walter!

👍 Gerne.

6 Die schwarzen oder die bunten Stühle?

1.6
1. Wie viel kostet der schwarze Schreibtischstuhl?
2. Wie viel kostet das altmodische Telefon?
3. Wie viel kostet die weiße Schreibtischlampe?
4. Wie viel kosten die blauen Hefte?
5. Wie viel kostet der rote Papierkorb?
6. Wie viel kostet das kleine Bücherregal?
7. Wie viel kostet die gelbe Tasche?
8. Wie viel kosten die bunten Stifte?

1.8
1. Wie finden Sie den schwarzen Schreibtischstuhl?
   – Ich finde den schwarzen Schreibtischstuhl elegant.
2. Wie finden Sie das altmodische Telefon?
3. Wie finden Sie die weiße Schreibtischlampe?
4. Wie finden Sie die blauen Hefte?
5. Wie finden Sie den roten Papierkorb?
6. Wie finden Sie das kleine Bücherregal?
7. Wie finden Sie die gelbe Tasche?
8. Wie finden Sie die bunten Stifte?

3.2
Guten Tag, kann ich Ihnen helfen? – Ja gern. Schauen Sie mal hier. Wie gefallen Ihnen diese Sofas? – Nein, tut mir leid. Im Moment haben wir keine schwarzen Sofas. Aber wir haben hier ein sehr schönes Sofa in Grau. Ein sehr dunkles Grau. – Das ist gerade im Angebot. Nur 599 Euro. – Ja, natürlich. Das ist kein Problem. Das kostet dann 100 Euro.

4.2
💬 Wo ist der blaue Anzug?
👍 Der blaue Anzug? Das weiß ich nicht. Hier ist kein blauer Anzug.
💬 Und wo ist der graue Anzug?
👍 Wo ist das grüne Kleid?
👍 Wo ist die rote Bluse?
💬 Wo sind die gelben Schuhe?

4.3
💬 Siehst du den blauen Anzug?
👍 Den blauen Anzug? Nein, ich sehe keinen blauen Anzug.
💬 Siehst du den grauen Anzug?
👍 Siehst du das grüne Kleid?
👍 Siehst du die rote Bluse?
💬 Siehst du die gelben Schuhe?

5.3
Gestern habe ich eine besondere Lampe gekauft. Der schwarze Fuß ist aus Metall. Der gelbe Lampenschirm ist aus Stoff. Die Lampe macht ein sehr warmes Licht. Leider war die Lampe nicht billig. Sie hat 495 Euro gekostet.

5.4
Hallo, Anna, ich habe mal ein bisschen im Internet gesucht und habe zwei tolle leichte Laptops für dich gefunden. Hast du was zum Schreiben? Ich sag dir die Infos. Also, der erste Laptop ist super leicht, nur 1,2 Kilo. Natürlich nicht ganz billig: 690 Euro. Aber die Farbe ist fantastisch. Ein dunkles Rot – und er hat ein interessantes Design. Sieht cool aus! Der zweite Laptop ist auch nicht schlecht. Er ist noch ein bisschen leichter, nur 1,1 Kilo. Und er ist ein bisschen billiger: 479 Euro. Aber die Farbe gefällt mir nicht – einfach schwarz. Auch das Design ist normal, nichts Besonderes, ein bisschen langweilig. Ruf mich mal an!

Und in Ihrer Sprache?
Guten Tag, Martha Winkler von der Firma Möbelmann. Sie haben am 31.10. ein Sofa bei uns bestellt. Wir können das Sofa am 25.11. liefern. Wir kommen zwischen 10 und 15 Uhr. Passt Ihnen der Termin? Bitte rufen Sie uns an. Wir können auch einen Termin im Dezember machen. Unsere Telefonnummer ist 02634-643190. Viele Grüße und einen schönen Abend!

Alles klar?

3
💬 Mode-Shop, mein Name ist Dönges, was kann ich für Sie tun?
👍 Guten Tag, ich möchte die Jacke aus dem Angebot bestellen.
💬 Wir haben gerade keine Jacke im Angebot. Tut mir leid. Sagen Sie mir bitte die Bestellnummer?
👍 Das ist die LM 25909.
💬 LM 25909? Ach so, die war letzte Woche für 39,90

Euro im Angebot. Aber nur in Grün. Jetzt kostet sie 44,90 Euro.

🖒 Ach so, hm, 44,90 Euro – das ist nicht so günstig. Aber ich nehme die Jacke. Haben Sie die Jacke auch in Blau?

🗨 Ja, in Blau gibt es die auch.

🖒 Toll, dann nehme ich die Jacke bitte einmal in Blau.

🗨 Gern, sagen Sie mir doch bitte Ihren Namen und Ihre Adresse ...

7 Wohin kommt das Sofa?

3.2

🗨 Immobilien Huber, grüß Gott. Was kann ich für Sie tun?

🖒 Grüß Gott. Thomas Reiter hier. Ich interessiere mich für die Wohnung in Leopoldskron.

🗨 Es tut mir leid, aber die Wohnung ist nicht mehr frei.

🖒 Oh! Das ist schade.

🗨 Aber wir haben zwei andere Wohnungen in Salzburg-Süd, die Sie vielleicht interessieren.

🖒 Ja? Wie sind die Wohnungen?

🗨 Die erste Wohnung ist eine 2-Zimmer-Wohnung im ersten Obergeschoss. Das ist eine Altbauwohnung, aber sehr modern und schön. 78 Quadratmeter.

🖒 Das klingt gut. Aber wie hoch ist die Miete?

🗨 956 Euro im Monat plus Betriebskosten.

🖒 Betriebskosten, das sind die Nebenkosten, oder?

🗨 Ja, richtig. Die Nebenkosten, also Wasser und Heizung.

🖒 Und wie hoch sind die Nebenkosten?

🗨 Die jetzigen Mieter zahlen circa 70 Euro im Monat.

🖒 70 Euro, das geht noch. Kann ich die Wohnung besichtigen?

🗨 Ja, ich habe heute Nachmittag einen Besichtigungstermin. Sie können gern um 16:30 Uhr kommen.

🖒 Oh, um halb fünf arbeite ich noch. Könnte ich auch etwas später kommen? Um halb sechs?

🗨 Ja, kein Problem. Wir sind da.

🖒 Super. Wie ist die Adresse?

🗨 Beethovenstraße Nummer 71, erstes Obergeschoss.

🖒 Und die zweite Wohnung?

🗨 Sie ist auch in Salzburg-Süd, in der Heilbrunner Allee. Das ist eine 3-Zimmer-Wohnung im Erdgeschoss.

🖒 Toll – drei Zimmer! Aber dann ist die Wohnung bestimmt auch teurer.

🗨 Ja, aber sie ist auch größer, 98 Quadratmeter. Die Miete ist 1280 Euro im Monat. Das ist die Warmmiete, also schon mit den Nebenkosten. Sie müssen keine weiteren Nebenkosten bezahlen.

🖒 Keine Nebenkosten? Toll! Ich möchte die Wohnung gern besichtigen.

🗨 Morgen Abend gibt es einen Termin. Sie können um 19:15 Uhr kommen. Passt das?

🖒 Ja, 19:15 Uhr ist in Ordnung ... In der Heilbrunner Allee, sagen Sie?

🗨 Ja. Heilbrunner Allee Nummer 19. Im Erdgeschoss.

🖒 Gut, danke. Bis heute Nachmittag dann.

🗨 Ja, bis dann. Auf Wiederhören.

🖒 Auf Wiederhören.

4

Immobilien Huber, grüß Gott. Was kann ich für Sie tun? – Ja, die Wohnung in Salzburg-Süd ist noch frei. Das ist eine schöne 2-Zimmer-Wohnung im Erdgeschoss. Die Miete ist 800 Euro plus Nebenskosten. – Das kann ich nicht genau sagen, aber die jetzige Mieterin hat mir gesagt, dass sie 40 Euro für Wasser und Strom und 50 Euro für die Heizung bezahlt. – Morgen Abend gibt es einen Besichtigungstermin. Sie können um 20 Uhr kommen. Passt das? – Die Adresse ist Heilbrunner Allee Nummer 139, im Erdgeschoss. – Ja, bis dann. Auf Wiederhören.

6.2

1. 🖒 So, die Fahrräder sind im Garten.
   🗨 Im Garten? Aber die Fahrräder kommen in den Keller!
   🖒 Ach so, die Fahrräder kommen also in den Keller.
2. So, der Computer steht auf dem Küchentisch. – Natürlich, der Computer kommt auf den Schreibtisch.
3. So, die Lampe steht neben der Kaffeemaschine. – Ach so, die Lampe kommt also neben die Pflanze.
4. So, das Sofa steht zwischen den Regalen. – Ach so, das Sofa kommt zwischen die Fenster.
5. So, die Kiste mit den Büchern steht jetzt im Schlafzimmer. – Ach so, die Kiste mit den Büchern kommt ins Arbeitszimmer.

8.1

🗨 Schau mal, das blaue Sofa da.

🖒 Oh ja, es ist schön, aber sehr groß. Wohin kommt es?

🗨 Ich denke, das Sofa kommt ins Wohnzimmer unter das Fenster.

🖒 Unter das Fenster? Ja, gute Idee! Also kaufen wir das blaue Sofa. Und wie findest du den schwarzen Sessel?

🗨 Ich finde ihn sehr modern. Willst du ihn im Arbeitszimmer haben?

🖒 Nein, ich denke, er passt besser ins Wohnzimmer, an die Wand zwischen den Balkon und die Küche.

🗨 Okay, das finde ich gut. Dann brauchen wir auch noch einen Schrank fürs Schlafzimmer ... Schau mal, diese Schränke gefallen mir gut.

🖒 Hm, nicht schlecht. Ich habe eine Idee: Der große Schrank mit dem Spiegel kommt ins Schlafzimmer links neben die Tür.

🗨 Neben die Tür? Das ist eine gute Idee! Ja, und der kleine Schrank kommt ins Kinderzimmer zwischen das Bett und das Fenster.

Zwischen das Bett und das Fenster? Hm, gibt es genug Platz? Das Kinderzimmer ist sehr klein.

Ja, er passt bestimmt. Und jetzt brauche ich noch eine Lampe für mein Arbeitszimmer.

Die große Lampe hier ist schön ...

Ja, toll! Sie kommt rechts neben den Schreibtisch vor das Fenster!

Dann haben wir alles, oder? Hoffentlich können sie alles liefern. Du weißt doch, wie diese Möbelgeschäfte manchmal ...

9.3

3-Zimmer-Wohnung in Berlin-Kreuzberg – kostenlos! Ich reise für zwei Monate nach Brasilien. Möchten Sie in meiner Wohnung in Berlin wohnen? Die Wohnung ist 89 Quadratmeter groß und hat drei Zimmer. Ich will keine Miete bekommen, aber Sie müssen die Neben-kosten bezahlen: Strom, Wasser und Heizung. Ich habe auch ein Haustier, einen Hund, „Rollo". Er ist sehr süß. Sie müssen mit ihm dreimal am Tag spazieren gehen. Was noch? Bitte gießen Sie auch meine Pflanzen und räumen Sie manchmal auf. Das ist alles. Sind Sie interessiert? Dann rufen Sie mich an: 0176 5254337.

8 Lebenslinien

1.2 + 1.3

1. Mein erster Schultag war im Jahr 1988 und ich kann mich noch gut an meine Schulzeit erinnern. Am Anfang wollte ich nicht zur Schule gehen. Ich wollte lieber im Kindergarten bleiben. Wir haben in einem kleinen Dorf gewohnt und ich hatte einen langen Schulweg. Im ersten Jahr hat meine Mutter mich mit dem Auto zur Schule gebracht, später bin ich mit dem Bus gefahren. In der Schule war ich oft das böse Kind, weil ich mich immer mit meinem Freund unterhalten habe. Ich habe auch oft meine Schulsachen vergessen. Dann mussten mir die anderen Kinder Papier, einen Radiergummi oder ihr Buch leihen. Aber ich hatte Glück: Meine erste Lehrerin war toll. Wir durften sie alles fragen. Das Lernen hat bei ihr richtig Spaß gemacht. Ich habe sehr schnell lesen gelernt und dann konnte ich selbst Bücher lesen. Schreiben hat mir auch gefallen. Ich habe meiner Mutter manchmal kleine Zettel geschrieben. Ich weiß noch, dass sich meine Mutter sehr gefreut hat. Auch der Musikunterricht war toll. Wir haben oft gesungen und auch getanzt!

2. Ich bin in den 70er Jahren zur Schule gegangen. Ich wollte sehr gern zur Schule gehen und dann war er da: der erste Schultag! Ich weiß noch, dass wir von der Lehrerin eine gelbe Mütze bekommen haben. Wir sind zu Fuß zur Schule gegangen und die Autofahrer konnten uns gut sehen. Meine Mutter ist nur in der ersten Woche mitgekommen. In unserem Haus waren wir viele Kinder, deshalb mussten wir nie alleine gehen. Das war gut, weil der Weg auch lang war. Wir hatten immer viel Spaß, auch in den Pausen auf dem Hof. Die Klassen waren damals sehr groß: Wir waren 36 Kinder in meiner Klasse! Manchmal war es sehr laut und dann musste sich ein Kind in die Ecke stellen. Aber meine erste Lehrerin war sehr nett und ich war gern in der Schule. Später hatte ich dann auch andere Lehrer – die waren leider nicht so nett wie Frau Krämer. Die Musiklehrerin war sehr streng. Wir mussten immer aufstehen und „Guten Morgen, Frau Hammerschmidt" singen. Sie ist auch immer sehr böse geworden und der Unterricht hat keinen Spaß gemacht. Ich singe bis heute nicht mehr gern.

3.3

1. Ich durfte auch im Winter Eis essen. – Wirklich? Du durftest auch im Winter Eis essen?
2. Ich musste immer um 18 Uhr zu Hause sein.
3. Ich durfte nicht mit anderen Kindern spielen.
4. Ich musste nie für die Prüfungen lernen.
5. Ich konnte schon im Kindergarten meinen Namen schreiben.
6. Ich durfte immer bis zehn Uhr abends ausgehen.

4.3 + 4.4

Willkommen zu unserer Sendung „Lebensläufe – vom Hobby zum Beruf". Heute spreche ich mit zwei Frauen. Sie haben ihr Hobby zum Beruf gemacht. Sie sind Marina Meierfeld, nicht wahr?

Ja, aber sag doch bitte Marina.

Okay, Marina, wie alt bist du und was für eine Ausbildung hast du gemacht?

Ja, also ich bin 1986 in Jena geboren und dort auch zur Schule gegangen. 2004 habe ich das Abitur gemacht. Meine Eltern wollten, dass ich studiere, aber ich wollte nicht zur Universität. Ich habe schon immer gern mit schönen Dingen gearbeitet. Deshalb habe ich bis 2007 eine Ausbildung zur Dekorateurin gemacht.

Aber du arbeitest heute nicht als Dekorateurin, oder, Marina?

Nein, nicht mehr. Ich habe vier Jahre für ein großes Möbelgeschäft gearbeitet und die Arbeit war okay, aber manchmal auch langweilig. Ich hatte viele Ideen. Aber sie haben meinem Chef oft nicht gefallen und ich durfte nicht alles machen. In der Freizeit habe ich viel fotografiert. Da konnte ich tun, was ich wollte.

Und dann?

Ha, das war wirklich toll! Ein Freund hat ein Foto von mir zu einem Wettbewerb geschickt. Ich habe das nicht gewusst, aber mein Foto hat gewonnen! Dann habe ich öfter für Zeitungen gearbeitet und jetzt arbeite ich schon seit fünf Jahren als Fotografin. Im Sommer hatte ich sogar eine Ausstellung.

🗨 Wie schön. Ich wünsche dir weiter viel Erfolg! Und nun zu unserem zweiten Gast: Frau Brunner, auch Sie haben Ihren Beruf gewechselt, oder?

🗨 Na ja, ich war schon immer Lehrerin. Ich bin heute 43 Jahre alt, ich bin also 1973 geboren. Ich war eine gute Schülerin und habe 1991 das Abitur gemacht. Dann habe ich Deutsch und Sport studiert und danach habe ich fünfzehn Jahre als Lehrerin hier in Hamburg an einer Realschule gearbeitet.

🗨 Okay, das klingt doch gut!

🗨 Na ja, die Arbeit war sehr anstrengend. Die Schule hatte viele Probleme: viele Schüler, zu wenig Lehrer und zu wenig Geld und so. Für mich war besonders schwer, dass ich fast keine Zeit für mein Hobby hatte.

🗨 Was für ein Hobby, Frau Brunner?

🗨 Ich tanze seit meiner Kindheit. Für mich ist das sehr wichtig. In meiner Straße gibt es eine Tanzschule. Dort habe ich schon als Kind getanzt. Vor einem Jahr musste die Tanzschule fast schließen. Klaus, der Chef, wollte die Tanzschule verkaufen. Also habe ich die Schule gekauft und bin Tanzlehrerin geworden. Ich hatte eigentlich zu wenig Geld, aber meine Familie und alle meine Freunde haben mir Geld geliehen. Heute verdiene ich weniger Geld als früher, aber mein Hobby ist jetzt mein Beruf – und das ist super!

🗨 Das sind doch zwei tolle Lebensläufe. Wir machen jetzt etwas Musik und Sie, liebe Hörerinnen und Hörer, können uns anrufen und uns erzählen, wie ...

6.2

Von 1993 bis 1997 bin ich zur Grundschule gegangen. Danach habe ich von 1997 bis 2002 die Realschule besucht. Ich hatte nicht so gute Noten. Deshalb konnte ich nicht studieren. Meine Eltern wollten, dass ich eine Ausbildung zur Sachbearbeiterin mache. Das war sehr langweilig. 2004 habe ich dann das Abitur gemacht und bin zur Universität gegangen. Bis 2009 habe ich Kunst studiert. Seit 2011 arbeite ich in einem Museum und organisiere Ausstellungen.

6.4

Wie lange sind Sie zur Schule gegangen? – Wie war Ihre Schulzeit? Hatten Sie gute Noten? Und wie waren Ihre Lehrer und Lehrerinnen? – Haben Sie eine Ausbildung gemacht oder haben Sie studiert?

9 Die lieben Kollegen

1.3 + 1.4 + 1.5

🗨 Hier ist Rainer Litz von Radio *Panorama*. Ich bin heute in einer Fußgängerzone in Stuttgart unterwegs und frage Menschen, wie zufrieden sie bei der Arbeit sind.
Entschuldigen Sie, darf ich Sie kurz etwas fragen?

👍 Ja.

🗨 Wie heißen Sie und was sind Sie von Beruf?

👍 Mein Name ist Jenifer Walton und ich arbeite als Projektleiterin.

🗨 Frau Walton, arbeiten Sie schon lange bei Ihrer Firma?

👍 Nein, ich habe erst neu angefangen.

🗨 Sie sind also neu in einer Firma. Wie fühlen Sie sich?

👍 Ja, ganz gut. Die meisten Kollegen sind nett zu mir. Aber es sind zu viele neue Gesichter und ich vergesse immer wieder die Namen. Manchmal weiß ich dann einen Namen nicht und das ist mir peinlich.

🗨 Sie sagen, dass die meisten Kollegen nett sind. Gibt es auch unfreundliche Kollegen?

👍 Ich weiß nicht. Ich kenne sie noch nicht so gut. Eine ältere Kollegin ist schon sehr lange in der Firma. Ich finde sie eigentlich sympathisch, aber sie spricht nur wenig mit mir. Oft sagt sie nicht einmal „Hallo!". Das ist ein Problem für mich. Gestern bin ich mit ihr zusammen im Aufzug gefahren. Wir haben kein Wort gesprochen. Ich weiß nicht: Mag sie mich nicht oder ist sie immer so? Vielleicht muss ich sie mal ansprechen. Aber das ist mir unangenehm.

🗨 Und wie ist es bei der Arbeit?

👍 Nun ja, ich kann meine Aufgaben schon machen, ich habe das gelernt und ich habe schon in anderen Firmen gearbeitet. Aber in der Firma ist vieles anders: Wo ist der Konferenzraum? Wie funktioniert die Kaffeemaschine? Wer kann mir bei meinen vielen kleinen Problemen helfen? Ich muss oft die Kollegen fragen. Aber ich möchte auch nicht zu viel fragen. Ich will die Kollegen nicht bei der Arbeit stören.

🗨 Aber Sie helfen doch bestimmt auch Ihren Kollegen manchmal.

👍 Ja, das stimmt. Letzte Woche hatte meine Kollegin in meinem Büro ein Problem. Ihr Computer ist abgestürzt. Das war blöd, weil sie unbedingt ihre E-Mails beantworten musste. Sie hat sofort den IT-Support angerufen, aber der Support hatte keine Zeit. Ich kenne dieses Problem und ich weiß, dass man den Strom ausmachen muss. Ich habe mich gefreut, dass ich ihr helfen konnte.

🗨 Vielen Dank für das Gespräch, Frau Walton. Ich wünsche Ihnen weiter viel Erfolg. Und wir spielen erst einmal Musik und ...

4.2

Liebe Tina,
ich hatte heute einen verrückten Tag im Büro. Heute Vormittag ist mein Computer abgestürzt. Ich habe den IT-Support angerufen, aber keiner hat geantwortet. Du kennst ja unseren IT-Support. Ich bin also zu den Kollegen gelaufen, zu Fuß in den 8. Stock, denn unser Aufzug war kaputt. Die Kollegen vom IT-Support haben gemütlich zusammen Kaffee getrunken. Sie sind

immer sehr nett und ein Kollege ist sofort mitgekommen und hat mir geholfen. Er hat kein Problem gefunden, alles hat ganz normal funktioniert. Hoffentlich
funktioniert der Computer auch, wenn ich allein bin!
Wie geht's dir? Was macht dein neuer Job?
Liebe Grüße
Sabrina

7.1

Hier ist Anna Santos. Ich bin leider nicht im Büro. Bitte
hinterlassen Sie eine Nachricht nach dem Ton. – Guten
Tag, Frau Santos. Hier spricht Lukas Wyler von der Firma
Technomobil. Ich rufe an, weil ich mit Ihnen über einen
Termin sprechen möchte. Könnten Sie am 23. November
zwischen 14 und 18 Uhr zu uns kommen und uns die
neuen Möbel vorstellen? Bitte rufen Sie mich kurz
zurück, die Telefonnummer ist 03376 349701. Meine
Durchwahl ist die 225. Ich wiederhole: 03376 349701
und die Durchwahl ist 225. Oder schreiben Sie uns eine
E-Mail. Die Mailadresse haben Sie ja. Vielen Dank!

7.4

Möbel-Kauss, Melize Just, was kann ich für Sie tun? –
Einen Moment bitte. Ich verbinde. – Anna Santos am
Apparat. – Sehr gut. Und wann? Um 12:30 Uhr oder
um 17 Uhr? – Wenn beide Zeiten passen, dann lieber
um 17 Uhr. – Sehr gut! Vielen Dank, dass Sie angerufen haben und wir sehen uns dann am 29.

8.1 + 8.2

🗩 Liebe Hörerinnen und Hörer, was ist Ihnen wichtig
im Beruf? Wir haben Sie gefragt und Sie haben bei
uns angerufen. Ich spreche jetzt mit Frau Peters.
Hallo, Frau Peters. Sie rufen aus Berlin an. Frau
Peters, was ist Ihnen im Beruf wichtig?

👍 Ich arbeite als Sekretärin in einer kleineren Firma.
Die Arbeit gefällt mir, sie ist interessant und
abwechslungsreich. Ich habe gern viel Kontakt mit
Menschen, deshalb telefoniere ich auch gern mit
unseren Kunden. Außerdem finde ich meine
Kollegen sympathisch und arbeite gern mit ihnen.
Für mich ist genauso wichtig, dass der Chef – d. h.
bei mir meine Chefin – angenehm ist. Meine
Chefin hat viel Geduld, wenn etwas einmal nicht
sofort funktioniert. Auch das Gehalt ist für mich
wichtig, denn ich lebe allein und habe ein Kind.

🗩 Vielen Dank, Frau Peters. Auch Herr Vellis hat
angerufen.
Guten Tag, Herr Vellis. Was meinen Sie zu diesem
Thema?

👍 Ja, hallo. Also ich arbeite als Sachbearbeiter. Ich
finde meine Arbeit leider nicht so interessant. Das
Gehalt ist nicht schlecht, aber die Arbeit ist sehr
langweilig. Für mich ist am wichtigsten, dass meine
Stelle sicher ist, denn ich habe Familie und zwei
kleine Kinder. Und ich habe diese Sicherheit in
meiner Firma. Aber für mich ist es auch wichtig,
dass ich eine abwechslungsreiche Arbeit habe und

manchmal etwas Neues machen kann. Vielleicht
wechsele ich im nächsten Jahr zu einer anderen
Firma. Meine Frau kann nächstes Jahr auch wieder
arbeiten, weil unser Sohn in den Kindergarten
kommt. Und wenn meine Frau arbeitet, dann haben
wir auch ihr Gehalt. Vielleicht suche ich dann eine
andere Stelle.

🗩 Dann wünsche ich Ihnen viel Erfolg, Herr Vellis
und vielen Dank, dass Sie uns angerufen haben.
Liebe Zuhörer, Sie haben gehört, wie verschieden ...

4

🗩 Firma *Simtex*, Chantal Becker, was kann ich für Sie
tun?

👍 Guten Tag, Alexandra Tannhäuser. Ich habe morgen
einen Termin mit Herrn Schmidtbauer, aber ich
kann leider nicht kommen. Ich bin seit gestern
krank. Können wir den Termin verschieben?

🗩 Sagen Sie mir bitte: Um wie viel Uhr haben Sie den
Termin?

👍 Um 11:30 Uhr.

🗩 Ah ja, ich sehe, ja, der Termin dauert eine Stunde.
Da muss ich erst Herrn Schmidtbauer fragen, wann
er Zeit hat. Dann gebe ich Ihnen Bescheid.

👍 Gerne, meine Handynummer ist 0164 25393675.

🗩 0164 25393675. Gut, ich rufe Sie heute Nachmittag
an. Gute Besserung!

👍 Vielen Dank. Auf Wiederhören.

🗩 Firma *Simtex*, Chantal Becker, was kann ich für Sie
tun?

👍 Guten Tag, mein Name ist Varvelli. Ich möchte gern
mit Herrn Schmidtbauer sprechen.

🗩 Tut mir leid, Herr Schmidtbauer ist in einer
Besprechung.

👍 Oh, okay. Wann kann ich mit ihm sprechen?

🗩 Hmm, also Herr Schmidtbauer ist heute und morgen
in vielen Besprechungen. Es ist am besten, wenn
wir einen Termin machen. Die folgenden Termine
kann ich Ihnen anbieten: Morgen Vormittag um
10 Uhr oder morgen Nachmittag um 16:30 Uhr.

👍 Gut, dann würde ich gerne am Nachmittag anrufen.

🗩 Gerne. Sagen Sie mir bitte noch einmal Ihren Namen.

👍 Varvelli, ich buchstabiere V A R V E L L I.

🗩 Gut, Herr Varvelli. Dann morgen um halb fünf.

👍 Vielen Dank. Auf Wiederhören.

🗩 Auf Wiederhören.

10 Mein Smartphone & ich

4.1

🗩 Mama, du hast ein neues Smartphone gekauft!
Welche Apps hast du?

👍 Apps? Keine Ahnung. Ich glaube, mein Handy hat
die normalen Apps. Aber ich nutze sie gar nicht.

🗩 Du nutzt keine Apps? Warum nicht?

👍 Ich brauche ein Handy nur zum Telefonieren und
zum Schreiben von SMS. Und da habe ich eine App

zum kostenlosen Telefonieren. Aber die anderen Apps finde ich nicht sinnvoll. Zum Beispiel diese verrückte App zum Suchen von Toiletten in der Stadt. ... Tim hat doch diese App.

🗨 Nein, nein. Tim hat nicht *woKlo*. Aber er hat zum Beispiel eine App zum Herunterladen von Musik, *Musikload*. Und viele Apps sind sehr sinnvoll. Ich nutze jeden Tag *Akuelles24*. Das ist eine tolle App zum Lesen von Zeitungen.

👍 Ja, na gut. Aber zum Lesen von Zeitungen brauche ich kein Handy.

🗨 Mama, du bist schon komisch. Alle nutzen Apps.

👍 Warum „alle"? Papa zum Beispiel nutzt keine Apps.

🗨 Doch. Papa wollte immer *iFlug* haben. Er wollte Flüge für euch buchen. Aber er hat die App nicht gekauft, weil sie zu teuer ist. Jetzt hat er diese tolle App zum Navigieren, wenn ihr in den Urlaub fahrt. *Da-bin-ich* heißt sie. Sie ist sehr gut.

👍 Hmm, ja, das stimmt. Im Urlaub. Aber sonst ... Ich möchte nicht zu viel mit dem Handy arbeiten. Ich habe keine Zeit für so etwas. Ich bin da anders als deine Tante Beate. Die ganze Zeit zeichnet sie komische Dinge auf ihrem Display.

🗨 Aber Mama, Tante Beate zeichnet doch nicht. Sie benutzt *Business-Kalender*. Das ist eine App zum Organisieren von Terminen. Die App hilft ihr bei der Arbeit. Sie hat sie mir gezeigt. Und Oma ...

👍 Oma nutzt bestimmt keine Apps! Für sie ist gratis telefonieren sinnvoll, aber sie will nicht.

🗨 Stimmt, aber auch Oma hat Apps. Sie hat zum Beispiel diese komische App zum Erkennen von Vogelstimmen, wie heißt sie noch ... *eNatur*!

👍 Oma also auch. Nutzen denn alle in dieser Familie gerne Apps, nur ich nicht?

🗨 Ich glaube, ja!

5.1

Seit drei Monaten lerne ich mit meinem Handy Chinesisch. Ich habe eine App zum Lernen von Fremdsprachen gekauft. Sie heißt *SprachFit*. Ich finde die App interessant und abwechslungsreich, also nutze ich sie jeden Tag. Die Fahrt mit dem Bus zur Arbeit dauert 45 Minuten. Mit *SprachFit* kann ich diese Zeit sinnvoll nutzen. Unterwegs kann ich viele neue Wörter lernen. Ich höre die Wörter und ich sehe sie auf dem Display, dann muss ich sie ins Handy sagen. Einmal waren chinesische Touristinnen im Bus. Sie haben sich gewundert, weil ich auf Chinesisch telefoniert habe!

6.2 + 6.3 + 6.4

🗨 Hallo, liebe Hörerinnen und Hörer. Hier ist Mario Gauß. Ich begrüße Sie zu unserer Sondersendung zur *Frankfurter Buchmesse*.
Unsere Frage heute: Stirbt das Buch? Mit mir hier im Studio sind Daniel Pfeiffer und Alina Pohl. Sie studieren beide hier in Frankfurt.

👍 Hallo!

👍 Hallo!

🗨 Daniel, liest du gern?

👍 Ja, natürlich. Ich lese sehr gern, aber nur digital: E-Books.

🗨 Du hast keine Bücher?

👍 Doch, ich habe wenige Bücher, aber ich kaufe keine neuen Bücher mehr.
Ich glaube, dass E-Books einfach besser sind, umweltfreundlicher und bequemer. Sie sparen auch Platz, weil ein kleines Gerät so viele Bücher enthält wie eine ganze Bibliothek und sie sind nicht so teuer wie Bücher. Wenn man in den Urlaub reist, braucht man keine schweren Bücher im Koffer. Man braucht nur einen E-Book-Reader oder ein Smartphone. Das ist alles.

🗨 Also glaubst du, dass das Buch aus Papier bald stirbt?

👍 Ich bin nicht sicher, ob das Buch stirbt, aber es ist möglich.

🗨 Alina, was meinst du?

👍 Ich sehe das anders. Ich habe einige E-Books auf meinem Tablet, aber ich lese sie nicht gern. Meiner Meinung nach sind E-Books einfach nicht so schön wie richtige Bücher. Ich mag es, wenn ich meine Bücher anfassen und riechen kann!

🗨 Vielleicht nicht so schön, aber Daniel meint, sie sind sehr praktisch.

👍 Nein, ich finde nicht, dass E-Books sehr praktisch sind. Sie verbrauchen zum Beispiel viel Strom. Im Urlaub wandere ich in den Bergen und zelte. Wo gibt es Strom auf einem Berg, bitte?

👍 Hmm, ich finde, du hast Recht. Aber in zehn Jahren ist die Smartphone-Technik besser und die Akkus halten länger.

👍 Vielleicht, aber zuverlässig sind sie wirklich nicht. Glaubst du wirklich, dass die Technik in zehn Jahren deine heutigen E-Books lesen kann? Die digitale Entwicklung ist sehr schnell. Das finde ich nicht gut.

👍 Ja, ich stimme dir zu. Aber dann kaufe ich neue E-Books für die neue Technik. Das ist nicht schlimm.

🗨 Alina und Daniel, ich danke euch für das interessante Gespräch. Liebe Zuhörer, was meinen Sie: Stirbt das Buch? Rufen Sie uns an ...

1.1

🗨 Kann ich Ihnen helfen?

👍 Ja. Ich möchte gern wissen, welche Tarife es für dieses Smartphone von *flox* gibt.

🗨 Wir haben für alle Smartphones den Super-Tarif oder den Normal-Tarif.

👍 Könnten Sie mir sagen, was diese Tarife kosten?

🗨 Der Super-Tarif kostet 19,90 Euro im Monat und Sie können SMS schreiben und telefonieren, so viel Sie wollen. Sie können bis zu 500 MB im Internet surfen. Der Normal-Tarif ist günstiger, er kostet nur 8,90 Euro. Auch mit dem Normal-Tarif können Sie umsonst telefonieren, aber nur 50 SMS im Monat gratis senden. Im Internet surfen, können Sie nur bis 200 MB. Beide Tarif-Verträge dauern 12 Monate.

🗨 Hmm, okay, danke. Dann würde ich gern wissen, ob ich das Smartphone auch ohne Vertrag kaufen kann.

🗨 Ja, klar. Dann kostet es aber mehr: 299,50 Euro.

🗨 Aha, gibt es das Smartphone auch in anderen Farben?

🗨 Ja, in Schwarz, Weiß und Grün. Aber Grün haben wir im Moment nicht da, das müsste ich extra bestellen.

🗨 Okay, vielen Dank für Ihre Hilfe.

🗨 Gern geschehen.

11 Freunde tun gut

1.4 + 1.5

🗨 Sieh mal, Ursula! Hast du das gelesen? Kevin Costner findet seine Freunde wichtiger als seine Frau.

🗨 Was sagst du da, Martina? Echt? Das finde ich blöd.

🗨 Na ja. Ich finde, dass er Recht hat. Für mich sind meine Freunde auch am wichtigsten im Leben. Wie du, meine liebe Ursula.

🗨 Danke, du bist mir doch auch sehr wichtig. Aber ich sehe das anders: Du bist auch nicht verheiratet. Aber der Partner oder die Partnerin ... mit dem lebe ich jeden Tag zusammen. Wir haben einen gemeinsamen Alltag.

🗨 Ja, genau: der Alltag. Verheiratet oder nicht – das ist doch egal. Man ist jeden Tag zusammen und das ist auch schön. Aber ich finde es besonders wichtig, dass meine Freunde für mich da sind, wenn ich Hilfe brauche. Die Freunde kennt man oft auch viel länger als den Partner.

🗨 Meiner Meinung nach stimmt das nicht. Wenn ich Probleme habe, dann spreche ich lieber mit meinem Mann.

🗨 Ach ja? Und wen hast du angerufen, als deine Mutter den Unfall hatte?

🗨 Ja gut, dich. Aber das heißt doch nicht, dass mein Mann nicht wichtig ist.

🗨 Natürlich nicht. Die Frage ist: Lieber ein Leben ohne Mann oder ohne Freunde?

🗨 Ganz ohne Freunde?

🗨 Ja!

🗨 Hmm, vielleicht ist das Zitat von Kevin Costner doch nicht so schlecht. Wenn ich mir ...

3.1 + 3.2 + 3.3

🗨 Hallo, Jutta. Schön, dass du wieder da bist. Aber jetzt erzähl: Wie war es in Wien?

🗨 Super toll! Ich hatte so ein Glück.

🗨 Glück? Was ist denn passiert?

🗨 Das ist wirklich unglaublich. Also, am Sonntag wollte ich mir die Sehenswürdigkeiten in Wien ansehen. Du weißt ja, alte Städte mochte ich schon immer. Ich habe mit der Hofburg angefangen. Sie ist so

schön und morgens ist es nicht so voll und dann ...

🗨 Ja? Und dann?

🗨 Als ich ein Foto machen wollte, habe ich meinen Namen gehört: „Jutta, bist du das?" Und wer war das? Lola – meine beste Freundin aus der Kindheit.

🗨 Nein, Lola? Das ist doch die Tochter von deinen Nachbarn von früher?

🗨 Genau, Lola Sommerer. Wir waren vom Kindergarten bis zum Abitur Freundinnen und haben fast alles zusammen gemacht.

🗨 Und wie lange habt ihr euch nicht gesehen?

🗨 Hmm, das erste Jahr im Studium haben wir uns noch manchmal getroffen, aber dann ... Wir waren in verschiedenen Städten ... Also, ich glaube, so circa 10 oder ja, 11 Jahre.

🗨 Ganz schön lange.

🗨 Ja, aber als wir uns jetzt getroffen haben, haben wir uns so gefreut! Wir sind gleich in ein Café gegangen, ins *Palmenhaus*. Wunderschön! Weißt du, Lola lebt in Wien und kennt die schönsten Orte. Im *Palmenhaus* haben wir über eine Stunde gesessen und uns unser Leben erzählt. Lola ist geschieden und hat schon einen kleinen Sohn. Es geht ihr gut.

🗨 Und dann? Was habt ihr noch gemacht?

🗨 Wir waren den ganzen Tag zusammen. Zuerst hat Lola mir Wien gezeigt. Wir sind durch den Burggarten spaziert und haben uns weiter unterhalten. Dann sind wir zur Staatsoper gegangen. Wien ist so schön, so viele alte Häuser. Ich habe sehr viele Fotos gemacht. Hier, sieh mal!

🗨 Oh schön. Und seid ihr auch shoppen gegangen?

🗨 Na ja, wir sind durch die Kärntner Straße gegangen. Das ist die Fußgängerzone in Wien, mit vielen Geschäften. Aber alles war ziemlich teuer. Aber schau: Wie gefällt dir die Bluse? Ich habe sie gekauft, als wir ein süßes kleines Geschäft mit Sonderangeboten gefunden haben. Da gab es tolle Sachen für wenig Geld.

🗨 Sehr schön. Sie steht dir gut.

🗨 Dann sind wir zum Dom am Stephansplatz gegangen. Aber ich war sehr müde und Lola hat mich zur U-Bahn gebracht. Im Hotel habe ich dann kurz geschlafen. Aber abends waren wir noch tanzen – bis vier Uhr früh.

🗨 Wow! Lerne ich Lola auch einmal kennen?

🗨 Natürlich. Sie will mich bald besuchen kommen. Dann gehen wir zu dritt tanzen.

🗨 Das ist eine gute Idee!

5.2

Als ich vier Jahre alt war, habe ich meine Freundin Emma kennengelernt. Sie war im gleichen Kindergarten. Wir haben immer zusammen gespielt. Als wir in der Schule waren, haben wir immer die Hausaufgaben zusammen gemacht. Sie war sehr gut in Englisch und ich war gut in Deutsch. Wir haben uns immer geholfen. Als ich 14 war, habe ich mich sehr geärgert. Heute weiß ich nicht mehr warum. Aber wir haben dann lange nichts mehr zusammen gemacht. Vor zwei Jahren war ich in Indien im Urlaub. Und wen treffe ich dort? Richtig! Meine Emma. Wir haben uns sofort viel erzählt und sind jetzt wieder viel zusammen. Emma ist jetzt wieder meine beste Freundin.

7.1 + 7.2

🗨 Herzlich Willkommen, liebe Hörerinnen und Hörer. Hier spricht Andreas Winkelbach. Ich skype heute mit Gertrud Winkler.
Frau Winkler, hören Sie mich?

👍 Ja. Sehr gut. Hallo.

🗨 Wenn ich das sagen darf, Sie sind schon ein bisschen älter. Aber Sie haben keine Angst vor dem Computer. Das ist bei meiner Mutter ganz anders und sie ist jünger.

👍 Na ja, das war bei mir am Anfang auch so. Wissen Sie, ich habe mein ganzes Leben in Restaurants gearbeitet. Da gab es keine Computer und ich hatte auch keine Lust auf die viele Technik.

🗨 Warum benutzen Sie das Internet jetzt doch?

👍 Ich habe immer schon gerne Briefe geschrieben. Aber mit der Zeit sind meine Brieffreunde gestorben. Da hatte mein Sohn die Idee, dass ich im Internet neue Freunde suchen kann. Er hat mir am Anfang sehr viel geholfen. Aber heute mache ich fast alles allein. So schwer ist das nicht.

🗨 Und es hat wunderbar funktioniert. Erzählen Sie unseren Zuhörern von Ihrer neuen Freundschaft aus dem Internet.

👍 Na, so neu ist die gar nicht. Eva und ich kennen uns schon seit mehr als neun Jahren!

🗨 Und ist es richtig, dass Sie Eva da Silva noch nie getroffen haben?

👍 Ja, das stimmt. Eva lebt seit 1956 in Salvador de Bahia, im Norden von Brasilien. Das ist zu weit.

🗨 Wie haben Sie sich kennengelernt?

👍 Eva war Lehrerin. Sie hat sich schon immer für Computer interessiert und wollte über das Internet gerne Kontakt zu Deutschen haben. Am Anfang war sie auf verschiedenen Internetseiten, aber da gab es nur junge Leute zum Chatten.

🗨 Bis sie unsere Seite *Lebensabend.de* gefunden hat.

👍 Ja genau, und ich habe auch gerade in diesem Moment gechattet. Als ich gelesen habe, dass Eva aus Brasilien ist, habe ich ihr sofort geschrieben. Wir haben uns gleich sehr gut verstanden.

🗨 Neun Jahre sind eine lange Zeit. Gab es besondere Höhepunkte in dieser Zeit?

👍 Hmm, ach ja! Ich singe in einem Chor, hier im Wohnheim. Das macht sehr viel Spaß. Einmal haben wir dabei mit Eva geskypt. Das hat ihr sehr gut gefallen und sie hat dann sogar gesungen. Das war toll.

🗨 Ich finde es toll, dass Menschen weltweit unsere Internetseite nutzen. Frau Winkler, ich wünsche Ihnen und Frau da Silva noch viele wunderbare Momente. Herzlichen Dank.

12 Eins – eins – zwei

2.1 + 2.2

Puh, das war ein Tag heute. Ich arbeite in der Notaufnahme und da ist es manchmal ganz schön stressig. Als ich angefangen habe, kam ein kleiner Junge in die Notaufnahme. Er ist vom Fahrrad gefallen und hat sich am Bein verletzt. Er hat sehr stark geblutet und wir mussten ihm gleich helfen. Am Vormittag sind noch drei Patienten gekommen. Sie hatten einen Autounfall und das ganze Team musste schnell reagieren. Als ich beim Mittagessen war, konnte ich leider nicht zu Ende essen. Ein Haus hat gebrannt und der Krankenwagen hat uns eine ganze Familie gebracht. Zum Glück hatten alle fünf keine schlimmen Verletzungen. Das war bei der nächsten Patientin am Nachmittag leider anders. Sie ist gestürzt und hatte eine Kopfverletzung. Sie kam bewusstlos mit dem Krankenwagen. Und als ich eigentlich nach Hause gehen wollte, kam noch ein Patient zu uns: ein junger Mann. Er hat sich in den Finger geschnitten.
So sieht er also aus: ein ganz normaler Tag in der Notaufnahme.

2.4

Notrufzentrale, guten Tag. Sie sprechen mit Herrn Müller. – Bitte bleiben Sie ruhig. Sind Sie telefonisch erreichbar? – Wo sind Sie genau? – Was ist passiert und wie viele Verletzte gibt es? – Hilfe kommt sofort. Bitte legen Sie nicht auf. Wir sind ...

3.4

1. 🗨 Guten Tag, Herr Mierendorf. Was fehlt Ihnen denn?
   👍 Seit drei Wochen habe ich so einen Husten. Ich kann gar nicht mehr richtig schlafen.
   🗨 Haben Sie auch Halsschmerzen?
   👍 Nein, eigentlich nicht.
   🗨 Und Schnupfen? Haben Sie auch Schnupfen?
   👍 Nein, ich glaube nicht, dass ich eine Erkältung habe. Ich habe nur diesen Husten.
   🗨 Na, dann wollen wir mal schauen. Öffnen Sie bitte den Mund ...

2. 🗨 Krüger, guten Tag.
   👍 Guten Tag, hier ist Dr. Wolke. Es geht um Ihren Termin.
   🗨 Ach ja. Ich soll am Montag um 10 Uhr kommen.
   👍 Tja, es tut mir leid, aber ich muss unseren Termin verschieben. Könnten Sie auch am Donnerstag um 10 Uhr kommen?
   🗨 Oh nein, da habe ich einen anderen Termin. Aber ich habe am Nachmittag Zeit. Geht das auch?
   👍 Ja, das geht. Kommen Sie doch bitte um 14:30 Uhr.
   🗨 Am Donnerstag um halb drei. Kein Problem. Bis dann.
   👍 Vielen Dank. Auf Wiederhören, Frau Krüger.

3. 🗨 So, jetzt habe ich alles. Ihre Gesundheitskarte bitte noch.

👍 Die habe ich Ihnen doch schon gezeigt.

🗨 Ach ja, natürlich. Entschuldigung. Sie müssen das Formular nur noch unterschreiben, dann sind wir fertig.

👍 Wo? Hier unten?

🗨 Nein, dort unterschreibt die Ärztin. Hier bitte.

4. 🗨 Hallo, Irene, ist der Kaffee fertig?

👍 Ah, hallo. Ja, fast. Oh, wie siehst du denn aus? Geht es dir nicht gut?

🗨 Ich habe starke Kopfschmerzen. Vielleicht hilft der Kaffee.

👍 Möchtest du eine Tablette? Ich habe Schmerztabletten in meinem Büro.

🗨 Ach, ich habe schon zwei genommen. Aber es wird nicht besser.

👍 Dann geh am besten nach Hause und geh ins Bett. Manchmal hilft nur noch das.

🗨 Ja, ich glaube, ich mache das. Ich kann kaum denken.

4.4

Alle wollen etwas von mir: Meine Mutter sagt, dass ich mehr in der Küche helfen sollte. Mein Vater sagt, ich sollte endlich Fahrrad fahren lernen. Meine Oma sagt, dass ich mehr Gemüse essen sollte. Iiih! Meine Freunde finden, wir sollten die Lehrer ärgern. Aber ich mag meine Lehrer eigentlich ganz gern. Sie sagen auch immer, dass ich mehr lernen sollte. Meine Schwestern meinen, ich sollte die Hausaufgaben machen. Aber ich finde, ich sollte viel mehr spielen.

6.1 + 6.2

🗨 Guten Tag, liebe Hörerinnen und Hörer. Gestern haben wir Ihnen in unserer Sendung die Clowndoctors vorgestellt. Heute haben wir Frau und Herrn Sakowski im Studio. Ihre Tochter war ein halbes Jahr im Krankenhaus und hatte oft Besuch von den Clowndoctors.
Frau Sakowski, ein halbes Jahr? Das ist eine lange Zeit.

👍 Ja, das ist richtig. Unsere kleine Lili – sie ist jetzt acht Jahre alt – war vor zwei Jahren leider sehr krank. Das war eine schwere Zeit, aber heute ist alles wieder gut.

🗨 Konnten die Clowndoctors Ihrer Tochter helfen?

👍 Auf jeden Fall. Lili musste starke Medikamente nehmen und dann war sie immer sehr müde. Aber wenn die Clowns nachmittags da waren, hatte sie immer ein Lächeln im Gesicht. Nach dem Besuch konnte sie dann abends immer ganz ruhig schlafen.

🗨 Wie oft hatte Lili Besuch? Waren es immer die gleichen Clowns?

👍 Ach, das war ganz unterschiedlich. Am Anfang nicht so oft. Aber in der schlimmsten Zeit sind die Clowndoctors sehr häufig gekommen. In einer

Woche sogar jeden Tag. Meistens waren Chris und Charlotte bei Lili. Aber nicht immer, manchmal sind auch andere Clowns gekommen.

🗨 Waren Sie auch im Zimmer, wenn die Clowns kamen?

👍 Nicht immer, aber oft. Dann mussten wir auch mitmachen. Das war auch gut für uns. Wir haben viel gelacht.

🗨 Was genau haben die Clowns getan?

👍 Nun, Chris und Charlotte konnten sehr gut jonglieren. Sie haben im Zimmer von Lili richtige Shows gemacht, mit vielen lustigen Fehlern. Dann sind die Bälle durch das ganze Zimmer geflogen und wir mussten alle lachen. Aber am wichtigsten war vielleicht, dass Lili immer wieder mit einem kleinen Spielzeughund gesprochen hat. Die Clowndoctors haben ihm Leben und Stimme gegeben und Lili hat ihm – und nur ihm – erzählt, wenn sie Angst hatte. Das war sehr wichtig für sie und für uns.

🗨 Herr und Frau Sakowski, vielen Dank für Ihren Besuch bei uns im Studio.
Liebe Hörerinnen und Hörer, ich glaube, wir haben alle verstanden, dass die Clowndoctors eine tolle Sache sind. Wenn Sie auch helfen wollen, dann ...

13 Hat es geschmeckt?

3.4

Das neue Café *Leckerbissen* liegt direkt in der Altstadt. Dort gibt es aromatische vegetarische Suppen und selbst gemachtes Brot aus frischen Zutaten. Das ist perfekt für ein leichtes Essen. Wenn Sie Mittag essen wollen, gibt es auch einige scharfe oder milde Gerichte mit vielen Gewürzen. Wenn man etwas Süßes als Nachtisch möchte, empfehle ich den Schokoladenkuchen. Das Café ist klein und gemütlich und die Preise sind ziemlich günstig: vier Euro für Kaffee und Kuchen oder ein Hauptgericht für sechs Euro.

5.1
1. Welcher Tee schmeckt Ihnen am besten?
2. Welche Torte schmeckt Ihnen am besten?
3. Welches Eis schmeckt Ihnen am besten?

5.2
1. Welchen Tee möchten Sie?
2. Welche Torte möchten Sie?
3. Welches Eis möchten Sie?

5.4
1. Darf ich Ihnen etwas zu trinken bringen?
2. Haben Sie schon gewählt?
3. Möchten Sie eine Beilage dazu?
4. Hat es Ihnen geschmeckt?
5. Ist etwas nicht in Ordnung?

6.1 + 6.2

🗨 Haben Sie schon gewählt?

🗨 Ähh, nein, noch nicht. Ich habe ein paar Fragen. Ich kenne nicht alle Gerichte auf der Speisekarte.

🗨 Ich helfe Ihnen gern. Welche Gerichte kennen Sie nicht? Ich kann sie Ihnen erklären.

🗨 Also, zum Beispiel dieses Gericht hier ... Gemüsewähe.

🗨 Wähe ist hier in der Schweiz der Name für einen dünnen Kuchen. Der Kuchen kann ein Hauptgericht mit Gemüse und Fleisch sein oder er kann ein Nachtisch mit Obst sein. Unsere Wähe ist ein besonderer Gemüsekuchen aus Kartoffeln, Äpfeln und Käse.

🗨 Und ist er vegetarisch? Ich esse kein Fleisch.

🗨 Ich bin fast sicher, dass der Gemüsekuchen vegetarisch ist, aber ich frage gleich in der Küche.

🗨 Danke.

🗨 Haben Sie noch eine Frage?

🗨 Ja. Was ist Egli mit Pommes frites und Salat?

🗨 Oh, Egli. Das ist ein Fisch.

🗨 Ah, Fisch! Das ist dann leider nichts für mich. Schade.

🗨 Ein typisches Gericht, das Sie auch ohne Fleisch bestellen können, ist zum Beispiel Polenta mit Gemüse.

🗨 Ach ja, Polenta. Eine Polenta ist aus Mais.

🗨 Ja, richtig. Polenta ist ein fester Brei aus Mais. Das Gericht ist auch in Norditalien und Spanien sehr beliebt.

🗨 Aha, richtig international. Und was gibt es für traditionelle Nachspeisen hier in der Schweiz?

🗨 Oh, da gibt es viele! Ich empfehle Ihnen die Zuger Kirschtorte. Oder Nidelfladen: Das ist ein süßer Kuchen mit Sahne. Aber wir haben auch Nusstorte mit Schokolade. Möchten Sie noch etwas wissen?

🗨 Nein, danke. Das war alles.

🗨 Ich frage in der Küche nach der Wähe, dann komme ich sofort wieder.

🗨 Danke.

Und in Ihrer Sprache?

Ich kann die Suppe empfehlen. Diese ist eine Tomatensuppe, mit etwas Sahne, bio natürlich! Als Hauptgericht empfehle ich den Fisch. Er ist heute sehr gut: Die Forelle ist ganz frisch vom Markt. Dazu gibt es grüne Bohnen und Kartoffelpüree. Wenn Sie lieber etwas Vegetarisches möchten, ist der Reis mit Gemüse und scharfen Gewürzen sehr gut. Zum Nachtisch empfehle ich die Nusstorte mit Eis oder Sahne – sehr lecker!

14 Einkaufswelt

2.2 + 2.3

🗨 Hast du den Artikel von Herrn Schuster in der Zeitung gelesen, Angelika?

🗨 Ja, klar. Den finde ich auch echt gut. Ich finde, Herr Schuster hat Recht. Er hat das gut beobachtet. Ich gehe selbst nicht so gerne shoppen, aber ich kenne das von meinen Freundinnen Sara und Melize. Die beiden lieben shoppen. Manchmal gehen sie den ganzen Samstag in der Stadt von Geschäft zu Geschäft. Sie brauchen nichts, aber sie kaufen fast immer etwas. Zum Beispiel ein Paar super teure Schuhe, weil sie die so schick finden. Ihre Ehepartner kommen natürlich nicht mit. Die finden shoppen blöd. Also genau so, wie Herr Schuster das beobachtet hat. Wie findest du denn den Artikel?

🗨 Ich weiß nicht. Ich sehe das anders. Meiner Meinung nach gibt es keine Unterschiede zwischen Männern und Frauen. Bei deinen beiden Freundinnen und ihren Männern ist das vielleicht so. Aber ich gehe am Wochenende auch gerne in ein Einkaufszentrum. Meine Freundin hat aber meistens keine Lust. Sie bleibt lieber zu Hause und kauft im Internet ein. Ich finde das langweilig. Ich gehe gerne mit Freunden zusammen in die verschiedenen Geschäfte und manchmal kaufe ich auch etwas. Herr Schuster hat ein paar Leute gesehen und vielleicht geht er selbst auch nicht gern shoppen. Aber ich finde es falsch, wenn man sagt, dass nur Frauen Shopper sind.

🗨 Hmm, ja, okay. Vielleicht hast du Recht, aber findest du nicht ...

4.1

1. Der Winter geht, der Frühling kommt. Noch bis zum 31. Januar finden Sie im *Kinderland* Sonderangebote für unsere Kleinen: Mützen, Pullover, Winterjacken und Winterschuhe. Alle Winterkleidung zum halben Preis. Und natürlich haben wir auch schon die aktuelle Frühlingsmode: Hosen, Kleider, T-Shirts und Schuhe in allen Farben. Ab Februar gibt es im *Kinderland* wieder unseren großen Spielzeug-Markt. Ein großes Angebot an Kinderspielzeug besonders günstig. Für Kinderkleidung und Spielzeug: Besuchen Sie das *Kinderland*.

2. Liebe Kundinnen und Kunden. Wir möchten Sie informieren, dass unser Geschäft in wenigen Minuten schließt. Bitte beenden Sie Ihren Einkauf und gehen Sie zu den Kassen. Die Kassen 7 bis 14 haben für Sie geöffnet. Morgen können Sie uns wieder von 9 bis 20 Uhr besuchen. Vielen Dank für Ihren Einkauf und einen schönen Abend.

3. Liebe Kunden und Kundinnen, machen Sie doch eine Einkaufspause und kommen Sie in unser Café-Restaurant *Panorama*! Heute wie jedes

Wochenende wieder mit Spezialitäten aus Österreich: Gulasch, Wiener Schnitzel oder Palatschinke und viele Kaffee- und Kuchenspezialitäten. Unser Restaurant hat für Sie geöffnet, von Montag bis Samstag, immer von 8 bis 22 Uhr.

4. Aktuelle Mode für den Herrn! Kommen Sie in den 3. Stock. Heute Sonderangebote für Freizeitkleidung: bequeme Jacketts, modische Hemden und praktische Hosen, zum Beispiel ein Jackett von *Luca* nur 169 Euro. Und auch im Angebot: schwarze Socken – fünf Paar – nur 13,90 Euro. Die passen zu allen eleganten Herrenschuhen.
Außerdem heute großer Aktionstag in der *Sportwelt*: Alles für den Jogger. Probieren Sie unsere neuen Modelle. Schuhe perfekt zum Laufen – nur heute im Sonderangebot. Und das Beste: Ein Sportexperte berät Sie persönlich.

5. Liebe Kundinnen und Kunden, im ersten Stock haben wir heute eine besondere Ausstellung: Kosmetik, Cremes und Parfüms für die Dame und den Herrn zu kleinen Preisen. Unsere Experten beraten Sie gerne. Kommen Sie in den ersten Stock, gleich neben dem Aufzug rechts. Sie finden hier auch tolle Sonderangebote: zum Beispiel verschiedene Sonnencremes für nur 5,90 Euro oder Bio-Seife, vier Stück nur 3,99 Euro.

4.2

Ich kenne ein tolles Einkaufszentrum, das ich immer wieder gerne besuche: Das *Mira* in München. Ich habe dort viele Lieblingsgeschäfte. Ich liebe shoppen und ich kaufe gerne Kleidung, Kosmetik, Taschen und Uhren, manchmal auch Möbel oder Spielzeug für die Kinder von meiner Schwester. Für mich ist wichtig, dass es in einem Einkaufszentrum auch gute Cafés und Restaurants gibt, weil ich gerne kleine Pausen mache und die Leute beobachte.

4.5

Der Elektromarkt ist im 1. Stock, links neben der Bäckerei. Ich brauche auch noch ein Geschenk für Anna. Kennst du hier eine englische Buchhandlung? – Wir könnten erst zum Elektromarkt und dann in die Buchhandlung gehen. – Gute Idee.

6.1

🗪 Guten Tag, liebe Hörerinnen und Hörer, herzlich willkommen zu unserer Sendung *Menschen unterwegs*. Mein Name ist Sevilay Korkmaz. Unser Thema: Einkaufsstraßen. Dort sind jeden Tag viele Menschen unterwegs und wir haben einmal gefragt: Was machen Sie gerade? Heute ist Dennis Altmeier für uns in der Drosselgasse in Rüdesheim. Hallo, Dennis, wie sieht es dort aus?

👍 Ja, hallo, Sevilay. Ich stehe gerade in der Drosselgasse. Es ist ein Uhr mittags und die Straße ist voll mit Menschen. Hinter mir ist ein Tanzlokal mit Live-Musik, links ein Restaurant mit deutschen Spezialitäten. Und rechts in der Straße sind viele Geschäfte mit Kuckucksuhren, Dirndln und vielen Souvenirs. Wer sind die Leute, die hier einkaufen? Neben mir steht Angela Marquardt. Frau Marquard, was kaufen Sie hier in der Drosselgasse?

👍 Ich kaufe gar nichts. Ich wohne in Mainz und habe gerade Besuch von Freunden aus China. Sie wollen die Stadt besichtigen. Heute Morgen waren wir in Mainz, jetzt sind wir hier nach Rüdesheim in die Drosselgasse gekommen.

👍 Und was machen Sie hier? Gehen Sie tanzen?

👍 Nein, tanzen wollen wir nicht. Wir haben nicht so viel Zeit. Meine Freunde wollten unbedingt eine Kuckucksuhr für ihren Sohn kaufen. Das haben wir gerade gemacht. Und jetzt gehen wir essen. Danach fahren wir weiter nach Köln.

👍 Dann wünsche ich Ihnen viel Spaß!

👍 Danke.

👍 Und jetzt zurück ins Studio zu Sevilay Korkmaz.

🗪 Danke, Dennis, das waren interessante Informationen aus der Drosselgasse.
Weiter geht es nach Düsseldorf zu Paul Heimann auf der Königsallee. Paul, wie sieht es bei dir aus?

👍 Hallo, Sevilay, hier auf der Königsallee ist auch schon viel los. Viele Menschen – alle sehr schick und elegant angezogen – gehen hier gemütlich von einer Boutique zur nächsten, von Geschäft zu Geschäft oder sitzen in einem Café. Neben mir steht Kathrin Düver. Frau Düver, Sie sind Studentin. Was machen Sie hier auf der Kö?

👍 Na ja, als Studentin habe ich natürlich nicht so viel Geld. Deshalb kann ich hier nicht einkaufen. Aber ich studiere Modedesign und in meiner Freizeit setze ich mich gerne hier auf der Kö auf eine Bank oder manchmal auch in ein Café und sehe mir die vielen Leute an. Heute ist es besonders interessant, weil es später in dem Geschäft dort vorne eine Präsentation der neuen Wintermode aus Paris gibt. Deshalb kommen so viele interessante Leute aus der ganzen Welt und spazieren hier auf der Straße. Und natürlich alle sehr elegant! Das finde ich spannend.

👍 Vielen Dank, Frau Düver und jetzt zurück zu …

Und in Ihrer Sprache?

Das Kaufhaus am Rhein heißt Sie herzlich willkommen. Für den heutigen langen Samstag haben wir ein besonderes Angebot für Sie: Probieren Sie eine der 50 verschiedenen Teesorten aus der ganzen Welt. Unser Café bietet heute für jeden eine kostenlose Tasse Tee. Kommen Sie in den dritten Stock links neben dem Aufzug und wählen Sie eine Teespezialität aus unserem breiten Angebot, zum Beispiel aus China, Korea, Japan, Indien oder Kenia. Natürlich können Sie auch ein Stück Kuchen an unserem Kuchenbuffet dazu bestellen.

2.1

1. 🗨 Hallo, Imke, hier ist Anne. Sag mal, wollen wir uns heute nicht mal wieder treffen?

   👍 Oh, hallo, Anne. Ja, gerne. Ich muss aber heute einkaufen. Wir können uns vielleicht im Einkaufszentrum treffen. Weißt du, wo ein nettes Café ist?

   🗨 Ja, klar, es gibt zwei Cafés im Einkaufszentrum: Ein Café ist im Erdgeschoss, aber das hat keinen guten Kaffee. Das andere Café ist im 1. Stock. Der Kaffee dort ist super.

   👍 Im 1. Stock, okay! Und wo da?

   🗨 Wenn du die Treppe nimmst, auf der rechten Seite, da ist eine Damen-Boutique und dann das Café.

   👍 Okay, so um halb fünf?

   🗨 Ja, prima, das passt. Bis dann!

2. 🗨 Entschuldigung, können Sie mir sagen, wo ich hier Batterien kaufen kann?

   👍 Batterien? Hmm, hier im Erdgeschoss ist nichts. Aber im 1. Stock gibt es einen Elektromarkt. Dort bekommen Sie bestimmt Batterien. Direkt gegenüber von der Treppe, zwischen dem Spielzeuggeschäft und dem Schuhgeschäft. Den sehen Sie sofort.

   🗨 Vielen Dank.

3. 🗨 Entschuldigung, wir suchen die Toiletten. Können Sie uns helfen?

   👍 Im ersten Stock sind Toiletten.

   👍 Ja, das stimmt, aber hier im Erdgeschoss sind auch Toiletten. Das geht schneller. Sehen Sie da hinten die Bäckerei? Rechts neben der Bäckerei sind Toiletten.

   🗨 Danke.

   👍 Mama, schnell.

4. 🗨 Ich brauche neue Schuhe. Schuhe, die zu meinem neuen Kleid passen.

   👍 Also, ich weiß ein gutes Schuhgeschäft für dich. Die haben immer tolle Angebote, super günstig.

   🗨 Meinst du das Schuhgeschäft im Einkaufszentrum?

   👍 Ja, aber nicht das im ersten Stock. Das Geschäft, das ich meine, ist gleich im Erdgeschoss. Geradeaus ist ein Supermarkt und neben dem Supermarkt ist eine kleine Boutique, mit tollen Schuhen. Da findest du bestimmt etwas Elegantes.

   🗨 Rechts oder links neben dem Supermarkt?

   👍 Rechts.

   🗨 Danke dir!

15 Partylaune

2.1 + 2.2

1. Hallo, Martin. Hier spricht Thilo. Danke für deine Einladung. Über die habe ich mich sehr gefreut. Leider kann ich nicht kommen. Meine Mutter feiert am Samstag ihren 70. Geburtstag. Wir sind von Freitag bis Sonntag bei ihr in Hamburg. Hoffentlich sehen wir uns bald mal wieder. Liebe Grüße, auch an Marion. Tschüss!

2. Hi, Nina. Hier ist Meike. Du, das ist jetzt vielleicht ein bisschen spät, aber ich probiere es einfach. Ich möchte am Sonntag meinen Geburtstag feiern. Kommst du? Es gibt um 11 Uhr ein leckeres Frühstück bei uns im Garten. Ich freue mich auf dich. Liebe Grüße!

3. Hallo, Simon. Ich habe mich sehr über deine Einladung gefreut. Schön, dass du mir geschrieben hast. Ich feiere gern mit dir. Ich bin pünktlich da, wenn die Party um acht Uhr beginnt. Und ich bringe einen Salat mit. Bis Samstagabend!

2.5

1. 🗨 Was feiert ihr denn?

   👍 Ich habe Geburtstag.

2. 🗨 Hallo, Mona! Hier ist Felix.

   👍 Hi, Felix. Schön, dass du anrufst. Wie geht es dir?

   🗨 Danke, gut. Du, ich möchte dich gern zu meinem Geburtstag einladen.

3. 🗨 Tom Meise.

   👍 Hallo, Tom. Hier ist Sandra. Heute ist deine Karte angekommen! Das war aber eine schöne Überraschung für uns.

   🗨 Oh, gut!

4. 🗨 Sag mal, Simon, kommst du am Freitagabend? Ich feiere meinen Geburtstag mit ein paar Freunden.

   👍 Oh, danke für die Einladung. Aber am Freitag kann ich leider nicht.

2.6

Hallo, schön, dass du anrufst! – Gern! Kommst du denn? – Warum denn nicht? – Oh, das ist schade. – Vielen Dank.

4.2 + 4.3

🗨 Puh, wir haben noch viel Arbeit für die Party am Samstag.

👍 Ja. Glaubst du wirklich, dass Felix nichts gemerkt hat?

🗨 Nein, ich glaube, das wird wirklich eine Überraschung. Ich habe gesagt, wir gehen zusammen ins Kino. Er freut sich auf einen ruhigen Abend.

👍 Okay, was müssen wir noch machen? Hast du die Liste?

🗨 Ja. Also, ich lese mal vor: Raum reservieren, DJ buchen, Anlage mieten, Einladungen abschicken. Das ist alles fertig!

👍 Super. Und was fehlt noch?

💬 Hier steht noch: Getränke bestellen, Geschirr und Besteck leihen, Essen organisieren, dekorieren.

👍 Geschirr und Besteck habe ich gestern bestellt.

💬 Toll, danke.

👍 Okay, wir können erst am Samstag dekorieren. Was soll ich dafür einkaufen?

💬 Hmm, vielleicht Blumen für die Tische?

👍 Gut. Und was machen wir mit dem Essen?

💬 Wir können am Samstag einfach Pizza bestellen.

👍 Ja, das ist eine gute Idee. Und was für Getränke brauchen wir?

💬 Wasser, Cola, Bier und Sekt?

👍 Keinen Wein? Hmm, also ich finde ...

5.8

Es gibt einen Tag im Jahr, an dem ich immer ein Gartenfest mache. Das ist mein Geburtstag. Ich lade alle Menschen ein, mit denen ich gern etwas in meiner Freizeit mache und mit denen ich mich wohlfühle. Ich buche auch immer einen DJ, denn ohne Musik ist es schrecklich öde. Mein Geburtstag ist keine Party, zu der man kommen muss. Wenn manche Freunde keine Lust haben, dann können sie natürlich zu Hause bleiben. Das ist kein Problem.

6.2 + 6.3

💬 Hallo, liebe Zuhörerinnen und Zuhörer. Herzlich willkommen an diesem Sonntagnachmittag zu unserer Sendung *Stuttgart traut sich*. Wir senden live von der Hochzeitsmesse, die in diesem Jahr am Samstag und Sonntag in Stuttgart stattfindet. Barbara Hülsen ist vor Ort unterwegs und fragt junge Paare: Wie möchten Sie Ihre Hochzeit feiern? Hallo, Barbara!

👍 Hallo, Martin! Ja, ich stehe hier auf der Messe und neben mir sind Ute Kleist und Ralf Heller. Sie sind seit vier Jahren zusammen und möchten im Sommer heiraten.
Ute, du hast mir gesagt, dass ihr heute hier seid, weil ihr Ideen für eure Hochzeit sammelt. Wie soll eure Hochzeit aussehen?

👍 Wir hatten großes Glück und haben für das Standesamt noch einen Termin im Alten Rathaus bekommen. Und nach dem Standesamt möchten wir mit vielen Freunden und der ganzen Familie feiern. Das ist sehr wichtig für uns. Wir planen eine große Grillparty im Garten von meinen Eltern.

👍 Heiratet ihr ganz traditionell, also du als Braut in einem weißen Kleid? Das ist doch eine tolle Sache.

👍 Oh nein! Wir haben nicht so viel Geld. Deshalb finde ich es wichtig, dass ich das Kleid auch nach der Hochzeit noch anziehen kann. Ich möchte in Rot heiraten.

👍 Oh, schön. Dann wünsche ich euch viel Spaß auf der Messe und spannende Ideen.

👍 Danke!

👍 Vielleicht haben Sie, liebe Hörerinnen und Hörer, gedacht, dass Heiraten altmodisch ist. Das ist falsch! Ich habe heute mit vielen jungen Menschen gesprochen. Die meisten möchten gern heiraten. So zum Beispiel auch unser nächstes junges Paar, Sonja Thiele und Tom Lanke.
Tom, plant ihr eure Hochzeit auch schon?

👍 Ja, wir wollen in diesem Jahr heiraten. Wir fahren in den Sommerferien nach Hawaii und heiraten dort. Zu zweit.

👍 Oh, wie romantisch! Sind eure Freunde und Eltern dann nicht sauer?

👍 Unsere Eltern finden das nicht so toll. Sie möchten natürlich lieber, dass wir zu Hause heiraten und mit ihnen feiern. Aber die Hochzeit auf Hawaii ist schon lange unser Traum. Und es ist unser Tag, da entscheiden wir allein.

👍 Also wird es bei euch eine Hochzeit in Badehose und Bikini?

👍 Wir wissen noch nicht, was wir anziehen. Das ist uns auch nicht so wichtig. Wichtig ist, dass wir zusammen sind. Nur wir zwei. Aber vielleicht machen wir noch eine Party, wenn wir wieder zu Hause sind.

👍 Dann gute Reise, ihr beiden! Ich habe heute auch mit ...

16 Kulturwelten

1.5 + 1.6

1. Unser Tipp für das Wochenende: In Dortmund findet auch in diesem Jahr wieder das Straßenkunst-Festival statt. Aber es ist umgezogen und ist jetzt in der Altstadt und nicht mehr auf der Messe. Künstlerinnen und Künstler aus ganz Deutschland und vielen Nationen kommen nach Dortmund. Sie, liebe Zuhörerinnen und Zuhörer, können Musik hören, Zirkusartistik und Akrobatik erleben und sogar selber jonglieren lernen. Das Festival beginnt am Samstagmorgen um 9 Uhr und es endet am Sonntagabend um 21 Uhr mit einem Konzert vor der Stadtkirche. Festival-Tickets für 10 Euro gibt es auch am Bahnhof.

2. Hallo, Tina. Anne hier. Du, am Freitagabend gehe ich mit Sophie zu einem Blues-Konzert. Willst du mitkommen? Der Sänger ist Bobby Jones aus Chicago, er ist ganz toll. Wir treffen uns um 19 Uhr vor der Konzerthalle. Das Konzert beginnt um Acht. Ich kann ein Ticket für dich online kaufen, der Eintritt kostet 18 Euro. Wenn du Lust hast, schreib mir oder ruf mich kurz an. Tschüssi!

3. Liebe Festivalbesucherinnen und -besucher! Achtung: Der Samba-Umzug am Sonntag beginnt nicht um 16 Uhr. Es geht eine Stunde früher los, also um 15 Uhr, aber vor dem Bahnhof, nicht vor der Kirche! Wir bitten um Entschuldigung. Alle Künstlerinnen und Künstler, die am Umzug teilnehmen, sollen pünktlich um 14:45 Uhr am Bahnhof sein. Danke!

4. Jetzt zum Wetter für das Wochenende. Hier im Ruhrgebiet ist es leider nicht so gut. Am Samstagvormittag gibt es starken Wind bei maximal dreizehn Grad und am Nachmittag gibt es Regen. Der Sonntag sieht aber besser aus: Der Sonntagmorgen beginnt mit vielen Wolken, aber ohne Regen. Nachmittags wird auch die Sonne scheinen.

3.4

Ich höre sehr gern Live-Musik, deshalb habe ich mich sehr auf die „Blues und Folk-Tage" gefreut. Das Open-Air-Festival findet jedes Jahr im Juli statt. Der Eintritt ist sehr günstig: nur 29 Euro für zwei Tage. Die Musikerinnen und Musiker treten kostenlos auf. Viele Bands kommen aus der Region, aber es gibt auch internationale Künstler. Meine Lieblingsband dieses Jahr war *Querschläger*. Das ist eine österreichische Band, die auch in Deutschland bekannt ist. Das Festival war sehr schön. Alle Zuschauer hatten gute Laune und die Musik war toll. Nur über das schlechte Wetter habe ich mich geärgert – es war kalt und nass.

4.4 + 4.5

1. 💬 Ich freue mich auf das Wochenende.
   💬 Wie bitte? Worauf freust du dich?
   💬 Auf das Wochenende.
2. Ich freue mich über das schöne Fest. – Über das schöne Fest.
3. Ich denke an die Prüfung. – An die Prüfung.
4. Ich ärgere mich über das schlechte Wetter. – Über das schlechte Wetter.
5. Ich träume von einem neuen Auto. – Von einem neuen Auto.
6. Ich interessiere mich für Kunst und Kultur. – Für Kunst und Kultur .
7. Ich warte auf den Zug nach Hause. – Auf den Zug nach Hause.
8. Ich informiere mich über das neue Smartphone. – Über das neue Smartphone.

5.2

Hören Sie gern Musik? – Wer ist Ihre Lieblingssängerin oder Ihr Lieblingssänger? – Würden Sie gern ein Festival besuchen? – Spielen Sie selbst ein Instrument?

Und in Ihrer Sprache?

Kommen Sie zum Stadtfest in Neustadt vom 28. bis 30. Mai. Es gibt drei Bühnen, über 30 Bands und auch viele andere Vorstellungen in der ganzen Stadtmitte. Am Freitagabend um 18 Uhr beginnt der große Umzug. Der Eintritt zum Stadtfest ist kostenlos. Straßenkünstler jonglieren, es gibt Musik und Akrobatik. Dazu kann man leckere Spezialitäten aus der Region probieren und das große Bierzelt im Stadtpark besuchen. Das Programm können Sie am Bahnhof, an der Touristen-information oder online auf unserer Webseite bekommen.

Bildquellen

Cover Schapowalow/SIME/Gabriele Croppi – **alle Papierzettel:** Shutterstock/Picsfive – **S.6** *1* Fotolia/daviles; *2* Fotolia/detailblick-foto; *3* Fotolia/roza; *4* Colourbox.com; *5* Shutterstock/Jordan Tan; *6* Fotolia/Africa Studio – **S.7** *Rahmen* Shutterstock/wessley; **S.8** *Hintergrund* Fotolia/incomible; *1* Fotolia/tl6781, *2* Fotolia/Pefkos; *3* Fotolia/Martin Debus; *4* Fotolia/oxie99; *5* Shutterstock/Radu Bercan; *6* Fotolia/bricef; *7* Fotolia/tang90246; *8* Fotolia/Björn Wylezich; *9* Fotolia/JSFoto – **S.10** *Fahne* Fotolia/littlehandstocks; **S.11** *Rahmen* Fotolia/Becker; *links* Shutterstock/badahos; *Mitte* Fotolia/A. Karnholz; *rechts* Fotolia/JFL Photography – **S.14** *oben* Fotolia/radub85; *a* Fotolia/Romolo Tavani; *b* Fotolia/Zerophoto; *c* Colourbox.com – **S.15** *oben* Shutterstock/Ammit Jack; *1* Fotolia/Jasmin Merdan; *2* Shutterstock/Marko Tomicic; *3* Fotolia/jackfrog; *4* Shutterstock/Andresr; *5* Fotolia/Daniel Ernst – **S.16** *Mitte links* Fotolia/Jürgen Hüls; *1, 2, 3* Fotolia/DenisIsmagilov; *Mitte rechts* Fotolia/contrastwerkstatt – **S.18** *links* Fotolia/TOLGA ILDUN; *rechts* Fotolia/Kzenon – **S.19** *links* Shutterstock/Mangsaab; *rechts* Shutterstock/Kilroy79 – **S.24** *1* Fotolia/kmiragaya; *2* Fotolia/jonnysek; *3* Fotolia/alco81; *4* Fotolia/soleg; *5* Shutterstock/bikeriderlondon; *6* Shutterstock/"O'SHI" – **S.26** *oben links* Cornelsen Schulverlage/Wildfang; *oben rechts* Fotolia/comodigit; *unten links* Cornelsen Schulverlage/Wildfang; *unten rechts* Fotolia/Jeanette Dietl – **S.27** *oben* Shutterstock/aslysun; *a* Shutterstock/Anton Watman; *b* Fotolia/auryndrikson; *c* Fotolia/liubovyashkir; *d* Fotolia/Jamrooferpix; *e* Fotolia/Jonas Glaubitz; *f* Cornelsen Schulverlage/Björn Schumann; *g* Fotolia/JackF; *h* Fotolia/Petair – **S.28** *oben von links nach rechts* Fotolia/Kara; Fotolia/LIPSKIY PAVEL; Fotolia/Robert Faritsch; Fotolia/Jörg Hackemann; Fotolia/golovianko; *Mitte* Shutterstock/CREATISTA; *unten von links nach rechts* Fotolia/ranftl; Fotolia/unclepodger; Fotolia/bill_17 – **S.29** *1* Fotolia/grafikplusfoto; *2* Fotolia/Alexander Rochau; *3* Fotolia/sjhuls; *4* Fotolia/Spectral- Design; *5* Shutterstock/rmnoa357 – **S.30** *1* Fotolia/MAK; *2* Shutterstock/Daxiao Productions; *3* Shutterstock/Ronnachai Palas – **S.31** *Rahmen* Shutterstock/wessley; *Mitte links* Shutterstock/A_Lesik; Mitte rechts Fotolia/Otto Durst; *unten links* Fotolia/Monkey Business – **S.32** *oben* Fotolia/AILA_IMAGES; *Mitte* Fotolia/Trueffelpix – **S.34** *Rahmen oben* Shutterstock/wessley; *Logos von links nach rechts* ARD Design und Präsentation; ZDF; Mediengruppe RTL; ProSiebenSat.1 Media TV Deutschland GmbH; *1* Fotolia/Elnur Amikishiyev; *2* Fotolia/claudiavija; *3* Fotolia/Fotowerk; *4* Fotolia/julien tromeur; *5* Fotolia/Francois du Plessis; *6* Shutterstock/Tatiana Belova; *7* Shutterstock/Andrey_Popov; *8* Shutterstock/VladKol – **S.35** *rechts* Shutterstock/wavebreakmedia; *Rahmen* Shutterstock/wessley – **S.37** *Mitte* Shutterstock/praszkiewicz; *unten* action press/Sehrsam,Heiko – **S.40** *oben* action press/OT, IBRAHIM; *unten* Fotolia/kartoxjm – **S.41** *1* www.youtube.com/watch?v=_b4s4M04mJI [Abrufdatum: 20.1.2016]; *2* www.youtube.com/user/LeFloid [Abrufdatum: 15.1.2016]; *3* www.ardmediathek.de/tv/sendungen-a-z?buchstabe=T [Abrufdatum: 15.1.2016] – **S.42** *Logos von links nach rechts* ARD Design und Präsentation; Mediengruppe RTL; ARD Design und Präsentation; ZDF; *unten* www.youtube.com/user/LeFloid [Abrufdatum: 15.1.2016] – **S.44** *1* doodle.com; *2* Fotolia/sunt; *3+5* Fotolia/Nataliya Yakovleva; *4* Fotolia/Nikolai Titov; *6* Fotolia/Ainoa – **S.46** Fotolia/DragonImages – **S.47** *Rahmen* Shutterstock/wessley – **S.48** *1+3+5* Fotolia/Yael Weiss; *2* Fotolia/schinsilord; *4* Fotolia/HitToon.com – **S.49** *links* Fotolia/Кирилл Рыжов; *rechts* Fotolia/Monkey Business – **S.50** *Rahmen* Shutterstock/wessley; *a* Fotolia/Monkey Business; *b* Fotolia/pure-life-pictures; *c: von links nach rechts* Fotolia/Anna Jurkovska; Fotolia/Africa Studio; Fotolia/Paul Vinten; Fotolia/Alexandre Zveiger www.photobank.ch – **S.51** *Rahmen* Shutterstock/wessley; *1* Fotolia/iordani; *2* Fotolia/chika_milan – **S.52** *1* Fotolia/Nikolai Titov; *2+4* Fotolia/Nataliya Yakovleva; *3* Fotolia/sunt; *5* Fotolia/Ainoa – **S.54** Shutterstock/Dragon Images – **S.55** *Hintergrund* Fotolia/Seraphim Vector; *1. Reihe von links nach rechts* Shutterstock/Krutikov Anton; Fotolia/Mny-Jhee; Fotolia/iuneWind; Fotolia/iuneWind; *2. Reihe von links nach rechts* Fotolia/styleuneed; Fotolia/Kitch Bain; Shutterstock/tkemot; Shutterstock/aperturesound; *3. Reihe von links nach rechts* Fotolia/bayshev; Fotolia/Neyro; Fotolia/Serghei Velusceac; Fotolia/ValentinValkov; *4. Reihe von links nach rechts* Fotolia/Axel Bueckert; Fotolia/blackday; Fotolia/DenisNata; Fotolia/Dragne Marius – **S.58** *1* Shutterstock/hans engbers; *2* Fotolia/AR; *3* Shutterstock/StockHouse; *4* Fotolia/NIKOLAY DEVNENSKI; *5* Fotolia/linjerry; *Zettel* – **S.60** *1* Fotolia/bayshev; *2* Shutterstock/DragonPhotos; *3* Fotolia/Mny-Jhee; *4* Fotolia/Marina Lohrbach; *Zeitung* – **S.61** Rahmen Shutterstock/wessley – **S.62** *1 links* Shutterstock/Dmitry Koksharov; *1 rechts* Fotolia/prescott09; *2 links* Fotolia/Mny-Jhee; *2 rechts* Fotolia/lucky_marinka; *3 links* Fotolia/Mihalis A.; *3 rechts* Fotolia/nattstudio; *unten 1* Shutterstock/DragonPhotos; *2* Fotolia/bayshev – **S.64** Cornelsen Schulverlage/Volkhard Binder, Telgte – **S.65** *Rahmen* Shutterstock/wessley; *Hintergrund* Fotolia/paulrommer; *a* Fotolia/elxeneize; *b* Fotolia/Tiberius Gracchus; *c* Fotolia/JSB31; *d* Fotolia/fottoo; *unten von links nach rechts* Fotolia/David Freigner; Shutterstock/Stuart Monk; Shutterstock/racorn – **S.66** *1* Fotolia/by-studio; *2* Fotolia/stockphoto-graf; *3+4* Fotolia/auremar; *5* Fotolia/Alexander Raths; *7+8* Fotolia/ArTo – **S.67** *1–9* Fotolia/PhotoSG; *Mitte* Fotolia/Robert Kneschke – **S.68** *unten 1–4* Fotolia/Robert Kneschke – **S.69** *Rahmen* Shutterstock/wessley – **S.71** Fotolia/taonga – **S.72** Fotolia/Artalis; Fotolia/ Thierry RYO – **S.74** *oben* Fotolia/aloha2014; *Rahmen* Fotolia/Max Diesel; *Mitte links* Shutterstock/Alberto Zornetta; *Mitte rechts* Shutterstock/Ollyy; *Rahmen* Fotolia/Becker – **S.75** Colourbox.com – **S.77** *1. Reihe von links nach rechts* Fotolia/Myst; Fotolia/pressmaster; Fotolia/Pixelot; *2. Reihe von links nach rechts* Fotolia/fudio; Fotolia/pressmaster; Fotolia/Petair; Fotolia/Björn Wylezich; *Mitte links* Fotolia/Oksana Kuzmina; *Mitte rechts* Fotolia/contrastwerkstatt – **S.78** *1* Fotolia/liubovyashkir; *2* Fotolia/Tomasz Zajda; *Mitte links* Fotolia/Picture-Factory; *Mitte rechts* Fotolia/sylv1rob1 – **S.80** Shutterstock/Emka74 – **S.81** *Rahmen* Shutterstock/

wessley; *rechts* Shutterstock/Denis Makarenko – **S.84:** Fotolia/yayoicho – **S.85:** *oben* Shutterstock/Teguh Mujiono; *1* Fotolia/ WavebreakmediaMicro; *2* Fotolia/racamani; *3* Fotolia/Fischer Food Design; *4* Fotolia/Kruwt – **S.87:** *1* Fotolia/lenets_tan; *2* Fotolia/David Freigner; *3* Fotolia/Kzenon; *4* Fotolia/Andrey Popov; *5* Fotolia/Antonioguillem – **S.88:** *Icons* Shutterstock/ chudo-yudo; *unten* Fotolia/contrastwerkstatt – **S.91:** Fotolia/Kzenon – **S.92:** *Hintergrund 1, 3* Fotolia/arsdigital; *Hintergrund 2* Fotolia/novro; *Hintergrund 4* Fotolia/Photographee.eu – **S.94:** *oben* Fotolia/goodluz; *unten* Fotolia/vectorfusionart – **S.96:** Fotolia/goodluz – **S.97:** *Tablet* Fotolia/sdecoret; *a* Fotolia/Alex White; *b, c, d* Fotolia/Nataliya Yakovleva; *e* Fotolia/teracreonte; *f* Fotolia/teracreonte – **S.98:** *oben* Cornelsen/Klein&Halm GbR; *Mitte* Fotolia/leungchopan; *unten* Fotolia/sdecoret – **S.99:** *1* Shutterstock/-Albachiaraa-; *2* Fotolia/dimakp; *3* Fotolia/adempercem; *4* Fotolia/juliko77; *5* Fotolia/Nataly-Nete; *Kamera* Fotolia/stockphoto-graf; *Sehenswürdigkeit* Fotolia/pure-life-pictures; *Brille* Shutterstock/Webspark; *Bücher* Fotolia/burnhead; *Stift* Shutterstock/Nordroden; *Postkarte* Fotolia/celeste clochard – **S.100:** *beide* Shutterstock/wavebreakmedia – **S.101:** *links* Fotolia/Denis Prikhodov; *2. von links* Fotolia/Thomas Söllner; *Mitte* Shutterstock/Georgejmclittle; *2. von rechts* Shutterstock/Oberon; *rechts* Fotolia/littlestocker – **S.102:** *Smileys* Fotolia/Trueffelpix – **S.104:** *1* Fotolia/drubig-photo; *2* Shutterstock/lassedesignen; *3* Shutterstock/Little Perfect Stock; *4* Fotolia/Sonja Calovini – **S.105:** *oben* Fotolia/Kim Schneider; *unten links* Fotolia/chrisberic; *unten Mitte* Fotolia/lanzeppelin; *unten rechts* Fotolia/F.C.G. – **S.106:** *oben* Shutterstock/wessley; *unten* Fotolia/Oliver Hauptstock – **S.107:** Shutterstock/Vlad Teodor – **S.108:** *Internetseite* Shutterstock/wessley; *oben* Shutterstock/IVASHstudio – **S.109:** *1* Fotolia/Boca; *2* Fotolia/pitels; *3* Fotolia/Kara; *4* Fotolia/alexbrylovhk; *5* Shutterstock/ VGstockstudio – **S.111:** *Internetseite* Shutterstock/wessley; *oben* Fotolia/Hunor Kristo; *unten* Fotolia/Ingo Bartussek – **S.114:** *a* Shutterstock/Marcos Mesa Sam Wordley; *b* Fotolia/Thaut Images; *c* Fotolia/Henry Czauderna; *d* Fotolia/Miriam Dörr; *e* Fotolia/animaflora – **S.117:** *1* Fotolia/Dirima; *2* Fotolia/drubig-photo; *3* Fotolia/nikodash; *4* Fotolia/Syda Productions; *5* Shutterstock/Marcos Mesa Sam Wordley; *6* Fotolia/eggeeggjiew – **S.119:** *oben* Shutterstock/Nadin3d; *Mitte* Fotolia/drubig-photo; *unten* Fotolia/Picture-Factory – **S.120:** *Internetseite* Shutterstock/wessley; *oben* Fotolia/Jeannette Dietl – **S.122:** *1* Colourbox; *2* Fotolia/Miriam Dörr; *3* Fotolia/Thaut Images; *4* Shutterstock/Marcos Mesa Sam Wordley; *5* Fotolia/animaflora; *6* Shutterstock/Mike Focus; *Hintergrund unten* Fotolia/rilueda – **S.124:** Fotolia/michael spring – **S.125:** *Chips* Fotolia/ volff; *Salat* Fotolia/gavran333; *Zucker* Fotolia/BillionPhotos.com; *Zitronen* Fotolia/alexlukin; *Peperoni* Fotolia/Egor Rodynchenko; *Kaffeebohnen* Fotolia/Natalja Stotika; *rechts* Fotolia/Fotos 593 – **S.126:** *a* Shutterstock/yyang; *b* Shutterstock/Daiquiri; *c* Shutterstock/PureSolution – **S.128:** Shutterstock/Babich Alexander – **S.129:** Fotolia/konstantant – **S.130:** *1* Fotolia/ Minerva Studio; *2* Fotolia/WavebreakMediaMicro; *3* Fotolia/EastWest Imaging – **S.131:** *1* Fotolia/M.studio; *2* Fotolia/Daorson; *3* Fotolia/photocrew; *4* Fotolia/inats: *Hintergrund* Fotolia/Konstanze Gruber – **S.132:** Fotolia/ivolodina – **S.134:** Fotolia/ zhu difeng – **S.135:** *beide* Fotolia/olly – **S.136:** *1* Fotolia/Syda Productions; *2* Fotolia/Robert Kneschke; *3* Shutterstock/IAKOBCHUK VIACHESLAV; *4* Fotolia/industrieblick; *5* Fotolia/WavebreakMediaMicro; *6* Fotolia/Andrey Popov – **S.140:** *links* Fotolia/zhu difeng; *2. von links* Fotolia/mavoimages; *Mitte* Fotolia/Ruslan Gilmanshin; *2. von rechts* Fotolia/Ivan Kruk; *rechts* Fotolia/xy – **S.141:** *1* Fotolia/alphaspirit; *2, 3* Fotolia/olly – **S.142:** Shutterstock/InnaFelker – **S.144:** *a* Fotolia/EvgeniyQW; *b* Fotolia/pressmaster; *c* Fotolia/Rawpixel.com; *d* Fotolia/contrastwerkstatt; *e* Fotolia/elnariz; *f* Fotolia/Christian Schwier; *unten* Fotolia/Picture-Factory – **S.145:** *links* Fotolia/yossarian6; *rechts* Shutterstock/POM POM – **S.146:** Fotolia/ yossarian6 – **S.147:** *a* Fotolia/Svyatoslav Lypynskyy; *b* Fotolia/Nebojsa Bobic; *c* Fotolia/pressmaster; *d* Fotolia/iko; *e* Fotolia/ Kzenon; *f* Fotolia/Syda Productions – **S.148:** Fotolia/farbkombinat – **S.149:** Shutterstock/Leremy – **S.150:** Fotolia/Firma V – **S.151:** *oben* Fotolia/manu; *unten* Fotolia/yossarian6 – **S.152:** *1* Clip Dealer/Wavebreak Media LTD; *2* Fotolia/Steve Cukrov; *3* Fotolia/PhotoSG; *4* Fotolia/tania mattiello; *5* Fotolia/Africa Studio – **S.156:** Fotolia/sylv1rob1 – **S.157:** *1* Fotolia/ monticelllo; *2* Fotolia/BillionPhotos.com; *3* Fotolia/Patryk Kosmider; *4* Fotolia/Kara; *5* Fotolia/Gina Sanders; *6* Fotolia/ Fxquadro; *7* Fotolia/Africa Studio; *8* Fotolia/Erwin Wodicka – **S.158:** *oben* Fotolia/Halfpoint; *Hintergrund* Fotolia/Photocreo Bednarek – **S.161:** *links* Fotolia/cpdprints; *rechts* Shutterstock/riopatuca – **S.162:** *oben* Shutterstock/Poznyakov; *Mitte* Shutterstock/KingJC; *Hintergrund Briefmarke* Fotolia/pixelrobot; *unten* Shutterstock/g-stockstudio – **S.176:** *beide* Cornelsen/Sharon Adler – **S.177:** *Hintergrund links* Fotolia/ostap25; *Hintergrund rechts* Shutterstock/fiphoto – **S.182:** Fotolia/Minerva Studio – **S.183:** Shutterstock/Monkey Business Images – **S.187:** Fotolia/katerinchik.

Inhalt CD

CD 1

CD 2